Poucas coisas são mais essenciais para a maturidade e a ⬚⬚⬚⬚⬚⬚ na missão do que um ensino claro e um entendimento ⬚⬚⬚⬚⬚⬚⬚⬚⬚. Todavia, mesmo nas igrejas em que se prega a Bíblia, p⬚⬚⬚ ⬚⬚⬚⬚⬚⬚⬚ ⬚⬚ ⬚⬚⬚⬚⬚⬚⬚⬚ bíblicas serem pinçadas aqui e ali como promessas motivadoras, como comprovações de doutrinas específicas, ou até como açoites para castigos moralistas. Resta então a ignorância do que a Bíblia de fato é como um todo, ou seja, o relato da grande história de Deus, da criação, e da humanidade. A Bíblia explica o passado, aponta-nos para o futuro último, e convida-nos a participar, desde já, desta história e viver em conformidade com ela. Bernardo Cho apresenta um excelente exemplo de como os pastores podem ajudar as pessoas a compreender o enredo da Bíblia como a estrutura geral que permite uma avaliação mais profunda de cada uma de suas partes. Estou empolgado com este livro, com seu conteúdo, com o conceito por trás dele, e com o modelo que ele providencia para seus leitores.

CHRISTOPHER J. H. WRIGHT
Embaixador e diretor da Langham Partnership International

É inspirador saber que, após anos de muito estudo, um acadêmico treinado em exegese e teologia bíblica produz uma obra ao mesmo tempo profunda e acessível ao público em geral. *O enredo da salvação* nos lembra de confiar menos em nós mesmos e mais no Deus que ressuscita os mortos, e o faz de modo inspirador, coerente e profundo. Bernardo presenteia-nos não somente com ideias, mas com o fruto de seu penoso labor exegético, seu percurso de amor às Escrituras e sua capacidade de transmitir conceitos complexos de forma compreensível. Em tempos de pseudoevangelhos autocentrados e de amplo analfabetismo bíblico, o autor reposiciona nosso lugar na grande história e nos faz dizer: Ah, agora a Bíblia faz sentido, e a vocação humana também!

DAVI LIN
Pastor da Comunidade Evangélica do Castelo, em Belo Horizonte, e professor na área de
Aconselhamento e Espiritualidade no Seminário Teológico Servo de Cristo

Vivemos tempos difíceis, especialmente para o povo de Deus. Alguns, sem qualquer embaraço, trocam seu "direito de primogenitura" como protagonistas conscientes da história da salvação por um "prato de lentilhas" político. Outros pensam que ser ortodoxo se resume a subscrever a uma teologia externamente construída (em relação às Escrituras). Outros, ainda, "vivem no mundo da lua", imaginando que ser cristão é aguardar um "nirvana celestial" sem se importar com o que acontece ao seu redor. Neste contexto conturbado, a compreensão da "grande história", do enredo bíblico da salvação e de suas implicações para o povo de Deus, se torna uma necessidade urgente. O querido colega Bernardo Cho oferece exatamente isso neste livro. E o faz de forma brilhante, combinando sólido conhecimento bíblico-teológico com uma perspectiva marcantemente pastoral. Que esta obra seja usada por Deus para a "reconstrução" de uma mente mais biblicamente evangélica!

ESTEVAN F. KIRSCHNER
Professor de Bíblia, Línguas Originais e Exegese no Seminário Teológico Servo de Cristo e coordenador de tradução da Nova Versão Transformadora

A leitura do livro do Dr. Bernardo Cho me edificou profundamente. Desde meus tempos como professor de Novo Testamento, em Belo Horizonte, tenho predileção por trabalhos que mapeiam o terreno com desembaraço e que realmente orientam o leitor. Enquanto lia a obra eu sorri muitas vezes, notando estar diante de um mapa dos bons: sintetiza os temas-chave e os grandes blocos literários da Bíblia de forma bem atualizada, abordando assuntos como o entendimento da criação e da redenção a partir da teologia do templo, e a vocação sacerdotal do povo de Deus. E sorri ainda mais quando constatei que o livro é fruto de uma série de sermões pregados durante a pandemia! Aqui temos uma excepcional síntese de teologia bíblica, fluxo narrativo, habilidade comunicativa e coração pastoral. Uma excelente e deliciosa introdução à grande história da Bíblia.

GUILHERME DE CARVALHO
Diretor do L'Abri Fellowship Brasil e pastor da Igreja Esperança, em Belo Horizonte

Histórias nos cativam, não só por causa de seus artifícios literários, mas porque tocam a essência do nosso ser. Somos seres desejosos de conhecer melhor como chegamos até aqui e movidos pela expectativa do que está por vir. Somos seres históricos por natureza, criados por Deus, manchados pela nossa rebeldia, carentes de resgate rumo a um ápice paradisíaco. Essa é a história do mundo, na qual fomos inseridos pelo Criador. Seguindo o bom influxo de teologias bíblicas em língua portuguesa, Bernardo Cho nos conduz a olhar para as Escrituras como uma grande narrativa, a história que dá sentido a cada história. Deleite-se na maneira pela qual o Bernardo conecta cada porção das Escrituras e nos desvenda a Bíblia, não como uma biblioteca de 66 livros, mas como uma Grande História, a história de Deus, a nossa própria história!

HEBER CARLOS DE CAMPOS JR.
Professor de Teologia Histórica no Centro Presbiteriano de Pós-Graduação Andrew Jumper e de Teologia Sistemática no Seminário Teológico Presbiteriano Rev. José Manoel da Conceição, e pastor da Igreja Presbiteriana do Brasil

Os cristãos, em sua maioria, presumem que o objetivo da vida é "ir para o céu", e imaginam que essa é a história que a Bíblia nos conta. A realidade é muito mais empolgante: Deus, o criador, virá e viverá conosco, transformando a criação por meio da obra de Jesus e do poder do Espírito. O presente livro delineia essa mensagem bíblica central de modo cativante e acessível, com potencial para revolucionar nossas esperanças, nossas orações e nossa atuação no mundo de Deus.

N. T. WRIGHT

Professor emérito de Novo Testamento na Universidade de St. Andrews, na Escócia

Em minha família, desfrutamos quando temos a oportunidade de fazer algo juntos. Montar um quebra-cabeças é um desses momentos. É sempre um desafio interpretativo aprender a olhar, com atenção, cada peça, cada cor, comparando-as com a figura maior impressa na caixa. Ao ler este livro do professor Bernardo Cho, tive uma experiência semelhante. De forma cuidadosa, ele nos ajuda a unir as partes soltas de nossa compreensão do evangelho, corrigindo-a, quando necessário, e relacionando, cada uma delas, com a história da salvação. Uma obra fundamental para todo aquele que deseja integrar a vocação humana e a presença divina neste eterno enredo da salvação.

ZIEL MACHADO

Vice-reitor do Seminário Teológico Servo de Cristo
e pastor da Igreja Metodista Livre da Saúde, em São Paulo

O ENREDO DA SALVAÇÃO

Presença divina, vocação humana e redenção cósmica

—

BERNARDO CHO

Copyright © 2021 por Bernardo Cho

Os textos bíblicos foram extraídos da *Nova Versão Transformadora* (NVT), da Editora Mundo Cristão, sob permissão da Tyndale House Publishers, salvo indicação específica.

Todos os direitos reservados e protegidos pela Lei 9.610, de 19/02/1998.

É expressamente proibida a reprodução total ou parcial deste livro, por quaisquer meios (eletrônicos, mecânicos, fotográficos, gravação e outros), sem prévia autorização, por escrito, da editora.

CIP-Brasil. Catalogação na publicação
Sindicato Nacional dos Editores de Livros, RJ

C473e

    Cho, Bernardo
      O enredo da salvação : presença divina, vocação humana e redenção cósmica / Bernardo Cho. - 1. ed. - São Paulo : Mundo Cristão, 2021.

      ISBN 978-65-86027-89-1

      1. Salvação (Teologia) - Doutrina bíblica. 2. Igreja Católica - Sermões. 3. Igreja Católica - Liturgia - História. 4. Bíblia - Teologia. I. Título.

21-68947
    CDD: 234
    CDU: 27-185.5

Edição
Daniel Faria

Revisão
Natália Custódio

Produção e diagramação
Felipe Marques

Colaboração
Ana Luiza Ferreira

Capa
Jonatas Belan

Publicado no Brasil com todos os direitos reservados por:

Editora Mundo Cristão
Rua Antônio Carlos Tacconi, 69
São Paulo, SP, Brasil
CEP 04810-020
Telefone: (11) 2127-4147
www.mundocristao.com.br

Categoria: Teologia
1ª edição: maio de 2021 | 1ª reimpressão: 2021

Para
Roberta, Isabella e Rafael,
pela graça de viver o enredo da salvação ao lado de vocês.

Sumário

....

Prefácio   11

Agradecimentos   13

Introdução: Antes de tudo, ajustemos os ponteiros   17

PARTE I — DA CRIAÇÃO A ISRAEL

1. No princípio, Deus formou e preencheu: A criação como espaço sagrado   25

2. Desconfiança, ruptura e morte: A instalação do caos na queda   33

3. Uma família, bênção para todos os povos: A promessa de Deus a Abraão   42

4. Livres para um recomeço: O êxodo como o início de uma nova criação   49

5. Tal pai, tal filho: O chamado de Israel   58

PARTE II — DO SINAI AO EXÍLIO

6. O caos no coração: O episódio do bezerro de ouro   69

7. Aos trancos e barrancos: O tempo dos juízes   79

8. Uma nação, um culto: O reinado de Davi   87

9. Aquele descendente (não tão) sábio: A queda de Salomão   96

10. Podem os mortos voltar a viver? O exílio e os profetas   104

PARTE III — DO NASCIMENTO À RESSURREIÇÃO DE JESUS

11. A chegada do salvador: O descendente de Davi e de Abraão   119

12. A restauração da imagem de Deus: O reino de Deus é chegado   130

13. Cura leprosos, perdoa pecados e cala a tempestade? A autoridade divina do Messias   137

14. A morte da morte: O adversário final do Messias   146

15. A manhã decisiva: A ressurreição de Jesus   157

PARTE IV — DO SEPULCRO VAZIO À NOVA JERUSALÉM

16. Adoradores de todas as nações: A missão do povo messiânico   169

17. Babel do avesso: A presença do Espírito Santo na Igreja   176

18. Não mais condenados, mas agora filhos e herdeiros: 184
A adoção pelo Espírito Santo

19. Amostras de um mundo alternativo: O povo da reconciliação   195

20. No fim, Deus habitará conosco: A Nova Jerusalém e a   205
esperança cristã

Conclusão: A história continua   215

Sobre o autor   221

Prefácio

Já há alguns anos, em minhas palestras e em meus textos, tenho o hábito de citar a frase do importante livro do filósofo Alasdair MacIntyre, *Depois da virtude*: "Só posso responder à pergunta 'O que devo fazer?' se conseguir antes responder à pergunta 'De qual história ou de quais histórias eu descobri que faço parte?'". Caso não respondamos primeiro a essa pergunta, propõe ele, nós nos veremos "gaguejando em ansiedade e despreparo", em atos bem como em palavras. Trata-se de algo profundo e relevante acerca de nossa condição humana. Cada um de nós "desperta", por assim dizer, no meio de uma história, cujo início só lembramos vagamente, e cujo final exato não somos capazes de prever. Qual é a verdadeira natureza dessa história? Será que é uma narrativa meramente pessoal, individual? Será uma história ligeiramente mais ampla, mas ainda assim apenas familiar, ou tribal, ou nacional? Ou acaso existe uma narrativa maior da qual eu faço parte? Das respostas a tais perguntas tudo o mais depende — o sentido do que sou, o destino para onde vou, e o modo como devo viver.

A resposta cristã ortodoxa a essas questões implica, de fato, uma história bastante ampla: a verdadeiríssima História que dá sentido a todas as outras, verdadeiras ou falsas, ancestrais ou contemporâneas. É a história contada nas Sagradas Escrituras, começando em Gênesis e terminando em Apocalipse, e que em seu âmago narra o nascimento, a vida, a morte, a ressurreição e a ascensão de Jesus Cristo. Esse mesmo Jesus voltava seus olhos para o Antigo Testamento, tomando-o como ponto de referência para entender a história em que ele próprio se encontrava. Ele ensinava que era justamente na verdade que essas Escrituras contavam que se achava o contexto no qual a verdade de Jesus (e sua própria pessoa como sendo a Verdade) deveria ser compreendida. Essas Escrituras já revelavam quem Deus é, e quem nós somos, e como nos cabe viver. Já falavam do único Deus verdadeiro em contraponto aos muitos "deuses" — o Deus que cria, por amor e não por necessidade, um mundo que carrega suas marcas e conhece sua presença, mas um mundo que não é, em si mesmo, divino. As Escrituras do Antigo Testamento já falavam de criaturas humanas concebidas para amar a Deus e a seu próximo (também criatura), mas dotadas de liberdade para expressar (ou não) esse amor. Já falavam das trevas, restringidas por Deus em Gênesis 1 de modo a torná-las úteis, mas que romperam suas amarras em Gênesis 3 e sutilmente invadiram a experiência humana. Já falavam da obra de Deus para salvar este pecaminoso e afligido mundo, em particular por meio de seu povo escolhido, Israel. Elas já previam, essas antigas Escrituras, um futuro brilhante para o cosmo, um futuro que envolvia um rei davidíco em quem o reinado de Deus viria e toda a criação seria abençoada. O Senhor Jesus Cristo é esse Rei, entrando no mundo primeiro como o servo sofredor de Isaías, mas retornando em nosso futuro como o glorioso Filho do Homem de Daniel, e trazendo consigo os novos céus e a nova terra descritos nos capítulos que encerram a Bíblia.

Essa é a História, assim clamam os seguidores de Jesus Cristo, da qual todos nós fazemos parte — quer já saibamos disso, quer não. Essa é a História que dá sentido à nossa existência humana, à medida que, em fé, depositamos em seu contexto nossas histórias pessoais, familiares, tribais e nacionais. Essa é a História que nos salva do fado de "gaguejar em ansiedade e despreparo" no mundo, perdidos no cosmo e sem saber a quem recorrer. "Não há história jamais contada que os homens tenham tanto desejado que fosse verdadeira", disse J. R. R. Tolkien certa vez (numa palestra de 1939 apresentada na Universidade de St. Andrews, na Escócia), "e nenhuma que tantos homens céticos tenham aceitado como verdadeira em seus próprios termos. [...] Rejeitá-la leva ou à tristeza ou à ira".

É essa maravilhosa, majestosa e verdadeira História que é o tema da série de sermões apresentados neste livro — sermões sobre "presença divina, vocação humana e redenção cósmica". Eu recomendo que você tente não apenas desfrutar deles (o que não será difícil), mas que também os *receba*, como a um convite. Rejeitar essa História "leva ou à tristeza ou à ira". O melhor a fazer é aceitar o convite e, assim, encontrar o seu lugar de direito no mundo.

IAIN PROVAN
Professor Marshall Sheppard de Estudos Bíblicos no Regent College, Canadá

Agradecimentos

O conteúdo inicial deste livro foi produzido no auge da pandemia do coronavírus em 2020, para uma série de mais de vinte sermões que preguei na Igreja Presbiteriana do Caminho, onde tenho o privilégio de servir como pastor-plantador no centro de São Paulo. Expresso minha gratidão aos membros dessa comunidade, por se mostrarem ávidos participantes do discipulado bíblico, e aos companheiros de liderança — Simon, Nata, Sae Won, Leandrão, "Tche" Paulo, Rachel e Davi —, por cultivarem um espaço fértil de interlocução e encorajamento mútuo. Minha esposa, Roberta, dedicou boas horas à revisão dos primeiros manuscritos, "caçando" jargões e ajudando-me a transformar as pregações originais em textos escritos inteligíveis.

Desde o primeiro sermão, tenho recebido reverberações construtivas de meus pais, Michael e Regina, o que me lembrou de que não há idade para se buscar entender melhor as Escrituras Sagradas. Agradeço o pastor e conselheiro Ned Berube, que tem se conectado semanalmente a nossos cultos de sua residência em Minnesota, nos Estados Unidos, ouvindo traduções feitas pelo Simon. Suas ligações periódicas, dividindo suas impressões e afirmando que se sentia como que "conhecendo o evangelho de novo após quatro décadas de ministério", provaram-se de fundamental importância ao longo dessa série de sermões. De fato, como o próprio Ned tem me lembrado, pastorear uma igreja recém-plantada, em plena pandemia, só acontece porque o Cristo ressurreto, o único herói do enredo da salvação, prometeu estar conosco (Mt 28.20). Expresso minha gratidão também ao amigo Sandro Baggio pelos *insights* trazidos em outubro de 2020, na ocasião em que veio pregar sobre o caráter missional da vocação cristã.

Por fim, meu obrigado mais que especial à equipe da Mundo Cristão, particularmente a Daniel Faria pelo fabuloso trabalho editorial, assim como a Silvia Justino, Renato Fleischner e Mark Carpenter por modelarem competência e caráter na tão essencial tarefa de disponibilizar materiais sólidos para a edificação do Corpo de Cristo.

Veja só, pensando assim, estamos ainda na mesma história!
Ela está continuando.
Será que as grandes histórias nunca terminam?

SAMWISE GAMGEE*

* J. R. R. Tolkien, *O Senhor dos anéis: As duas torres* (São Paulo: Martins Fontes, 2001), p. 751.

INTRODUÇÃO
Antes de tudo, ajustemos os ponteiros

....

Há mais de duas décadas, enquanto cursava o último ano do que hoje é chamado de ensino médio, fui abordado por um amigo com a seguinte pergunta: "Bernardo, se você morresse hoje, iria para o céu ou para o inferno?". Surpreso, a melhor resposta que pude dar foi que, como nunca havia matado ninguém, achava que estaria com o saldo azul na hora de prestar contas a alguma "força maior". Em um verdadeiro *tour de force*, então, meu interlocutor gastou bons quarenta minutos me convencendo de que, a despeito de minha ficha criminal limpa, a Bíblia dizia que eu era digno do juízo eterno de Deus.

"Rapaz, lascou... E agora?!", perguntei aflito. Foi quando ele sacou do bolso uma caderneta amarela intitulada "As quatro leis espirituais".[1] Daquele momento em diante, tive a garantia de que poderia seguir minha vida com a consciência limpa: "Você está salvo. Se morrer agora, irá para o céu. Esse é o plano maravilhoso de Deus para a sua vida".

Não posso negar que aquela conversa marcou o início de uma jornada que, quase quatro anos depois, culminaria na percepção clara de que eu havia sido de fato alcançado pela graça salvífica de Cristo. Devo admitir também que conheço muitas outras pessoas que vieram a crer no evangelho por meios semelhantes. Por algum tempo, porém, segui a vida convencido de que o cerne da mensagem bíblica dizia respeito a como eu poderia ir para o céu. Em retrospecto, é claro, percebo que tal entendimento resumia muito mais o que havia sido transmitido a mim por aquela pessoa do que o conteúdo em

---

[1] Primeira lei: "Deus ama você e tem um plano maravilhoso para sua vida". Segunda lei: "O homem é pecador e está separado de Deus; por isso não pode conhecer nem experimentar o amor e o plano de Deus para sua vida". Terceira lei: "Jesus Cristo é a única solução de Deus para o homem pecador; por meio dele você pode conhecer e experimentar o amor e o plano de Deus para sua vida". E quarta lei: "Precisamos receber a Jesus Cristo como Salvador e Senhor, por meio de um convite pessoal; só então poderemos conhecer e experimentar o amor e o plano de Deus para nossa vida".

18 O ENREDO DA SALVAÇÃO

si das "quatro leis espirituais". De todo modo, na minha cabeça, ser salvo era poder desfrutar de um relacionamento com Deus até que um dia eu fosse levado daqui.

Entretanto, à medida que comecei a estudar a Bíblia, logo percebi que o evangelho é muito mais amplo do que eu havia aprendido anteriormente. Para minha surpresa, o "plano maravilhoso de Deus" não é meramente para "minha vida", mas para o universo inteiro — o projeto divino é cósmico. Consequentemente, Deus deseja não apenas "se relacionar comigo", como também concretizar um propósito para toda a criação. E o mais chocante de tudo é que a história contada nas Escrituras não pula do pecado de Adão e Eva diretamente para a cruz do Calvário. Nos primeiros dois terços da Bíblia, Jesus sequer dá as caras: muito antes de Cristo nascer, há o chamado de Abraão, a formação de Israel, o governo dos reis, a pregação dos profetas, o evento do exílio — e muito mais. O próprio Jesus, quando enfim entra em cena, é condenado à morte somente depois de ter afirmado e realizado várias coisas importantes. E não podemos nos esquecer do papel crucial que o Espírito Santo desempenha na Igreja e por meio dela após a ressurreição de Jesus.

O ponto é que, se não concebermos o cerne da mensagem cristã a partir do contexto todo-abrangente do enredo bíblico, cometeremos o sério erro de reduzir o evangelho a algo menor do que ele realmente é. E, quando isso acontece, toda nossa vida fica comprometida: nossa visão de Deus se torna limitada, nossa percepção sobre nós mesmos se distorce, nossos relacionamentos perdem o norte, nossa maneira de entender a vocação cristã se empobrece, e nosso envolvimento no mundo — seja na esfera profissional, social, política, cultural, ambiental ou econômica — perde completamente o sentido.

É sem dúvida irônico que, mesmo tendo "aceitado Jesus" no mesmo dia em que fui apresentado às quatro leis espirituais, pouca diferença foi feita naquele momento. Por um bom tempo, meus amigos — inclusive o dono da caderneta amarela — e eu ainda continuaríamos firmes em uma juventude desvairada, com todas as escolhas infelizes que caracterizam a vida de quem caminha sem Deus. E, infelizmente, a importância desse tópico não se restringe somente ao meu passado. Nas últimas duas décadas, pude conhecer um sem-número de cristãos que, embora tenham nascido e crescido em alguma igreja evangélica, padecem de um profundo senso de desconexão entre aquilo que acreditam e a realidade em seu entorno. Vivem como se o cristianismo fosse um mecanismo de alívio na consciência ou de obtenção de alguma bênção pessoal, que faz que se sintam bem aos domingos, sem porém a menor relevância fora do horário de culto.

Além disso, quem poderia ter previsto que esse deslocamento viria à tona de forma tão dramática na pandemia que balançou o mundo em 2020? Quantos cristãos não se viram perplexos e desorientados diante de um vírus que, entre muitas outras coisas, escancarou a superficialidade de sua fé? Em uma situação como essa, um evangelho que não contempla a totalidade da existência humana prova-se totalmente incapaz de dar coesão à realidade fragmentada ao nosso redor. E, como resultado, muitos têm se sujeitado a teorias conspiratórias baratas, manchando a reputação da Igreja com discursos fanáticos, obscurantistas e completamente injustificáveis do ponto de vista bíblico, teológico, filosófico e científico.

Mas o que é que a Bíblia nos conta sobre o "plano maravilhoso" que Deus tem para nós e para todo o cosmo? Quais são as implicações disso para o todo de nossa vida? Será que ser cristão é meramente aceitar que Jesus morreu "por mim" para garantir um lugar "no céu"?

Foi com o intuito de responder a essas e outras questões que, em maio de 2020, decidi pregar em minha igreja uma série abordando o desenrolar da história da salvação, de Gênesis a Apocalipse. Tendo encerrado uma jornada pelo Sermão do Monte, percebi que minha comunidade, recém-afetada por esse "novo normal" imposto pelo coronavírus, carecia relembrar o grande arcabouço bíblico que dá sentido a toda a realidade. E, quando os estudos já caminhavam para sua conclusão, aproveitei uma conversa com o caro editor Daniel Faria, em que acertávamos detalhes de um livro mais acadêmico — que também será lançado em breve pela Mundo Cristão —, para sugerir a adaptação desses sermões em um volume. Eis que então o conselho da editora muito generosamente aprovou a produção deste *O enredo da salvação: Presença divina, vocação humana e redenção cósmica*.

Dividido em quatro partes de cinco capítulos cada — sem qualquer paralelo com as quatro leis espirituais! —, este livro cobre os principais episódios da história da salvação nas Escrituras. Na primeira parte, examinaremos a criação, a queda, o chamado de Abraão, o êxodo e a formação de Israel. Na segunda parte, faremos um breve panorama da história de Israel do Sinai ao cativeiro babilônico, abordando o bezerro de ouro, o tempo dos juízes, os reinados de Davi e de Salomão, e o exílio. Na terceira parte, percorreremos o ministério de Jesus, examinando sua missão em continuidade com a narrativa de seu povo, a ênfase de sua mensagem no reino de Deus, sua identidade divina e messiânica, sua vitória sobre a morte e o significado de sua ressurreição. Por fim, falaremos da missão da Igreja pelo poder da presença divina, prestando atenção à Grande Comissão, ao dia de Pentecostes, à realidade da justificação pela fé e da adoção por meio do Espírito Santo, ao ministério da reconciliação e à redenção que se consumará na Nova Jerusalém.

Como o presente estudo não configura uma obra técnica, reduzi ao máximo a quantidade de notas de rodapé, fazendo uso delas somente em citações diretas ou quando realmente necessário. Procurei também evitar entrar nas minúcias das discussões eruditas, preservando o maior grau possível de acessibilidade e fluidez no texto. E, embora a Nova Versão Transformadora seja a tradução padrão deste estudo, fica nítido que minhas interpretações estão em franco diálogo com os textos nas línguas originais.

Em termos de abordagem hermenêutica, a pessoa mais informada perceberá que minha leitura parte de alguns pressupostos bem definidos. Primeiro, estou persuadido de que são as categorias bíblico-teológicas — como criação e nova criação, êxodo e novo êxodo, Adão e novo Adão, templo e novo templo — que dão coerência à mensagem central das Escrituras. Segundo, o todo de uma narrativa é mais importante que a soma de suas partes, e prestar atenção tanto à força cumulativa da estrutura de um livro como ao contexto cultural que o cerca é vital no processo de interpretação. Terceiro, há uma direção nitidamente escatológica ao longo do cânone bíblico: desde Gênesis, há a expectativa por uma resolução futura e definitiva do plano divino para o universo por meio da humanidade e do povo escolhido. E quarto, embora o Antigo Testamento contraste em algumas definições de conceitos com o Novo Testamento, ambos estão em ampla continuidade do ponto de vista do grande enredo, sendo que um é o cumprimento do outro. Isso inclui a própria missão de Jesus, que veio plenificar "a lei de Moisés e os escritos dos profetas" (Mt 5.17).

Para economizar espaço sem deixar de dar crédito a quem devo, menciono aqui, então, meus parceiros de conversa mais importantes, cujas pesquisas já abriram o terreno necessário para a tese central deste livro: Gerhard von Rad, Robert Alter, Brevard Childs, Iain Provan, V. Phillips Long, Tremper Longman III, Christopher Wright, Walter Brueggemann, John Walton, Oscar

INTRODUÇÃO **21**

Cullmann, Donald Juel, Jack Dean Kingsbury, N. T. Wright, Rikk Watts, Richard Hays, G. K. Beale, Richard Bauckham e Estevan Kirschner.[2]

Nesse sentido, é importante avisar que *O enredo da salvação* não é um manual sistemático de soteriologia, de missiologia ou de escatologia. O leitor e a leitora não encontrarão aqui discussões extensas, por exemplo, sobre as diferentes teorias da expiação, tampouco qualquer exposição sobre o que acontece no momento em que alguém morre ou sobre o que ocorrerá antes da segunda vinda de Cristo. Não poderei sequer mencionar todas as implicações possíveis sobre cada assunto tratado ao longo dos próximos vinte capítulos, quanto menos discorrer sobre elas. Muitos já escreveram a respeito de alguns

---

[2] Gerhard von Rad, *Old Testament Theology* (Edinburgh: Oliver and Boyd, 1962–1965); Robert Alter, *The Art of Biblical Narrative* (New York: Basic Books, 1981); Brevard S. Childs, *Biblical Theology of the Old and New Testaments: Theological Reflection on the Christian Bible* (Minneapolis: Fortress, 1992); Iain Provan, V. Phillips Long e Tremper Longman III, *A Biblical History of Israel* (Louisville, KY: Westminster John Knox, 2003); Iain Provan, *Seriously Dangerous Religion: What the Old Testament Really Says and Why It Matters* (Waco, TX: Baylor University Press, 2014); Christopher J. H. Wright, *Old Testament Ethics for the People of God* (Downers Grove, IL: IVP Academic, 2004), *The Mission of God: Unlocking the Bible's Grand Narrative* (Downers Grove, IL: IVP Academic, 2006) e *The Old Testament in Seven Sentences: A Small Introduction to a Vast Topic* (Downers Grove, IL: IVP Academic, 2019); Walter Brueggemann, *Theology of the Old Testament: Testimony, Dispute, Advocacy* (Minneapolis: Fortress, 2005); John H. Walton, *Ancient Near East Thought and the Old Testament* (Grand Rapids, MI: Baker Academic, 2006) e *O mundo perdido de Adão e Eva: O debate sobre a origem da humanidade e a leitura de Genesis* (Viçosa, MG: Ultimato, 2016); Oscar Cullmann, *The Christology of the New Testament* (Louisville, KY: Westminster John Knox, 1959); Donald Juel, *Messianic Exegesis: Christological Interpretation of the Old Testament in Early Christianity* (Minneapolis: Fortress, 1988); Jack Dean Kingsbury, *Matthew as Story* (Minneapolis: Fortress, 1988); N. T. Wright, *The New Testament and the People of God* (Minneapolis: Fortress, 1992), *Jesus and the Victory of God* (Minneapolis: Fortress, 1996) e *Paul and the Faithfulness of God* (Minneapolis: Fortress, 2013); Rikk E. Watts, *Isaiah's New Exodus in Mark*, Wissenschaftliche Untersuchungen zum Neuen Testament 2/88 (Tübingen: Mohr Siebeck, 1997); Richard B. Hays, *Echoes of Scripture in the Letters of Paul* (New Haven, CT: Yale University Press, 1989) e *Echoes of Scripture in the Gospels* (Waco: Baylor University Press, 2016); G. K. Beale, *The Temple and the Church's Mission: A Biblical Theology of the Dwelling Place of God* (Downers Grove, IL: IVP Academic, 2004) e *Teologia bíblica do Novo Testamento: A continuidade teológica do Antigo Testamento no Novo* (São Paulo: Vida Nova, 2011); G. K. Beale e Mitchell Kim, *Deus mora entre nós: A expansão do Éden para os confins da terra* (São Paulo: Loyola, 2014); Richard Bauckham, *Gospel of Glory: Major Themes in Johannine Theology* (Grand Rapids: Baker Academic, 2015); Estevan F. Kirschner, "Da Babilônia à Nova Jerusalém: O ensino da Bíblia sobre a cidade", em Estevan F. Kirschner e Bernardo Cho (orgs.), *Missão urbana: Servindo a Cristo na cidade* (São Paulo: Mundo Cristão, 2020), p. 17-27. Isso sem mencionar as muitas conversas em sala de aula e ao redor da mesa com Estevan Kirschner, Iain Provan e Rikk Watts.

desses tópicos, e uma contribuição direta acerca de tais temas requereria uma abordagem completamente diferente da que adoto aqui. De todo modo, estou convencido de que uma grande lacuna na literatura cristã nacional deve ser preenchida hoje por trabalhos que partam da exegese e da teologia bíblica. E, apesar de este livro ser o resultado de um labor originalmente homilético, o autor é treinado precisamente nessas disciplinas.

O foco aqui é outro. Muito longe de formarem um compêndio de proposições abstratas, as Escrituras são o relato de como o Criador de todo o cosmo conduziu a história humana, entrando ele mesmo nessa história, para se revelar e redimir sua criação. Se você duvida da potência dessa afirmação, pergunte a Cleopas e a seu companheiro de viagem, que tiveram de ser lembrados do enredo bíblico antes de perceberem a presença do ressurreto entre eles no caminho de Emaús (Lc 24.13-35). Assim, conquanto a Bíblia contenha uma variedade considerável de livros em diferentes gêneros literários, ela não apenas se apresenta predominantemente na forma narrativa, como também nos conta uma história que é profundamente coerente, a despeito de seus "altos e baixos". Seja lá qual for o texto bíblico que estivermos lendo — um salmo, um provérbio ou uma epístola —, há uma narrativa sempre implícita.

Meu objetivo, portanto, é recalibrar o entendimento sobre o que significa ser cristão à luz dessa grande história contada nas Escrituras Sagradas. Como bem nos lembrou há pouco meu prezado professor Iain Provan, todo ser humano se enxerga como parte de alguma narrativa, quer reconheça isso quer não. Um dos heróis subestimados da trilogia *O Senhor dos anéis*, Samwise Gamgee, a quem devo a epígrafe deste livro, se deu conta precisamente desse fato em um momento crítico de sua missão ao lado de Frodo Baggins. Posto de outro modo, *O enredo da salvação* se propõe ajustar as lentes através das quais enxergamos todas as coisas, de modo que nossa perspectiva acerca do escopo da salvação em Cristo — e, consequentemente, de toda nossa vida — seja ampliada. Que o leitor e a leitora percebam, ao longo do enredo da salvação, que o senhorio de Cristo toca cada canto do cosmo criado por Deus.[3]

---

[3] Minha paráfrase despretensiosa da célebre tese de Abraham Kuyper. Ver James D. Bratt (org.), *Abraham Kuyper: A Centennial Reader* (Grand Rapids: Eerdmans, 1998), p. 488.

PARTE I

Da criação a Israel

1

No princípio, Deus formou e preencheu: A criação como espaço sagrado

No princípio, Deus criou os céus e a terra. A terra era sem forma e vazia, a escuridão cobria as águas profundas, e o Espírito de Deus se movia sobre a superfície das águas. [...]

Desse modo, completou-se a criação dos céus e da terra e de tudo que neles há. No sétimo dia, Deus havia terminado sua obra de criação e descansou de todo o seu trabalho. Deus abençoou o sétimo dia e o declarou santo, pois foi o dia em que ele descansou de toda a sua obra de criação.

GÊNESIS 1.1-2; 2.1-3

Peço desculpas aos fãs de J. R. R. Tolkien, mas devo confessar que demorei para gostar do filme *O Senhor dos anéis*. Não que eu tenha sentido algum desgosto pela Terra Média ou talvez falhado em perceber a beleza do roteiro. O motivo é mais vergonhoso, pelo menos para mim. Como eu não havia lido os originais em minha infância, não entendia direito do que se tratava aquele sucesso. E, nas três ocasiões em que tentei embarcar na versão cinematográfica das aventuras de Frodo Baggins e Samwise Gamgee, ocorria algum imprevisto que me impedia de acompanhar o início da história. Quando eu conseguia parar para assistir, os personagens já haviam formado a Sociedade do Anel, os expectadores ao meu redor (nada benevolentes) recusavam-se a explicar as partes que eu havia perdido, e a única coisa que ocupava meus pensamentos no restante do filme era por que, afinal, um anel de ouro causava tanto transtorno a criaturas tão singelas como aqueles *hobbits*.

Foi somente poucos anos atrás, quando finalmente me programei para ver a trilogia sozinho — com total liberdade de "rebobinar a fita", se necessário —, que as peças vieram a se encaixar. A resposta estava nos minutos iniciais do filme. Em tempos remotos no mundo mítico imaginado por Tolkien, aquele anel havia sido forjado para dar poderes quase infinitos a quem o possuísse. A vida e a morte, então, dependiam do sucesso da missão de Frodo e de Samwise: era necessário que eles se dirigissem até a Montanha da Perdição, o único lugar onde o anel poderia ser destruído, e descartassem ali o objeto. A história é obviamente muito mais complexa, mas a questão é que eu só tive condições de entender com clareza o desenrolar do enredo quando enfim consegui compreender bem o seu começo. Nas narrativas, os inícios são sempre programáticos.

A mensagem cristã nos foi transmitida predominantemente na forma narrativa, de histórias. E essa narrativa não começa em Jesus. Sem ele, é verdade, vagaríamos desorientados, completamente ignorantes do evangelho, mortos em nossos pecados. Sem ele, eu mesmo não estaria aqui para afirmar essas coisas. Contudo, assim como as boas-novas são reveladas de modo pleno e definitivo em Jesus, esse mesmo Jesus faz parte de uma história mais ampla, que começa muito antes de seu nascimento. A mensagem cristã se inicia precisamente no ponto de partida de todo o enredo bíblico: "No princípio, Deus criou os céus e a terra" (Gn 1.1). Entender apropriadamente a força teológica do relato da criação, portanto, não é obrigação reservada aos eruditos. É tarefa imprescindível a todo aquele que deseja compreender quem Jesus é e o que ele realizou em sua vida, morte e ressurreição. Isso é tão verdadeiro que o grande apóstolo Paulo, ao pregar o evangelho no Areópago ateniense, fez questão de estruturar sua exposição a partir da doutrina da criação: "Ele é o Deus que fez o mundo e tudo que nele há. Uma vez que é Senhor dos céus e da terra, não habita em templos feitos por homens e não é servido por mãos humanas, pois não necessita de coisa alguma. Ele mesmo dá vida e fôlego a tudo, e supre cada necessidade" (At 17.24-25).

A questão é que, em decorrência de pressupostos marcadamente racionalistas, o relato da criação tem sido usado em um período mais recente da história da Igreja somente como uma ferramenta por meio da qual os crentes podem "combater" teorias científicas que tentam negar a ação de Deus na origem do universo. Todavia, por mais nobre e necessária que seja a tarefa da apologética, é importante que nos lembremos dos riscos de nos distanciarmos do sentido original da mensagem bíblica, quando, na tentativa de respondermos a perguntas de nosso próprio contexto, extrapolamos os limites do gênero literário empregado pelo autor inspirado. Posto de outro modo, respeitar os parâmetros do próprio texto, longe de diminuir a autoridade das

Escrituras, nos ajuda a enxergar a mensagem bíblica com mais acerto, sem forçá-la a afirmar o que ela na verdade não diz.

À luz dessa observação, o consenso entre os biblistas é que Gênesis 1—2 não é um tratado científico primordialmente sobre *como* o universo veio a existir.[1] Na verdade, o propósito principal de Gênesis 1—2 é afirmar *quem* criou o universo e *para qual finalidade*. O relato da criação, com todo o tom poético que lhe é peculiar, foi composto para ter uma função teológica — segundo Walter Brueggemann, quase litúrgica[2] —, não laboratorial. Veja uma amostra:

> Então Deus disse: "Haja luz", e houve luz. E Deus viu que a luz era boa, e separou a luz da escuridão. Deus chamou a luz de "dia" e a escuridão de "noite".
>
> A noite passou e veio a manhã, encerrando o primeiro dia.
>
> Então Deus disse: "Haja um espaço entre as águas, para separar as águas dos céus das águas da terra". E assim aconteceu. Deus criou um espaço para separar as águas da terra das águas dos céus. Deus chamou o espaço de "céu".
>
> A noite passou e veio a manhã, encerrando o segundo dia.
>
> Então Deus disse: "Juntem-se as águas que estão debaixo do céu num só lugar, para que apareça uma parte seca". E assim aconteceu. Deus chamou a parte seca de "terra" e as águas de "mares". E Deus viu que isso era bom. Então Deus disse: "Produza a terra vegetação: toda espécie de plantas com sementes e árvores que dão frutos com sementes. As sementes produzirão plantas e árvores, cada uma conforme a sua espécie". E assim aconteceu. A terra produziu vegetação: toda espécie de plantas com sementes e árvores que dão frutos com sementes. As sementes produziram plantas e árvores, cada uma conforme a sua espécie. E Deus viu que isso era bom.
>
> A noite passou e veio a manhã, encerrando o terceiro dia.
>
> Gênesis 1.3-13

A repetição das expressões "Então Deus disse: 'Haja...'", "E assim aconteceu...", "E Deus viu que isso era bom" e "A noite passou e veio a manhã", que continua de fato até o final de Gênesis 1, lembra o padrão de algumas músicas que cantamos em nossos cultos dominicais. Convém entendermos,

---

[1] Ver uma excelente introdução em Tremper Longman III, *Como ler Gênesis* (São Paulo: Vida Nova, 2009).

[2] Sobre o aspecto litúrgico de Gênesis 1—2, ver discussão em Walter Brueggemann, *Genesis* (Louisville: Westminster John Knox, 2010), p. 29-36.

então, que, da mesma maneira que o primeiro livro da Bíblia não foi escrito para responder necessariamente a quais foram os processos químicos utilizados por Deus na criação do cosmo — afinal, esse tipo de pergunta sequer existia na época em que a narrativa inspirada foi escrita —, pessoas como Charles Darwin ou Stephen Hawking tampouco estão na posição de responderem às questões que Gênesis 1—2 se propõe abordar.

Qual é, então, a força teológica de Gênesis 1—2? Este é um assunto que tem rendido numerosas pesquisas acadêmicas, e certamente há muita coisa a ser dita a respeito do relato da criação. Para os nossos propósitos, basta mencionarmos apenas alguns pontos essenciais. A primeira coisa que vale destacar é a afirmação de que "Deus criou os céus e a terra". Isso é importante, porque os povos antigos da Mesopotâmia acreditavam que o universo havia resultado de diversas interações entre entidades divinas que representavam o caos e a ordem, e os próprios astros celestiais eram tidos como seres divinos. O famoso mito babilônico de *Enuma Elish* nos dá um pano de fundo imprescindível nesse sentido. Aliás, a afirmação inicial de que "o Espírito de Deus se movia sobre a superfície das águas" reflete a preocupação do autor de Gênesis de se comunicar segundo convenções literárias familiares a seus contemporâneos: tais águas são as águas primevas que todos os povos da época pressupunham anteceder a existência de céus e terra. Em Gênesis, quem cria céus e terra pelo simples ato de falar, assim como quem ordena todas as coisas a partir de sua livre iniciativa, é o Deus chamado Yahweh, que viria a se revelar a Israel. Deus, portanto, é o único Criador de todas as coisas — foi totalmente desnecessária qualquer interação com outras entidades supostamente divinas ou não — e é, ao mesmo tempo, distinto do cosmo. Por implicação e, cabe dizer, em profunda descontinuidade com as cosmovisões pagãs vizinhas, o cosmo jamais é divino nem é um fim acidental em si mesmo.

A segunda realidade que o relato da criação afirma é que a terra era "sem forma e vazia". Isso é crucial para a sequência do texto, porque todos os atos de Deus nos demais dias da criação acontecem tendo em vista dois movimentos: formar o universo e preenchê-lo, resolvendo a condição "sem forma e vazia" da terra. Não deve nos surpreender que, nos primeiros três dias, Deus dá forma ao universo, separando luz de trevas, águas de águas, e águas de terra (Gn 1.3-10), e, da metade do terceiro dia até o sexto dia, Deus preenche o universo com os corpos celestes, toda vegetação e os animais (Gn 1.11-31).

Assim, ao dizer que Deus formou e preencheu o cosmo, Genesis 1—2 afirma que o universo foi criado para uma finalidade, para funcionar segundo um propósito. É por isso que parte importantíssima no ato de Deus de formar e de preencher céus e terra é estabelecer a função de cada parte do cosmo: os luminares, por exemplo, foram posicionados no firmamento "para governar o dia e a noite e para separar a luz da escuridão", e os animais foram criados para que sejam férteis e se multipliquem, enchendo os mares e a terra. Tal como alguém que faz de um edifício um lar, Deus dá estrutura e vida ao cosmo.

Relacionado a isso, no entanto, há um detalhe em Gênesis 1—2 que deixa qualquer leitor intrigado, principalmente se está familiarizado com os mitos dos povos antigos. Um elemento de suma importância em qualquer cultura antiga, mas que nem mesmo existia no cosmo primevo descrito na Bíblia, é a figura do templo. Isso é altamente significativo, já que, no mundo antigo, os templos eram microrrepresentações do universo e funcionavam como o ponto de intersecção entre a existência humana e a dimensão dos deuses. É por essa razão que os templos sempre ocuparam posição central em qualquer sociedade até pouco tempo atrás. (Uma breve digressão: sociedades seculares podem até não ostentar muitos templos religiosos, mas note o que é valorizado no centro de suas culturas e perceberá quais são suas divindades.) E o que realmente chama a nossa atenção é que, embora não houvesse templo em Gênesis 1—2, o relato ainda diz que, no sétimo dia, Deus "descansou" (Gn 2.3) — do hebraico *shavat*, de onde vem também o termo "sábado".

A relevância disso é que os templos pagãos da Antiguidade serviam de locais de descanso para as divindades, de onde essas entidades influenciavam as esferas pertinentes a elas.[3] Os templos, em outras palavras, eram as "residências oficiais" dos chamados deuses. Ademais, o fato de que o descanso de Deus acontece no sétimo dia também remonta à imagem de um espaço sagrado. Em quase todas as religiões da Antiguidade, a cerimônia de consagração de um santuário durava sete dias. Nem mesmo o templo de Salomão fugia à regra (cf. 1Rs 8.65). Isso explica a intenção do autor ao dizer, inspirado pelo próprio Deus, que o cosmo veio a existir em sete dias de vinte e quatro horas. Ora, o Deus das Escrituras é capaz de criar todas as coisas de uma só vez em um piscar de olhos. Por que, então, ele se dá ao trabalho

[3] Walton, *Ancient Near East Thought and the Old Testament*, p. 73-96; Provan, *Seriously Dangerous Religion*, p. 32-33.

de gastar uma semana? A resposta é simples. Ao afirmar que o universo foi criado em sete dias, o escritor de Gênesis continua a subverter a cosmovisão pagã dos povos em seu entorno, apresentando Deus não somente como o supremo Criador de todas as coisas, mas também como o Criador de todo o cosmo como o seu espaço sagrado.

A força teológica de Gênesis 1—2, portanto, é afirmar que Deus primeiramente cria todas as coisas, dando forma ao universo e preenchendo o seu vazio, e, no final, descansa nesse universo, sem a necessidade de um templo. A presença de Deus estava livremente acessível, visto que o próprio cosmo havia sido desenhado para ser o seu espaço de habitação. Ao dar forma e preencher a terra que outrora estava "sem forma e vazia", Deus estava construindo um santuário para si. O que segue disso é que o descanso de Deus no sétimo dia não conota somente a finalização de um trabalho, mas também o ato de assumir uma posição de governo sobre tudo aquilo que ele fez.

Dito isso, não podemos deixar de mencionar um terceiro ponto, que também é central na teologia de Gênesis 1—2. Se Deus criou o cosmo para habitar nele e exercer sobre ele seu governo, como, em termos concretos, isso aconteceria? Se olharmos, de novo, para o contexto histórico cercando o primeiro livro da Bíblia, perceberemos que, no processo de consagração de um templo, o último elemento a ser instalado dentro do edifício era a imagem da divindade. A imagem era a representação do chamado deus. E, de forma muito significativa, o que Deus faz no sexto dia, antes de descansar no sétimo, é criar a humanidade à sua imagem e semelhança: "Façamos o ser humano à nossa imagem; ele será semelhante a nós" (Gn 1.26). Assim, sendo portadora da imagem do Criador, a humanidade veio à existência para representar o Criador, mantendo o cosmo como o espaço sagrado de Deus. Em suma, a humanidade foi criada para adorar a Deus e expressar de forma visível o seu caráter a toda a criação. É precisamente para essa realidade que aponta o Jardim do Éden na passagem em Gênesis 2.4-25: a humanidade cuidando da criação e desfrutando de um relacionamento livre com o Criador.[4] E note a ênfase: toda a "humanidade" [ʾāḏām] — "homem e mulher" (Gn 1.27) — foi criada segundo essa identidade e esse propósito.

As implicações que Gênesis 1—2 tem sobre nossa vida são as mais profundas possíveis. De acordo com esse início programático do enredo bíblico,

---

[4] Wright, *The Old Testament in Seven Sentences*, p. 18-23.

é imperativo que rejeitemos alguns mitos pagãos de nossa própria época, que afirmam que o mundo não passa de uma fonte de recursos a serem explorados, ou de um lugar essencialmente mal, uma espécie de purgatório. Ou que há diferença de dignidade entre as pessoas, seja a partir de etnia, cor, posição social ou sexo. Qualquer teologia que se distancie da afirmação de Gênesis 1—2, do valor da criação, é enganosa, nociva, idólatra — e potencialmente perigosa. Pior: ignorar a mensagem teológica do relato da criação é se arriscar a não compreender com clareza o próprio evangelho.

Esse é o problema dos pregadores de catástrofes, quando dizem, por exemplo, que a pandemia pela qual temos passado recentemente resultará, "graças a Deus", no fim deste mundo supostamente horrível, depois do qual viveremos "felizes para sempre" como almas fantasmagóricas em um céu etéreo. Tais pregadores estão absolutamente errados porque, ao pressupor que o mundo é ruim e descartável, perderam de vista o início da história e se tornaram incapazes de enxergar também o final da história. Nas palavras certeiras de Iain Provan:

> O mundo criado pelo Deus pessoal, portanto, nunca é considerado pela fé bíblica um problema a ser superado. Ele é bom. Há problemas que surgem *de dentro* do mundo, é claro. *Esses* problemas devem ser superados. O mundo em si, porém, não é um problema a ser superado.[5]

No desfecho de tudo, conforme veremos mais adiante, há a consumação da nova criação, onde Deus habitará permanentemente com seu povo (Ap 21—22). Afinal, a Bíblia começa com Deus criando o cosmo para fazer dele o seu espaço de habitação.

E o fato de que Gênesis 1—2 retrata a humanidade no ponto mais alto desse projeto divino, antes do sétimo dia, escancara qual é a nossa vocação última: adorar a Deus, vivendo à luz de quem ele é e expressando seu caráter. Esse é o nosso sistema operacional. Não viver isso é estar aquém de nossa humanidade, é se enredar no que Charles Taylor chama de ética da autenticidade: a pressão constante de se reinventar diante da perda total de referenciais absolutos, na tentativa de ser aceito por si mesmo.[6] Entender como Gênesis 1—2 descreve a vocação humana determina o ponto de partida de qualquer visão

---

[5] Provan, *Seriously Dangerous Religion*, p. 41.
[6] Charles Taylor, *A ética da autenticidade* (São Paulo: É Realizações, 2011).

de mundo, de qualquer teologia e de qualquer percepção sobre nós mesmos e sobre Cristo que esteja em sintonia com a revelação bíblica.

Esse é o começo da história. Deus criou céus e terra para fazer de céus e terra o seu templo. E Deus criou a humanidade para que a humanidade representasse Deus no universo e vivesse com ele por toda a eternidade. É por isso que, ao longo de todo esse processo, Gênesis 1—2 afirma que Deus achou tudo isso "bom" — e, no final de tudo, "muito bom". Juntemo-nos ao salmista, nunca deixando de declarar: "Os céus proclamam a glória de Deus; o firmamento demonstra a habilidade de suas mãos" (Sl 19.1).

2

Desconfiança, ruptura e morte:
A instalação do caos na queda

....

A serpente era o mais astuto de todos os animais selvagens que o Senhor Deus havia criado. Certa vez, ela perguntou à mulher: "Deus realmente disse que vocês não devem comer do fruto de nenhuma das árvores do jardim?".

"Podemos comer do fruto das árvores do jardim", respondeu a mulher. "É só do fruto da árvore que está no meio do jardim que não podemos comer. Deus disse: 'Não comam e nem sequer toquem no fruto daquela árvore; se o fizerem, morrerão'."

"É claro que vocês não morrerão!", a serpente respondeu à mulher. "Deus sabe que, no momento em que comerem do fruto, seus olhos se abrirão e, como Deus, conhecerão o bem e o mal."

A mulher viu que a árvore era linda e que seu fruto parecia delicioso, e desejou a sabedoria que ele lhe daria. Assim, tomou do fruto e o comeu. Depois, deu ao marido, que estava com ela, e ele também comeu.

Gênesis 3.1-6

....

Conforme vimos no capítulo anterior, Deus chamou o universo de "muito bom", dando-lhe todas as condições para fazer que a vida florescesse e frutificasse. Mas isso certamente não significa que o universo tenha sido incorruptível ou que pudesse permanecer incondicionalmente perfeito. Todos os dias, sobretudo em tempos de pandemia, crise política e instabilidade financeira, somos lembrados de que o mundo, embora belo, é também extremamente perigoso e frágil. Parafraseando C. S. Lewis, o cosmo expressa o brilhantismo do mais excelente Artista, ao mesmo tempo que reflete a presença de forças muito cruéis.[1] E isso é verdade não somente no que diz respeito ao mundo,

[1] C. S. Lewis, *Cristianismo puro e simples* (São Paulo: Martins Fontes, 2005), p. 40.

mas, principalmente, no que diz respeito à própria humanidade. Embora sejamos os seres mais sublimes entre as criaturas da terra, somos também os maiores responsáveis pela decadência do cosmo — pela nossa própria decadência e pela decadência da criação.

O que explica essa assimetria entre o retrato de Gênesis 1—2 e a nossa experiência? Antes de respondermos a essa pergunta, precisamos entender que, quando Deus criou o universo, posicionando a humanidade como regentes de sua vontade, o cosmo encontrava-se em uma situação de ordem, mas não de consumação. O estudioso G. K. Beale acerta na mosca ao dizer que o relato da criação representa o início de um projeto que apontava para um ponto culminante.[2] Nesse sentido, o Jardim do Éden não era meramente um *resort* ou uma colônia de férias, mas um lugar a ser preservado: a terra precisava ser cultivada pela humanidade. O papel de regentes do Criador implicava o privilégio de participar da obra contínua de Deus, privilégio esse concedido inteiramente por sua graça, de levar a criação a seu ápice ou destino escatológico. Isso está pressuposto na famosa passagem de Salmos 8.6: "Tu os encarregaste de tudo que criaste e puseste sob a autoridade deles todas as coisas".

Gosto de ilustrar esse ponto pensando em como a minha filha de nove anos veio a aprender a produzir os próprios bolos. Nas primeiras tentativas, minha esposa e eu contávamos todos orgulhosos aos avós sobre como, com apenas três anos de idade, Isabella tinha conseguido fazer esse ou aquele bolo. Mas todos sabiam que, por "fazer o bolo", o que realmente estava sendo dito era que ela havia segurado junto a colher enquanto os pais misturavam a massa. Todos os ingredientes haviam sido preparados por nós — no caso, pela minha esposa —, e a pequena só tinha participado de alguns detalhes no preparo.

Guardadas as devidas proporções, Deus havia ordenado o cosmo em Gênesis 1—2 para que a humanidade cumprisse sua vocação de manter o espaço sagrado da habitação de Deus. É instrutivo, então, que Deus tenha posicionado Adão no Jardim do Éden para que este realizasse um trabalho: "O Senhor Deus colocou o homem no jardim do Éden para cultivá-lo e tomar conta dele" (Gn 2.15). (Note que a ideia popular de que o trabalho foi consequência do pecado é uma "semi-heresia" que só faz sentido para quem é preguiçoso.)

---

[2] Beale, *Teologia bíblica do Novo Testamento*, p. 47-69.

A questão é que esse trabalho só poderia ser realizado se a humanidade mantivesse Deus como seu marco de referência absoluto. Ou seja, não somente a humanidade precisava de Deus para cumprir sua vocação no cosmo, como também a ordem do universo e a liberdade plena da humanidade dependiam de Deus continuar a habitar em seu templo, permitindo que a humanidade mantivesse com ele um relacionamento próximo. Em outras palavras, para que o cosmo chegasse a seu ponto de completude, por meio do cumprimento da vocação da humanidade, era necessário que Deus continuasse a "morar" no cosmo; mas, para que isso pudesse acontecer, a humanidade deveria permanecer em seu propósito fundamental de depender da sabedoria de Deus para tudo, crescer nessa sabedoria para tudo e expressar essa sabedoria em tudo.

É nesse ponto que precisamos notar o que acontece com o primeiro casal mencionado na Bíblia, Adão e Eva:

> O SENHOR Deus plantou um jardim no Éden, para os lados do leste, e ali colocou o homem que havia criado. O SENHOR Deus fez brotar do solo árvores de todas as espécies, árvores lindas que produziam frutos deliciosos. No meio do jardim, colocou a árvore da vida e a árvore do conhecimento do bem e do mal. [...]
>
> O SENHOR Deus colocou o homem no jardim do Éden para cultivá-lo e tomar conta dele, mas o SENHOR Deus lhe ordenou: "Coma à vontade dos frutos de todas as árvores do jardim, exceto da árvore do conhecimento do bem e do mal. Se você comer desse fruto, com certeza morrerá".
>
> O SENHOR Deus disse: "Não é bom que o homem esteja sozinho. Farei alguém que o ajude e o complete". [...] Então o SENHOR Deus o fez cair num sono profundo. Enquanto o homem dormia, tirou dele uma das costelas e fechou o espaço que ela ocupava. Dessa costela o SENHOR Deus fez uma mulher e a trouxe ao homem.
>
> Gênesis 2.8-9,15-18,21-22

No relato acima, Adão e Eva são importantes, porque a eles foi dada a função muito específica de serem os primeiros representantes de toda a raça humana. Há certa discussão entre os estudiosos quanto à relação entre Adão e Eva e a humanidade em Gênesis 1.26-27, mas isso não nos importa agora. O que está fora de questão é a centralidade de Adão e Eva para o destino de toda a humanidade. Assim, quando a Bíblia diz que Deus formou o casal e os colocou como uma espécie de guardiões da ordem do Jardim do Éden, o que está sendo dito é que eles teriam um papel fundamental de encabeçar a humanidade inteira na manutenção do espaço sagrado — algo como a futura relação entre o sumo sacerdote e os demais servos no culto israelita —, de maneira a expandir essa realidade a toda a terra.[3] Adão e Eva eram os primeiros entre os iguais, os capitães do time. É essa linha que Paulo segue ao comparar Adão e Cristo em Romanos 5.12-21.[4]

Isso explica por que Gênesis 2 descreve a tarefa de Adão e Eva remetendo a uma atitude correta que eles deveriam ter em relação a duas árvores: a árvore da vida e a árvore do conhecimento do bem e do mal. No mundo antigo, usava-se a figura da árvore para representar a ideia de fonte de subsistência. Consequentemente, no imaginário conceitual de Gênesis, comer do fruto de uma árvore simbolizava a decisão de viver daquele fruto e de se tornar como aquele fruto. Quando Deus disponibiliza duas árvores no centro do Éden, ele propõe a Adão e Eva duas maneiras distintas de viver. As duas árvores representavam dois modos de existência. A árvore da vida representava a vocação para a qual Adão e Eva — e toda a humanidade — haviam sido criados: depender totalmente da sabedoria de Deus, viver em comunhão eterna com ele e, dessa forma, manter o cosmo como o espaço sagrado onde Deus poderia continuar habitando. Daí o nome dessa árvore ser "árvore da vida": ela representava a possibilidade da vida eterna com o Deus eterno no cosmo que havia sido criado para ser o templo desse Deus por toda a eternidade.

A árvore do conhecimento do bem e do mal, por sua vez, como o próprio nome sugere, representava a possibilidade de a humanidade decidir por si só o que era "bem e mal", de maneira independente de Deus, sendo dona do próprio nariz, sem precisar depender da sabedoria de Deus. Em suma, a árvore do conhecimento do bem e do mal representava a possibilidade de uma vida autônoma. É por isso que o resultado de se comer do fruto dessa árvore seria nada menos que a morte: "Se você comer desse fruto, com certeza morrerá" (Gn 2.17). Comer do fruto da árvore proibida significaria tirar Deus da equação e rejeitar seu caráter como marco de referência para tudo. E a consequência mais óbvia de tal escolha seria a morte. A morte, portanto, é a expressão mais cabal da separação de Deus, da fragmentação da criação e da instalação do caos no cosmo.

[3] Beale e Kim, *Deus mora entre nós*, p. 1-22.
[4] Sobre esse assunto, ver Russell P. Shedd, *O homem em comunidade: A solidariedade da raça no pensamento de Paulo* (São Paulo: Vida Nova, 2018).

Sem dúvida, isso levanta algumas perguntas. Se Deus desejava tanto permanecer eternamente com a humanidade no cosmo, por que propôs à humanidade uma possibilidade diferente? Deus criou a humanidade à sua imagem e semelhança. Isso significa que Deus fez a humanidade capaz de, entre tantas outras coisas, amar e obedecer. Por definição, porém, amor e obediência são atos voluntários. Se eu amo porque fui programado a amar, sou um robô. Se eu obedeço porque sou forçado a obedecer, sou um escravo. Amor e obediência, quando não voluntários, são ilegítimos. O amor, para ser amor, e a obediência, para ser obediência, devem implicar a possibilidade de não amar e de não obedecer. Então, para que a humanidade pudesse genuinamente cumprir sua vocação de depender de Deus em tudo e representar o governo de Deus sobre tudo, era imprescindível que houvesse a possibilidade de não depender de Deus e de não representar o governo de Deus. E o fato de Deus ter concedido essa alternativa indica que ele levou muito a sério esse projeto de habitar eternamente no cosmo com a humanidade. Ele não fez de conta que estava criando pessoas à sua imagem e semelhança, não manipulou a realidade, não escondeu o jogo. Ele verdadeiramente criou os seres humanos para ter comunhão com eles. E, para isso, ele os criou com a possibilidade de rejeitarem essa comunhão. Assumiu os riscos de alguém que ama de verdade.

E por que colocar uma árvore proibida no *meio* do Jardim do Éden? Quando eu não quero que meus filhos comam chocolate além da conta — temos certa compulsão por esse alimento aqui em casa —, costumo incentivá-los à moderação e, em seguida, esconder o doce, e não o colocar em plena mesa de jantar. Contudo, uma coisa que não raro ignoramos é que, quando Deus coloca a árvore proibida no meio do Jardim do Éden, sua intenção era proteger a humanidade de pecar. Como assim? Se a ordem do cosmo deveria ser mantida por meio da comunhão entre a humanidade e Deus, Adão e Eva precisavam constantemente lembrar que eles mesmos não eram Deus. Precisavam lembrar que tudo dependia de sua dependência de Deus. Dessa maneira, sempre que olhassem para aquelas duas árvores, seriam lembrados de sua vocação como adoradores de Deus.

Isso indica que a ênfase da ordem que Deus dá à humanidade tinha um sentido totalmente positivo de afirmação, não negativo de proibição. De fato, embora por vezes nos lembremos somente da proibição — "exceto da árvore do conhecimento do bem e do mal" —, na realidade o texto diz algo bem

38 O ENREDO DA SALVAÇÃO

diferente. O texto nos mostra que, antes mesmo de proibir o fruto do conhecimento do bem e do mal, Deus diz a Adão: "Coma à vontade dos frutos de todas as árvores do jardim" (Gn 2.16). A ênfase do mandamento de Deus repousa inteiramente na liberdade humana diante da generosidade de Deus, e a ordem de não seguir pelo caminho da autonomia era justamente porque Deus não queria que a humanidade se submetesse à separação e à morte.

É com isso em mente que podemos entender alguns detalhes significativos do relato da queda. Gênesis 3 explica a origem do descompasso que existe entre a criação original e a experiência nossa de cada dia no mundo até hoje. Mas o que exatamente foi a queda? E por que ela bagunçou tanto o cosmo "muito bom" que Deus havia criado? Em sua raiz, antes mesmo de ter se concretizado na transgressão da ordem que Adão tinha recebido, o pecado acontece na esfera relacional entre a humanidade e Deus. Em Gênesis 3.1, vemos que, quando a serpente se aproxima de Eva, ela não força Eva a desobedecer a Deus. (No mundo antigo, o símbolo da serpente poderia ser atrelado à ordem e ao caos do cosmo, dependendo do contexto. Em Gênesis, Adão e Eva deveriam ter subjugado a serpente, em consonância com sua vocação de serem representantes de Deus no cosmo.) Antes, a criatura faz uma pergunta: "Deus realmente disse que vocês não devem comer do fruto de nenhuma das árvores do jardim?" (Gn 3.1). O importante aqui é a sutileza. Ao fazer essa pergunta, a serpente, primeiro, coloca toda a ênfase das palavras de Deus em sua proibição e, segundo, distorce o que Deus tinha dito, fazendo que Eva ficasse confusa. E o que acontece é que Eva, confusa, entra no jogo e distorce, ainda que levemente e sem perceber, as palavras de Deus: "Deus disse: 'Não comam e nem sequer toquem no fruto daquela árvore'" (Gn 3.3).

Em outras palavras, como sugere com muita perspicácia o reformador João Calvino (*Institutas* II.1.4) e posteriormente Dietrich Bonhoeffer, Eva não se apega àquilo que Deus havia de fato dito e se esquece de que interpretar direito as palavras de Deus era uma questão de vida ou morte.[5] Diante disso, a serpente usa esse engano para sugerir que Deus havia proibido o fruto do conhecimento do bem e do mal, porque ele era, no fundo, mesquinho, inseguro e mau-caráter: "É claro que vocês não morrerão! [...] Deus sabe que, no momento em que comerem do fruto, seus olhos se abrirão e, como Deus, conhecerão o bem e o mal". Em uma interpretação mais livre: "Bobagem,

---

[5] Dietrich Bonhoeffer, *Tentação* (São Leopoldo, RS: Sinodal, 2018).

menina… Deus está escondendo o jogo e disse isso só porque não quer que vocês sejam verdadeiramente livres. Vocês não foram de fato feitos à imagem dele. Livrem-se dessa religiosidade. Esse Deus não está com nada". Então, como que num passe de mágica, Eva se encanta com a ideia de se assemelhar a Deus sem depender dele — afinal, por que confiar nesse Deus, se a serpente está correta? — e come do fruto. E, para martelar o último prego do caixão, Adão também come, em uma atitude de irreversível negligência à ordem de Deus.

E aqui está o que explica a discrepância da visão de Gênesis 1—2 e a nossa vida: o pecado entrou no mundo quando a humanidade duvidou do caráter de Deus e rebelou-se contra a sua vontade, achando que poderia ser "como Deus" sem Deus. Essa foi a queda, esse foi o pecado fundamental: na tentativa de ascender pela própria força, paradoxalmente a humanidade cavou a própria cova. Em consequência disso, assim que a humanidade seguiu o seu caminho, toda a ordem que caracterizava o cosmo de imediato começou a desandar. E, a partir de dentro do coração humano — da consciência que a humanidade tinha de sua identidade em relação a Deus —, essa ruína se estenderia horizontalmente por todas as áreas do cosmo. É disso que fala Gênesis 3.7-19:

> Naquele momento, seus olhos se abriram, e eles perceberam que estavam nus. Por isso, costuraram folhas de figueira umas às outras para se cobrirem.
>
> Quando soprava a brisa do entardecer, o homem e sua mulher ouviram o Senhor Deus caminhando pelo jardim e se esconderam dele entre as árvores. Então o Senhor Deus chamou o homem e perguntou: "Onde você está?".
>
> Ele respondeu: "Ouvi que estavas andando pelo jardim e me escondi. Tive medo, pois eu estava nu".
>
> "Quem lhe disse que você estava nu?", perguntou Deus. "Você comeu do fruto da árvore que eu lhe ordenei que não comesse?"
>
> O homem respondeu: "Foi a mulher que me deste! Ela me ofereceu do fruto, e eu comi".
>
> Então o Senhor Deus perguntou à mulher: "O que foi que você fez?".
>
> "A serpente me enganou", respondeu a mulher. "Foi por isso que comi do fruto."
>
> Então o Senhor Deus disse à serpente:
>
> "Uma vez que fez isso, maldita é você
>   entre todos os animais, domésticos e selvagens.

Você se arrastará sobre o próprio ventre,
rastejará no pó enquanto viver.
Farei que haja inimizade entre você e a mulher,
e entre a sua descendência e o descendente dela.
Ele lhe ferirá a cabeça,
e você lhe ferirá o calcanhar".

À mulher ele disse:

"Farei mais intensas as dores de sua gravidez,
e com dor você dará à luz.
Seu desejo será para seu marido,
e ele a dominará".

E ao homem ele disse:

"Uma vez que você deu ouvidos à sua mulher
e comeu da árvore cujo fruto ordenei que não comesse,
maldita é a terra por sua causa;
por toda a vida, terá muito trabalho para tirar da terra seu sustento.
Ela produzirá espinhos e ervas daninhas,
mas você comerá de seus frutos e grãos.
Com o suor do rosto você obterá alimento,
até que volte à terra da qual foi formado.
Pois você foi feito do pó,
e ao pó voltará".

Porque Deus deixou de ser o marco de referência da humanidade, ela imediatamente se aliena dela mesma, atribuindo vergonha à sua nudez. Porque Deus deixou de ser o marco de referência da humanidade, ela imediatamente se aliena também de seu próximo, culpando uns aos outros pelas próprias falhas. Porque Deus deixou de ser o marco de referência da humanidade, ela imediatamente se aliena do restante da criação, tendo agora de passar por dores e sofrimento para poder subsistir. E, porque Deus deixou de ser o marco de referência da humanidade, há uma ruptura na realidade de céus e terra, de modo que o próprio Deus não pode mais estar com a humanidade.

Em suma, a queda resulta na trágica realidade de que o templo de Deus fica desabitado: a humanidade é expulsa da presença divina, outrora abertamente acessível no Jardim do Éden, a árvore da vida é bloqueada, e o caos passa a caracterizar o cosmo:

> Então o SENHOR Deus disse: "Vejam, agora os seres humanos se tornaram seme-lhantes a nós, pois conhecem o bem e o mal. Se eles tomarem do fruto da árvore da vida e dele comerem, viverão para sempre". Para impedir que isso acontecesse, o SENHOR Deus os expulsou do jardim do Éden, e Adão passou a cultivar a terra da qual tinha sido formado. Depois de expulsá-los, colocou querubins a leste do jardim do Éden e uma espada flamejante que se movia de um lado para o outro, a fim de guardar o caminho até a árvore da vida.
>
> Gênesis 3.22-24

É em Gênesis 3, portanto, que descobrimos a raiz de todas as mazelas do mundo em que vivemos. A humanidade preferiu a independência, subme-teu-se à morte e está alienada de Deus. É como se o Deus que é absolutamente santo tivesse entrado em quarentena — o pecado abriu as portas para o caos e contaminou o cosmo. E todos nós, sem exceção, já nascemos em um mundo pós-Gênesis 3 e somos seguidores de nossos primeiros representantes, Adão e Eva. Essa é uma das verdades que podem ser mais facilmente compro-vadas na prática. Basta olharmos para nossas muitas crises de identidade, nossas inseguranças, nossa desarmonia com a criação e nossa propensão ao niilismo, à idolatria, às injustiças, às guerras, à opressão, ao egoísmo. Assim, muito longe de ser mero fruto do acaso ou de estruturas sociais corrompidas, o caos que caracteriza a nossa existência começa lá no fundo de nosso ser, no âmago de nossa vontade, em nosso desejo de sermos senhores de nós mes-mos. A humanidade está separada de Deus; este é o nosso problema.

3

Uma família, bênção para todos os povos: A promessa de Deus a Abraão

....

O Senhor tinha dito a Abrão: "Deixe sua terra natal, seus parentes e a família de seu pai e vá à terra que eu lhe mostrarei. Farei de você uma grande nação, o abençoarei e o tornarei famoso, e você será uma bênção para outros. Abençoarei os que o abençoarem e amaldiçoarei os que o amaldiçoarem. Por meio de você, todas as famílias da terra serão abençoadas".

Gênesis 12.1-3

....

Se este livro seguisse o esboço da mensagem cristã pregada por alguns evangélicos — que basicamente diz respeito a como alguém pode ter o seu passaporte carimbado "para o céu" —, o presente capítulo já deveria ser dedicado a uma exposição sobre o Calvário. Para nossa surpresa, porém, a Bíblia não pula de Gênesis 3 diretamente para Marcos 15 ou passagens paralelas. Por quê? Em primeiro lugar, porque o enredo das Escrituras contempla questões muito mais abrangentes que somente o destino de nossa alma. De fato, nossa condição perante Deus, por causa do pecado, é um assunto demasiadamente sério. Mas a questão que informa os episódios que seguem da história primeva é o plano de Deus de redimir o cosmo todo que ele havia chamado de "muito bom", não somente a nossa consciência individual.

Em segundo lugar, porque o pecado teve resultados degenerativos muito impactantes que afetaram drasticamente o funcionamento das coisas. Reestabelecer a ordem divina em um cosmo afetado pelo caos decorrente da autonomia humana, de maneira que a presença santa de Deus pudesse voltar a habitar entre sua criação, não aconteceria da noite para o dia. O cosmo é totalmente incapaz de desenvolver anticorpos para o vírus da nossa alienação de Deus. A quarentena que o pecado forçou entre a humanidade e Deus não poderia ser flexibilizada de forma tão automática. Trocando em miúdos,

Gênesis 3 não pula direto para uma resolução imediata, porque reconciliar céus e terra não seria um processo tão simples assim.

Outro empecilho agregado é que, para que o problema iniciado em Gênesis 3 pudesse ser remediado de alguma maneira, seria necessário lidar com a causa da doença, não somente com os sintomas. E, conforme vimos no capítulo anterior, a raiz fundamental da queda foi que a humanidade decidiu ser dona do próprio nariz, rejeitando Deus como seu marco de referência absoluto. O pecado nos colocou em uma espécie de beco sem saída. Como é possível reverter os efeitos do pecado, se a humanidade, em sua rebeldia, abriu mão da única coisa que poderia manter a ordem do cosmo — a saber, a possibilidade de crescer no conhecimento de Deus por meio da comunhão com ele? E como a humanidade pode voltar a depender de Deus, se a alienação decorrente de Gênesis 3 fez que a humanidade perdesse o próprio Deus de vista?

Percebe-se, então, que a restauração da ordem no cosmo deveria envolver necessariamente a retomada da relação fundamental entre Deus e a humanidade que acabou sendo perdida no Éden. E aqui está o dilema: a retomada dessa relação fundamental, no contexto em que a humanidade se colocou no escuro em relação ao caráter de Deus, só seria possível se o próprio Deus voltasse a descortinar seu caráter na história. Não haveria atalhos. E, para que Deus pudesse se revelar em um mundo repleto de pessoas imitadoras de Adão e Eva, comedores do fruto da árvore do conhecimento do bem e do mal, seria necessário tempo.

Dessa forma, o que vemos após Gênesis 3 não é uma história hollywoodiana em que, depois de algumas poucas reviravoltas, logo assistimos a um final aguado e feliz. O que vemos são os efeitos concretos do pecado, atingindo agora não só o primeiro casal, mas também todos os que habitam a face da terra. Aquilo que Deus tinha dito a Adão e Eva de fato acontece. No mundo criado por um Deus perfeitamente bom e justo, absolutamente tudo tem suas consequências. E essas consequências são vistas particularmente na trajetória que o pecado leva a humanidade a seguir: uma trajetória descendente, cada vez mais distante da realidade do Éden. Assim, os capítulos seguintes ao relato da queda deixam muito claro que a morte que entrou no cosmo por meio de Adão e Eva passou a determinar a experiência de qualquer ser humano. Se o primeiro casal, no exato momento em que escolheu

44 O ENREDO DA SALVAÇÃO

tirar Deus da equação, passou a experimentar a alienação, é exatamente isso que acontece também com todas as pessoas de Gênesis 4 em diante.

É muito instrutivo que a primeira história que encontramos após a saída do Jardim do Éden seja o famoso episódio em que Caim mata o próprio irmão, Abel (Gn 4.1-16). A história toda é sombria e cheia de detalhes intrigantes, mas o que realmente nos chama a atenção no contexto de nosso argumento é a objeção de Caim a Deus: "Por acaso sou responsável por meu irmão?" (Gn 4.9). Note o grau de distanciamento da vocação original da humanidade. E, como se não bastasse, em Gênesis 6 as figuras chamadas de "filhos dos deuses" decidem tomar à força para si mulheres indefesas, como se estas fossem meros objetos de posse.

Não surpreende que essa trajetória descendente tenha desembocado, por sua vez, no Dilúvio. Ora, o que é o Dilúvio senão o retorno da terra ao caos? Em Gênesis 1.2, vale lembrar, Deus havia começado a "formar" e a "preencher" o cosmo a partir da "escuridão" e das "águas" que precediam a ordem estabelecida por Deus. (Veremos isso mais adiante, mas, milênios depois do Dilúvio, uma figura chamada Jesus de Nazaré acalmaria as águas do mar da Galileia com um simples comando, suscitando grande assombro em seus companheiros de viagem.) Ou seja, no Dilúvio Deus derrama seu juízo, entregando os seres humanos às consequências da própria maldade que praticam.

E nem mesmo após a preservação da família de Noé, inteiramente pela livre iniciativa divina, a situação parece mudar. Embora Noé tenha ficado famoso por sua obediência a Deus, construindo a arca na qual a ordem parcial do cosmo seria levada adiante, foi só as águas secarem para que a humanidade, no conhecido episódio da Torre de Babel, mais uma vez seguisse os passos de Adão e Eva: "Venham, vamos construir uma cidade com uma torre que chegue até o céu. Assim, ficaremos famosos e não seremos espalhados pelo mundo" (Gn 11.4). O resultado, novamente, é confusão e dispersão.

Quando chegamos ao final de Gênesis 11, está muito claro que a humanidade é incapaz de se regenerar, de produzir anticorpos para esse vírus chamado pecado. Entretanto, o fracasso humano não representa o retrato todo que encontramos nesses primeiros capítulos de Gênesis. Embora seja verdade que a queda tenha comprometido a saúde do cosmo, há um movimento constante da parte de Deus em direção à humanidade. Isso fica claro quando Deus, que não tinha a menor obrigação de olhar com graça para os seres humanos, realiza exatamente isso com Noé: "Noé, porém, encontrou favor diante do Senhor" (Gn 6.8).[1] E as várias genealogias que encontramos no primeiro livro da Bíblia até aqui também indicam essa realidade, já que sabemos que uma das funções das genealogias na literatura bíblica é mostrar que Deus continua a abençoar as gerações, apesar da rebeldia dos seres humanos. Então, se é verdade que a humanidade arca com todas as consequências de sua decisão de viver sem Deus, Deus, em contrapartida, não deixa de manter sua insistência em resgatar o cosmo.

E é em Gênesis 12, quando Deus estabelece uma relação com um homem chamado Abrão — que posteriormente teria o seu nome ampliado para Abraão —, que ocorre um ponto de virada importante na história. Gênesis 12 é importante porque marca a transição entre os relatos que dizem respeito aos primórdios da criação e a história de como Deus volta a se revelar de maneira específica à humanidade. É a partir de Gênesis 12, no chamado de Abraão, que Deus começa mais uma vez a descortinar seu caráter no cosmo. Abraão é importante, então, porque é a partir dele que Deus começa a lidar com a raiz do problema iniciado em Gênesis 3. Nas palavras de Christopher Wright, "o que temos em Gênesis 12.1-3 é o lançamento da missão *redentiva* de Deus".[2] De fato, Abraão é tão importante que o primeiro livro do Novo Testamento, o Evangelho segundo Mateus, apresenta Jesus em direta conexão com o patriarca: "Este é o registro dos antepassados de Jesus Cristo, descendente de Davi e de Abraão" (Mt 1.1). À luz da genealogia de Jesus segundo Mateus, poderíamos dizer que as duas grandes divisões da Bíblia são Gênesis 1—11 e Gênesis 12 em diante.

Mas o que exatamente acontece com Abraão que se torna paradigmático para o resto do enredo? Se prestarmos bastante atenção à vida de Abraão, perceberemos que o que o torna distinto é nada mais nada menos que a promessa divina. De todas as coisas que Deus fala ao patriarca e realiza ao longo de sua jornada, nenhuma dizia respeito a Abraão como indivíduo isolado. Sim, é verdade que Deus diz repetidas vezes que abençoaria Abraão, mas essas bênçãos seriam concedidas porque, em última instância, o propósito era que "todas as famílias da terra" fossem abençoadas.

---

[1] É importante notar que o comissionamento que Deus dá a Noé em Gênesis 9.1-7 está em continuidade parcial com o mandamento dado à humanidade em Gênesis 1.28-30.
[2] Wright, *The Old Testament in Seven Sentences*, p. 43.

46 O ENREDO DA SALVAÇÃO

A bênção que Deus derramaria sobre o patriarca não era um fim em si mesmo. Implícito ao ato soberano de Deus ao escolher Abraão está também o fato de que o patriarca não teria absolutamente nada que pudesse ostentar como mérito na realização do plano divino: além de o próprio Abraão ser bem idoso, sua esposa, Sara, era estéril. (Nesse sentido, questionar por que Deus chamou Abraão em vez de outra pessoa é fazer a pergunta errada, visto que o chamado de Abraão não dizia respeito a Abraão, mas, sim, a Deus.)

Por meio, portanto, do relacionamento que estabelecia com Abraão, o Criador do cosmo começaria a se revelar novamente na história, de modo que todas as nações pudessem ter novamente um vislumbre mais claro de seu caráter. É importante recordar que, embora encontremos, de vez em quando, pessoas tementes a Deus em Gênesis 4—11 — Enoque e Noé, por exemplo —, a percepção da glória de Deus, de seu jeito de ser, havia se tornado uma memória distante após Gênesis 3. O máximo que as pessoas podiam fazer até Gênesis 12, inclusive quando Abraão ainda se chamava Abrão, era, conforme a afirmação de Paulo no Areópago ateniense, "tatear" os atributos divinos (At 17.27).

Nós certamente precisaríamos de um livro todo só para fazer um panorama sobre a vida de Abraão. Importa, porém, destacar algo aqui. Àquele homem idoso, marido de uma senhora igualmente idosa e, além do mais, estéril, Deus promete uma "descendência" — no hebraico, *zera*ʿ. Fora a impossibilidade de aquilo se tornar realidade sem a ação do poder de Deus, o que chama a nossa atenção é que o termo "descendência" nos remete a algo que o Criador tinha dito à serpente, antes da expulsão de Adão e Eva do Jardim do Éden: "Farei que haja inimizade entre você e a mulher, e entre a sua descendência [*zera*ʿ] e o descendente dela [*zera*ʿ]. Ele lhe ferirá a cabeça, e você lhe ferirá o calcanhar" (Gn 3.15). Em seu contexto original, tal afirmação apontava para o conflito perene que caracterizaria a existência humana pós-Gênesis 3 em um mundo recém-submetido ao caos e à morte. Contudo, na promessa que Deus faz a Abraão, percebemos que esse conflito um dia seria resolvido: a "descendência" de Abraão — e, por implicação, de Eva — prevalecerá sobre o caos. Por meio das futuras gerações de Abraão, todas as nações na terra viriam a enxergar a glória de Deus.

O mais interessante é que, se dependesse da integridade ética de Abraão, a promessa de Deus nunca teria vingado. Conhecemos bem suas pisadas na bola: as mentiras no Egito e em Gerar, a incredulidade de Sara, os episódios com Hagar. Eu não sei você, caro leitor ou cara leitora, mas me conforta demais saber que alguém tão falho como Abraão pôde vir a ser conhecido como "o pai da fé" — talvez seja mais adequado chamá-lo de "filho da fidelidade de Deus". Mas essa é precisamente a força da história de Abraão. Depois de aproximadamente vinte anos de caminhada de Abraão com Deus, e a despeito da nítida inconstância de caráter do patriarca, o Criador cumpre o que havia anunciado, dando-lhe um filho por meio de Sara, chamado Isaque: "O Senhor agiu em favor de Sara e cumpriu o que lhe tinha prometido. Ela engravidou e deu à luz um filho para Abraão na velhice dele, exatamente no tempo indicado por Deus" (Gn 21.1-2). E é quando Abraão e Sara enfim seguram nos braços Isaque, o filho da promessa de Deus, que eles entendem que Deus é totalmente digno de confiança, a ponto de esse mesmo Abraão se dispor a entregar seu filho amado em um altar (Gn 22.1-19).

A partir de Gênesis 12, portanto, Deus dá início a seu plano de redenção, propondo uma alternativa, ainda que parcial, à independência humana. E Deus faz isso revelando-se a Abraão como alguém absolutamente comprometido em restaurar o cosmo. Deus promete que voltaria a abençoar "todas as famílias da terra" por meio da descendência do patriarca e, em conformidade com essa promessa, ele de fato concede Isaque, a despeito das circunstâncias. E esta é a verdade que deve ser enfatizada: dentre todas as coisas que Deus revela sobre si mesmo a Abraão, a mais basilar é que Deus é totalmente digno de confiança. Isso é crucial, porque a base da comunhão entre Deus e a humanidade — a base sobre a qual o próprio cosmo seria mantido como o lugar da habitação de Deus — sempre foi, desde o Éden, a confiança e a dependência. Não é à toa que, em Romanos 4, Paulo explica como alguém pode ser considerado justo perante Deus, citando o exemplo de Abraão: "Abraão creu em Deus, e assim foi considerado justo" (Rm 4.3; cf. Gn 15.6).

A história de Abraão obviamente não é o fim — e nem poderia ser. Há muito mais que Deus precisa revelar à humanidade sobre si mesmo, e há muito mais a ser consertado na humanidade para que a ordem do cosmo possa ser restaurada em definitivo. Para encerrar, no entanto, é necessário fazermos uma última observação. O Deus que se revelou a Abraão é o mesmo Deus que um dia se revelou — ou que deseja se revelar — a mim e a você. Esse Deus não mudou. Esse Deus nunca muda. Aliás, você e eu fazemos parte dessas "todas as famílias da terra" que seriam abençoadas por meio da descendência de Abraão.

48 O ENREDO DA SALVAÇÃO

Nesse sentido, nós temos muita vantagem em relação ao patriarca, visto que podemos olhar para as Escrituras e enxergar todo o quebra-cabeça já montado. Mas é precisamente porque a nossa história tem a ver com a história de Abraão que precisamos nos lembrar de que Deus também nos chama a aprender a mesma lição fundamental que Abraão precisou aprender. Não faz sentido, então, esperar que a nossa caminhada seja marcada por certezas o tempo todo. As incertezas e os fracassos fazem parte do mundo pós-Gênesis 3 que nós mesmos construímos, e aprender a lidar com elas faz parte do projeto pedagógico de que todos nós precisamos para ter a imagem de Deus restaurada em nós. A única maneira real de Deus trazer ordem no caos é pela via contrária àquela trilhada por Adão e Eva. Confiar em Deus é a base de nossa vocação.

E a boa notícia é que Deus está absolutamente comprometido em redimir sua criação e jamais deixará de cumprir seu bom propósito de forjar o seu caráter em nós. À semelhança da história de Abraão, a nossa história também diz respeito à fidelidade de Deus — à sua insistência em reconciliar consigo a nossa vida e o mundo. Rendamos graças ao Deus fiel e poderoso que se revelou a Abraão: "Ele é o SENHOR, nosso Deus; vemos sua justiça em toda a terra. Ele é fiel à sua aliança para sempre, ao compromisso que firmou com mil gerações" (Sl 105.7-8).

4

Livres para um recomeço:
O êxodo como o início de uma nova criação

Quando o faraó se aproximava, os israelitas levantaram os olhos e viram os egípcios marchando contra eles. Em pânico, clamaram ao Senhor e disseram a Moisés: "Por que você nos trouxe ao deserto para morrer? Não havia sepulturas no Egito? O que você fez conosco? Por que nos forçou a sair do Egito? Quando ainda estávamos no Egito, não lhe avisamos que isso aconteceria? Dissemos: 'Deixe-nos em paz! Continuaremos a servir os egípcios. Afinal, é melhor ser escravo no Egito que ser um cadáver no deserto!'".

Moisés, porém, disse: "Não tenham medo. Apenas permaneçam firmes e vejam como o Senhor os resgatará neste dia. Vocês nunca mais verão os egípcios que estão vendo hoje. O próprio Senhor lutará por vocês. Fiquem calmos!".

Êxodo 14.10-14

Ouvi dizer recentemente que o prestigiado reverendo Timothy Keller gosta de repetir em suas redes sociais que "cristãos carecem do evangelho tanto quanto não cristãos". Se eu ainda possuísse uma conta ativa no Twitter, responderia a cada uma dessas postagens com um efusivo "veríssimo!". Acrescentaria, ainda, que nem mesmo precisamos chegar ao Novo Testamento para perceber a veracidade dessa frase. Ao longo de todo o enredo bíblico, a única realidade que consistentemente diferencia os "bandidos" dos "mocinhos" é a manifestação particular da graça de Deus. Quem conhece a Bíblia sabe muito bem que a expressão "heróis da fé" pode ser até inspiradora, mas é, em última análise, irrealista. A Bíblia não nos conta sobre heróis no plural. Deus é o único protagonista dessa história.

Isso fica claro nos episódios narrados a partir de Gênesis 23. À medida que lemos o restante de Gênesis, percebemos que aquilo que havia sido iniciado

50 O ENREDO DA SALVAÇÃO

em Abraão continua a se desenrolar em Isaque, em Jacó e nos doze bisnetos de Abraão, os filhos de Jacó. Entretanto, se compararmos a história dos descendentes de Abraão com os relatos anteriores ao chamado de Abraão, teremos certa dificuldade de enxergar alguma diferença significativa, essencial, no que tange ao caráter das pessoas envolvidas nessas histórias. Já mencionamos o próprio Abraão, que só foi o que foi porque Deus foi fiel a si mesmo, mas há também Isaque, que, a despeito de ter visto a mão divina sobre si no episódio do altar (Gn 22.1-19), comete exatamente os mesmos erros que seu pai havia cometido (Gn 26.1-25). Em seguida, quando acontece uma segunda mudança geracional, deparamos com a história de Esaú e de Jacó, profundamente marcada por intrigas, mentiras e traições (Gn 25.27-35; 27.1-46). E, após a multiplicação da família de Jacó, assistimos a uma espécie de reprise, não da obediência de Noé, mas da tragédia de Caim e Abel: José é vendido como escravo pelos próprios irmãos (Gn 37.12-36).

Apesar da iniciativa divina de começar a realizar a redenção do cosmo por meio de Abraão e de sua descendência, a natureza humana permaneceu como sempre esteve desde a queda. Consequentemente, a mesma ênfase que é dada em Gênesis 3—11 persiste em Gênesis 12—50: só pode haver esperança porque é Deus quem assume o protagonismo, mantendo-se fiel a si mesmo e às suas promessas. Não há heróis humanos. O mérito humano — e sua capacidade de reverter o caos e a morte, restaurando céus e terra como o espaço sagrado da habitação divina — é algo que simplesmente nunca existiu perante a santidade do Criador.

É por isso que o livro de Gênesis encerra com uma clara sugestão de que a redenção do cosmo depende inteiramente do Deus que decidiu jamais abandonar sua criação. No final da história de José, depois de várias reviravoltas, o filho de Jacó — e então homem de confiança do governante mais poderoso daquela época — discerne como o caráter de Deus o chamava a responder às injustiças que ele próprio havia sofrido: "Vocês pretendiam me fazer o mal, mas Deus planejou tudo para o bem. Colocou-me neste cargo para que eu pudesse salvar a vida de muitos" (Gn 50.20). E, como resultado, essa família termina sua jornada desfrutando de grande prosperidade na terra com a economia mais robusta daquela época: o Egito.

Todavia, em um mundo pós-Gênesis 3, qualquer prosperidade é passageira. O cosmo como um todo ainda sofre das mazelas decorrentes do pecado e, portanto, não há segurança fora do Jardim do Éden que esteja garantida para sempre. E é nesse ponto que ouvimos falar de alguém que assumiria um papel significativo no enredo da salvação de Deus.

Moisés aparece em cena nada menos que quatro séculos após José, no contexto em que a prosperidade dos hebreus já havia esvanecido: uma mudança de dinastia ocasionou a opressão dos descendentes de Abraão por parte do faraó (Êx 1.8). O interessante é que em nenhum momento os hebreus clamaram ao Deus que havia se revelado a Abraão. Será que a prosperidade do Egito acabou trazendo consigo uma espécie de amnésia quanto aos verdadeiros propósitos de Deus? Todavia, antes que os descendentes de Abraão se lembrassem de que poderiam recorrer a Deus por socorro, é o próprio Deus quem, mais uma vez, inicia seu movimento em direção àqueles que, agora, não eram mais apenas uma família, mas um povo. Então, de maneira um tanto parecida com o que havia acontecido com Noé, Moisés também é retirado das águas (Êx 2.5-6). E, de maneira um tanto parecida com o que havia acontecido com Abraão, é Deus quem se revela a Moisés (Êx 3.4).

A proeminência de Moisés se faz evidente no fato de que ele é o líder por meio de quem Deus tira os descendentes de Abraão da condição de escravidão no Egito. Quando os descendentes de Abraão haviam chegado ao Egito, eles eram uma simples família de peregrinos em busca de pão. Mas, após quatro séculos, os hebreus haviam se multiplicado, perdido as promessas de Deus de vista e se tornado uma multidão de escravos. A saída dos hebreus do Egito, porém, é muito mais que a libertação milagrosa de um povo oprimido pelas garras de um império ímpio. Na verdade, ao emancipar os descendentes dos patriarcas, Deus dá seguimento ao que havia sido iniciado em Abraão. Não surpreende que, no famoso episódio do arbusto ardente, Deus se apresente a Moisés como o "Deus de Abraão, de Isaque e de Jacó" (Êx 3.6). O êxodo é importante, portanto, porque ele desemboca na formação de "uma grande nação", com um nome próprio e pessoal. Ou seja, no êxodo, aquela pequena família de um senhor idoso e uma mulher estéril, que veio a se multiplicar a ponto de representar um dos principais contingentes de escravos no Egito, finalmente se tornaria a famosa nação de Israel. (Falaremos especificamente sobre Israel no próximo capítulo.)

Relacionado a isso, é certamente relevante que a palavra "salvação" [yešû'āh] — tão cara a nós, cristãos, e tão central em nosso entendimento da mensagem bíblica — ocorra em profunda conexão com o evento do êxodo (Êx 14.13). Antes dessa passagem, a expressão ocorre somente em

Gênesis 49.18, em que Jacó profetiza sobre o futuro de seus filhos. Isso sugere que qualquer conceito teológico que venhamos a construir em torno do termo "salvação" deve estar devidamente ancorado naquilo que Deus revelou originalmente na saída dos descendentes de Abraão da terra do faraó. Conforme falaremos no capítulo 11, é precisamente por meio de uma linguagem emprestada do êxodo que os Evangelhos articulam a obra salvífica que Jesus realiza de uma vez por todas.

Em quais termos, então, a salvação de Deus se manifesta no êxodo? As linhas gerais da história de Moisés são bem conhecidas. Tendo sido livrado da morte enquanto ainda bebê, Moisés foi educado por sua própria mãe na corte do faraó (Êx 2.1-10). Posteriormente, após o episódio em que, já adulto, teve de fugir da corte imperial, ele se casa com Zípora e se torna o cuidador dos rebanhos de seu sogro (Êx 2.11-22). E é ali, enquanto Moisés apascentava os animais de Jetro no deserto, que Deus o comissiona, revelando seu nome ao seu servo: "Eu Sou o que Sou" — Yahweh (Êx 3.14). Nesse sentido, é instrutivo que, no momento em que Yahweh aparece pela primeira vez a Moisés, ele chame aquele lugar de "terra santa" (Êx 3.5). Nas Escrituras, o deserto quase sempre simboliza um contexto de desolação. Aqui, porém, a presença de Deus fazia até mesmo daquele deserto um microespaço sagrado. Perceber isso é crucial, já que, por um lado, Gênesis 3 havia privado a humanidade do acesso franco à comunhão com o Criador e, por outro lado, o ponto culminante do êxodo será a manifestação da glória de Yahweh no tabernáculo (Êx 40.34-38).

À luz disso, fica cristalino o que de fato está em jogo no êxodo. Nesse momento da história, a fidelidade de Deus à promessa que ele mesmo havia feito a Abraão vai diretamente de encontro ao domínio opressor do faraó. Do ponto de vista de uma leitura bíblico-teológica, é bastante relevante que o líder máximo do Egito vestia uma coroa no formato de uma serpente. Considerado o representante da divindade simbolizada pela imagem da serpente, o faraó naquele momento — segundo a narrativa de Êxodo — alinhava-se, de fato, às forças do caos contra os eleitos de Deus que, na visão de Gênesis 1—2, eram todos portadores da imagem do Criador.[1] É por isso

---

[1] Na primeira tiragem deste livro, afirmei que o faraó era considerado a encarnação de Amon-Rá. Isso é controverso, dependendo da dinastia. De todo modo, Amon-Rá — soletrado também Amun-Rá — não era atrelado à imagem da serpente, muito mais predominante na ideologia monárquica daquele povo. O panteão egípcio antigo é complexo e, na pressa, acabei negligenciando essa importante qualificação.

LIVRES PARA UM RECOMEÇO **53**

que em Êxodo 4.21-23, quando Moisés está finalmente a caminho do Egito para executar a ordem de Deus, Deus deixa claro do que exatamente se trata o êxodo: "Você dirá ao faraó: 'Assim diz o Senhor: Israel é meu filho mais velho. Ordenei que você deixasse meu filho sair para me adorar. Mas, uma vez que você se recusou, matarei seu filho mais velho'". Ora, para um leitor atento à sequência do enredo bíblico até aqui é impossível não perceber que o êxodo representa o conflito da descendência de Eva — e de Abraão — contra a descendência da serpente, a que nos referimos nos capítulos anteriores. Em outras palavras, por meio de Israel, formado pelos descendentes de Abraão e chamado de "meu filho mais velho" pelo próprio Yahweh, as forças do caos seriam confrontadas.

É por isso que os fenômenos mais emblemáticos e momentosos do êxodo são as dez pragas e a travessia do mar Vermelho. Ora, por que dez pragas? Assim como o relato da criação em sete dias tinha um sentido teológico muito específico para os leitores antigos, as dez pragas não foram acontecimentos aleatórios ininteligíveis às pessoas daquela época. Cada uma das dez pragas representava o juízo de Deus sobre as entidades supostamente divinas que os egípcios acreditavam sustentar a ordem do cosmo, inclusive a figura do primogênito do faraó. Assim, o êxodo comprovava que as entidades egípcias não passavam de paródias de mau gosto da ordem que Deus havia estabelecido no princípio: "Nessa noite, passarei pela terra do Egito e matarei todos os filhos mais velhos e todos os primeiros machos dentre os animais na terra do Egito. Executarei juízo sobre todos os deuses do Egito, pois eu sou o Senhor" (Êx 12.12). Isso explica a autoidentificação de Yahweh com o nome "Eu Sou o que Sou". Na Antiguidade, nomes de entidades conotavam suas funções específicas na natureza visível. Yahweh, em contraste, jamais pode ser reduzido a tais categorias, pois ele é a própria fonte de toda a existência. Ao derramar seu juízo sobre o Egito, portanto, Deus desmantelava a cosmologia — e, consequentemente, a cosmovisão — daquele lugar, revelando-se como o único Criador e Senhor do cosmo. E a autoridade suprema de Yahweh incluía sua capacidade de cauterizar de vez o coração obstinado do faraó, de maneira que a impiedade do líder do Egito servisse para exaltar o poder e a bondade de Deus (cf. Êx 4.21; 7.3,13-14,22; 8.15,19,32; 9.7,12,34-35; 10.20,27; 11.10; 14.5,8).

54 O ENREDO DA SALVAÇÃO

Semelhantemente, a travessia do mar Vermelho indica o início do restabelecimento da ordem de Deus no universo. Perceba a riqueza de imagens utilizadas em Êxodo 14.15-22:

> Então o SENHOR disse a Moisés: "Por que você está clamando a mim? Diga ao povo que marche! Tome sua vara e estenda a mão sobre o mar. Divida as águas para que os israelitas atravessem pelo meio do mar, em terra seca. Endurecerei o coração dos egípcios, e eles virão atrás de vocês. Mostrarei minha glória por meio do faraó e de suas tropas, seus carros de guerra e seus cavaleiros. Quando minha glória se manifestar por meio do faraó e de seus carros de guerra e seus cavaleiros, todo o Egito a verá e saberá que eu sou o SENHOR".
>
> Então o anjo de Deus que ia adiante do acampamento de Israel se posicionou atrás do povo. A coluna de nuvem também mudou de lugar; foi para a retaguarda e ficou entre o acampamento egípcio e o acampamento de Israel. A nuvem escura trouxe trevas para os egípcios, mas luz para os israelitas. Com isso, os dois grupos não se aproximaram durante toda a noite.
>
> Então Moisés estendeu a mão sobre o mar e, com um forte vento leste, o SENHOR abriu caminho no meio das águas. O vento soprou a noite toda, transformando o fundo do mar em terra seca. E o povo de Israel atravessou pelo meio do mar, caminhando em terra seca, com uma parede de água de cada lado.

Exatamente no contexto em que o termo "salvação" ocorre de maneira tão concreta nas Escrituras, os textos dizem que houve "trevas" [*ḥōšeḵ*] sobre os egípcios e "luz" [*ʾôr*] sobre Israel (Êx 14.19-20; cf. 13.20-22). Onde vimos isso antes? Sim, em Gênesis 1—2, em que Deus faz a separação entre "trevas" [*ḥōšeḵ*] e "luz" [*ʾôr*]. Além disso, no momento culminante em que o faraó alcançaria os hebreus à beira do mar Vermelho, nós lemos que um "vento" [*rûaḥ*], vindo do "leste" [*qāḏîm*], soprou sobre o mar Vermelho, de modo que as "águas" [*mayim*] foram separadas. A palavra hebraica *rûaḥ*, traduzida por "vento" em Êxodo 14.21, é exatamente a mesma usada em referência ao "Espírito" do Criador, que também "se movia sobre a superfície das águas" [*mayim*] em Gênesis 1.2. Esse vento abriu o mar Vermelho para que os israelitas cruzassem até o outro lado em "terra seca" [*yabbāšāh*], o que remonta à "terra seca" [*yabbāšāh*] que havia surgido com a separação das águas em Gênesis 1.9. E tem mais: o vento sopra do "leste" [*qāḏîm*], precisamente o ponto cardeal em referência ao qual, segundo Gênesis 2.8, Deus havia plantado o Jardim do Éden: "O Senhor Deus plantou um jardim no Éden, para os lados do leste" [*qeḏem*].[2]

As pessoas envolvidas naquele exato momento da história podem não ter percebido todos esses paralelos temáticos e teológicos entre Gênesis e Êxodo, mas é importante lembrar que a narrativa bíblica sempre nos coloca em posição privilegiada para entendermos a perspectiva divina acerca daqueles eventos. Ou seja, é necessariamente em retrospecto que os autores bíblicos transmitem o que aconteceu, oferecendo-nos, assim, sua interpretação — divinamente inspirada e, logo, autoritativa — dos fatos contados. E, se aceitarmos a tradição de que o Pentateuco como um todo remete à figura histórica de Moisés, ficará muito simples de entender por que há tantas conexões exegéticas do começo ao fim desse grupo de livros. Êxodo foi escrito para ser lido na sequência de Gênesis. E, ao nos contar sobre a saída dos hebreus da terra do Egito, destacando nesses termos as dez pragas e a travessia do mar Vermelho, o autor sublinha claramente a continuidade entre a criação do cosmo e o êxodo como o início da reordenação desse cosmo que foi bagunçado com o pecado.

Basta conectarmos os pontos, então, para que sejamos capazes de responder do que falam esses poderosos atos salvíficos de Deus na história da humanidade. Além de uma série de milagres espetaculares da natureza, o êxodo é o início de uma nova criação. Assim, a travessia do mar Vermelho não poderá culminar de outra forma senão na presença de Deus habitando novamente entre o seu povo, no tabernáculo. (Veremos a seguir que o tabernáculo era uma representação do Jardim do Éden.[3]) A diferença, é claro, é que essa nova criação pressupõe a realidade quebrantada pelo pecado, e a habitação de Deus precisará limitar-se, por ora, a uma tenda. Mas já é um começo, Deus já começou a realizar seu plano de restaurar o cosmo como seu lugar de habitação.

Em suma, o êxodo escancara que a salvação de Deus implica juízo sobre tudo e sobre todos que obstinadamente fomentam o caos. A décima praga, em especial, corrobora de forma muito eloquente o parecer do Castor das *Crônicas de Nárnia*: a morte do primogênito do faraó indica que, embora Deus seja perfeitamente bom, jamais vale a pena brincar com sua santidade. A

---

[2] Ver mais em Provan, *Seriously Dangerous Religion*, p. 38-40.

[3] Ver mais em Beale e Kim, *Deus mora entre nós*, p. 33-44.

implicação é que, se toda ação de Deus na história desvela quem ele é, o êxodo nos mostra que Deus é alguém que se opõe a todo tipo de "encarnação" da serpente. Hoje mesmo, ele ainda se opõe a todo padrão de pensamento que contradiz seus planos em Gênesis 1—2. E, se tão terrível juízo visitou o faraó, no grande dia em que Deus consumar sua salvação, seu juízo também virá sobre todo o mal que há no mundo. E isso nos traz esperança. Quando olhamos para o êxodo, nós nos lembramos de que Yahweh jamais se esquece do que é justiça. Ele colocará todas as coisas em seu devido lugar e retribuirá a todos os que tiverem seguido os passos do faraó.

De maneira mais positiva, o êxodo evidencia também que a salvação de Deus é a realização de uma nova criação. A salvação de Deus, muito mais que um sentimento que temos depois de repetir uma oração, é a manifestação concreta da intervenção divina em nossa história, confrontando e revertendo o caos que nos oprime. Quando a salvação de Deus visita os descendentes de Abraão no Egito, ela vira literalmente tudo de ponta-cabeça, trazendo abaixo toda percepção da realidade e todo sistema de valor que não estavam alinhados com seu caráter, conduzindo Israel até sua presença. E, de novo, se esse Deus que se revelou no êxodo é o mesmo Deus que se revela à humanidade por meio dessa história ainda hoje, então é de se esperar que, quando temos um encontro com esse Deus, algumas estruturas muito fundamentais de nossa vida sejam abaladas, para que possamos viver à luz de quem ele de fato é. E isso é muito boa notícia. Embora nos acomodemos com as estruturas perversas deste mundo — assim como aconteceu com os hebreus no Egito —, essa acomodação não passa de escravidão. Quando Deus nos visita, ele vira tudo do avesso, lembrando-nos de que, na verdade, é a nossa realidade que está do avesso e cativa aos falsos deuses deste mundo. Falar de salvação é falar de como Deus nos liberta do problema iniciado em Gênesis 3.

Por fim, há uma última observação que precisamos fazer antes de seguir adiante. Ao final da travessia do mar Vermelho, vemos que o êxodo fez uma divisão muito clara entre dois grandes grupos de pessoas: os que foram visitados pelo juízo de Yahweh e os que foram salvos. E essa divisão aconteceu de forma decisiva na última praga, quando o anjo da destruição visitou a terra para matar todos os primogênitos do Egito. O detalhe é que a única coisa que determinou essa divisão — entre os que seriam feridos pelo "anjo da morte" e os que seriam preservados — foi o sangue de um animal, inocente, que deveria ter sido sacrificado naquele mesmo dia (Êx 12.1-51). Em outras palavras, a salvação dos descendentes de Abraão nada dizia respeito ao que eles poderiam ter feito para merecer esse favor divino mais que os egípcios. É importante lembrar que essa salvação estava disponível também para quem era estrangeiro (Êx 12.43-49), e não somente hebreus — uma "mistura de gente que não era israelita" (Êx 12.38) foi liberta do Egito pelo braço forte de Yahweh. A única coisa que assegurou a salvação dessas pessoas foi a fé — a confiança — de que Yahweh cumpriria sua promessa de preservá-los da morte, por meio do sangue daquele animal. Isso significa que, no centro dessa nova criação que Deus estava iniciando ao resgatar os descendentes de Abraão da opressão do Egito, estava o sangue de uma vida sacrificada para proteger aqueles que confiaram nas palavras de Yahweh.

Séculos e séculos depois, entrará em cena alguém chamado Jesus — que, de forma muito apropriada, significa "Yahweh salva" —, cuja missão também se iniciará pelas águas e culminará na semana da Páscoa. Até lá, porém, há ainda um longo caminho a ser percorrido.

5

Tal pai, tal filho:
O chamado de Israel

....

Exatamente dois meses depois de saírem do Egito, chegaram ao deserto do Sinai. Depois de levantar acampamento em Refidim, chegaram ao deserto do Sinai e acamparam ao pé do monte. Então Moisés subiu ao monte para apresentar-se diante de Deus. Lá de cima, o Senhor o chamou e disse: "Transmita esta mensagem à família de Jacó; anuncie-a aos descendentes de Israel: 'Vocês viram o que fiz aos egípcios. Sabem como carreguei vocês sobre asas de águias e os trouxe para mim. Agora, se me obedecerem e cumprirem minha aliança, serão meu tesouro especial dentre todos os povos da terra, pois toda a terra me pertence. Serão meu reino de sacerdotes, minha nação santa'. Essa é a mensagem que você deve transmitir ao povo de Israel".

Êxodo 19.1-6

....

Sem a menor sombra de dúvidas, o êxodo foi o evento mais cataclísmico da história da humanidade desde a criação. Se eu fosse o diretor de um seriado retratando a saída daquele povo da terra do faraó, certamente dedicaria um episódio inteiro somente para digerir as impressões causadas por tudo que foi descrito no capítulo anterior. No êxodo, o Deus que havia formado e preenchido céus e terra — o Criador supremo de todas as coisas — revelou-se concretamente também como o Salvador dos descendentes de Abraão: Yahweh liberta Israel, seu "filho mais velho" (Êx 4.22), das garras daquele que se dizia a encarnação da serpente. Assim, por meio das dez pragas sobre o Egito e da divisão do mar Vermelho, Deus começava a reestabelecer ordem no cosmo, iniciando a redenção de sua criação. E, no centro de tudo isso, estava o sacrifício pascal que guardou os hebreus da praga da morte.

Mas o êxodo não termina somente com a saída do Egito. Uma das bênçãos implícitas naquilo que havia sido prometido a Abraão é que sua descendência se tornaria uma nação tão influente que, por meio dela, todas as famílias da terra teriam um vislumbre claro do caráter de Deus. Ou seja, ao chamar Abraão, Deus fazia de todos os povos do planeta alvos de sua ação redentiva. Esse ponto está intimamente atrelado aos propósitos originais em Gênesis 1—2: sendo portadora da imagem do Criador, a humanidade era vocacionada a representar o governo do próprio Deus em todo o cosmo — vocação essa que havia sido severamente comprometida pelo fruto do conhecimento do bem e do mal. Logo, o projeto salvífico de Deus, de reordenar o cosmo como seu lugar de habitação, deveria necessariamente passar pela restauração de sua imagem na humanidade. O êxodo estaria incompleto, se aquela multidão de ex-escravos permanecesse sem rumo e, após as dez pragas e a travessia do mar Vermelho, não fosse organizada a partir de uma autopercepção que estivesse em continuidade com o plano divino.

Em consequência disso, quando os descendentes de Abraão chegam ao monte Sinai, bem no meio do caminho entre a saída do Egito e a construção do tabernáculo onde a presença divina habitaria entre o seu povo, aquela multidão de ex-escravos recebe da parte de Yahweh uma vocação. Não mais definidos pela realidade da escravidão a que haviam sido submetidos no Egito, o povo de Israel teria diante dele a possibilidade de, a partir daquele momento, adotar os mandamentos divinos como marco de referência absoluto de toda a sua existência. Muitos autores têm abordado as implicações dessa passagem para a teologia do pacto no Antigo Testamento, e não precisamos repetir o que já tem sido tratado com exaustão na literatura secundária. Importa destacar que Yahweh convoca seu "filho mais velho" a ser um povo de adoradores. É por essa razão que a aliança que Deus faz com Israel no monte Sinai é tão central no enredo da salvação. Assim como a manutenção do Éden estava conectada com a obediência de Adão e Eva, todo o restante da história que começa no êxodo se conecta agora com a fidelidade de Israel.

Isso significa que Israel seria uma grande nação na mesma proporção em que "grandeza" fosse um conceito inteiramente qualificado pela dependência do povo quanto à bondade e à sabedoria de Deus, culminando na preservação do cosmo como o espaço sagrado onde Deus poderia habitar novamente. Isso explica por que o chamado de Israel apresenta uma linguagem tão claramente reminiscente do papel de Adão e Eva no Jardim do Éden: "se me obedecerem [...] serão meu tesouro especial". Essa mesma ênfase será

60 O ENREDO DA SALVAÇÃO

reiterada quando Israel finalmente estiver prestes a entrar na terra prometida, após quatro décadas de peregrinação pelo deserto. No famoso texto de Deuteronômio 28, Moisés exorta os israelitas da nova geração, lembrando-os de que, diante deles, havia dois caminhos, duas maneiras distintas de existir: o caminho da obediência, que resultaria em bênção e em vida, e o caminho da independência, que resultaria em maldição e em morte.

> Se vocês obedecerem em tudo ao SENHOR, seu Deus, e cumprirem fielmente todos estes mandamentos que hoje lhes dou, o SENHOR, seu Deus, os colocará muito acima de todas as nações da terra. Se obedecerem ao SENHOR, seu Deus, vocês receberão as seguintes bênçãos: Suas cidades e seus campos serão abençoados. [...]
>
> Mas, se vocês se recusarem a dar ouvidos ao SENHOR, seu Deus, e não cumprirem todos os mandamentos e decretos que hoje lhes dou, as seguintes maldições cairão sobre vocês e os atingirão: Suas cidades e seus campos serão amaldiçoados.
>
> Deuteronômio 28.1-3,15-16

No hebraico, a expressão traduzida por "se me obedecerem" em Êxodo 19.5 — literalmente, "se ouvirem, ouvindo atentamente, a minha voz" [*'im-šāmôaʿ tišmeʿû beqōlî*] — é exatamente a mesma que ocorre em Deuteronômio 28.1. É impossível não identificar o eco claro que essas passagens, quando lidas lado a lado, fazem às duas árvores do Jardim do Éden.

Ademais, tendo recapitulado os atos salvíficos recém-realizados por sua livre iniciativa, Yahweh declara que o êxodo havia acontecido para que fosse estabelecido um relacionamento especial com Israel. Esse relacionamento, porém, longe de ser um fim em si mesmo, visava a ministração da santidade divina perante todas as nações: "Agora, se me obedecerem e cumprirem minha aliança, serão meu tesouro especial dentre todos os povos da terra, pois toda a terra me pertence. Serão meu reino de sacerdotes, minha nação santa". A descrição de Israel como um "reino de sacerdotes" conota a missão de expressar os caminhos de Yahweh, o Criador e Salvador do cosmo, a toda a humanidade. Deus não estava fazendo de Israel um império autoabsorvido, apaixonado por si mesmo, semelhante ao Egito. Ao formar Israel, Deus se revelava a uma nação por meio da qual ele resgataria a própria identidade humana, que havia sido perdida em Gênesis 3.

À luz disso, é importante insistir que o êxodo e a aliança no monte Sinai de maneira nenhuma devem ser compreendidos à parte do evento climático que fecha o segundo livro da Bíblia. Tudo culmina na presença de Deus descendo sobre o tabernáculo: "Então a nuvem cobriu a tenda do encontro, e a glória do Senhor encheu o tabernáculo. Moisés não podia mais entrar na tenda do encontro, pois a nuvem estava sobre ela, e a glória do Senhor a enchia" (Êx 40.34-35).

É claro! O início de uma nova criação e a retomada da vocação humana por meio de Israel devem necessariamente desembocar na habitação de Deus entre o seu povo — no centro das doze tribos de Israel —, ainda que essa realidade não seja plena naquele momento e tenha de ser mediada pelos sacerdotes. E, se prestarmos bastante atenção às instruções que Yahweh dá a Moisés quanto à construção do tabernáculo, notaremos alusões claras ao Jardim do Éden.[1] A mais evidente de todas é que o véu que separava o "lugar santo" do "lugar santíssimo" deveria conter dois querubins bordados, em referência transparente aos dois querubins que passaram a proteger o acesso à árvore da vida, após a expulsão de Adão e Eva em Gênesis 3.24 (cf. Êx 26.31-33).

A grande diferença entre o primeiro casal de representantes da humanidade e Israel, porém, é que, enquanto Adão e Eva haviam sido posicionados na harmonia do Jardim do Éden, Israel era comissionado no deserto, após séculos de escravidão. E, enquanto a queda havia acontecido no contexto em que a humanidade tinha livre acesso a Deus, Israel era levantado de uma condição bastante caótica, em que os lampejos da promessa divina eram o que conduzia a história da humanidade adiante. O que segue disso é que, para que Israel pudesse cumprir sua vocação, realizando sua missão de ser uma nação de adoradores e um reino de sacerdotes, era fundamental que o povo tivesse uma descrição do caráter de Yahweh e das implicações éticas e comunitárias de quem ele era. E o instrumento dado por Deus para essa finalidade foi a Lei.

O que era a Lei? Diferentemente do que muita gente acredita hoje, a Lei jamais teve a função de tornar Israel aceitável aos olhos de Deus. Israel já tinha sido resgatado da escravidão do caos no Egito exclusivamente pela livre escolha de Yahweh. Lembre-se: antes mesmo de os hebreus clamarem ao Deus de seus antepassados, foi o próprio Deus quem tomou a iniciativa de honrar sua promessa e resgatar Moisés das águas do rio Nilo, preparando

---

[1] Ver detalhes em Beale e Kim, *Deus mora entre nós*, p. 33-44.

62 O ENREDO DA SALVAÇÃO

assim o caminho para o êxodo. A Lei, portanto, nunca foi um mecanismo de justificação ou uma maneira de Israel conseguir somar méritos diante de Deus. Em um mundo pós-Gênesis 3, essa possibilidade simplesmente não existe: toda a humanidade encontra-se morta no que diz respeito à justiça de Deus. E mortos não têm condições de somar mérito. (Mais adiante, Paulo entrará em dores de parto para convencer os leitores de Romanos 1—3 de que muitos de seus contemporâneos judeus, assim como o próprio apóstolo no passado, haviam se esquecido dessa verdade tão basilar.) Na verdade, a Lei é o meio específico de autorrevelação que Deus concede a um povo que já foi resgatado por sua graça. A Lei, então, é uma espécie de mapa, que ajudaria Israel a cumprir sua vocação de depender inteiramente da sabedoria de Deus, refletindo seu caráter no mundo, e de preservar o espaço sagrado onde a presença divina se manifestaria na terra — isto é, no tabernáculo. Christopher Wright resume essa questão com muito acerto:

> Se perguntarmos, então, se a Lei foi dada especificamente a Israel, com relevância única a eles em seu relacionamento pactual com o Senhor, ou se era para ser aplicada às demais nações (incluindo finalmente a nós mesmos), a resposta é "Ambos". Mas isso requer uma qualificação imediata. A Lei não era explícita nem conscientemente aplicada às nações (conforme Sl 147.19-20 afirma, Deus jamais tinha dado seus mandamentos a outras nações da mesma maneira que a Israel). Mas isso não significa que a Lei de Israel era irrelevante para os outros povos. Na verdade, a Lei foi dada a Israel com o intuito de capacitar o povo a viver como um modelo, como uma luz para as nações. O resultado antecipado desse plano era que, na visão profética, a Lei "iria adiante" até as nações, ou as nações "subiriam" até Israel para aprendê-la. As nações "aguardavam" pela Lei e pela justiça do Senhor, que naquele momento estavam atreladas a Israel (Is 42.4). Israel deveria ser "luz para as nações".[2]

Não é por acaso que a Lei começa com os Dez Mandamentos:

> Então o Senhor deu ao povo todas estas palavras:

> "Eu sou o Senhor, seu Deus, que o libertou da terra do Egito, onde você era escravo.
> "Não tenha outros deuses além de mim.

---

[2] Wright, *Old Testament Ethics for the People of God*, p. 64.

"Não faça para si espécie alguma de ídolo ou imagem de qualquer coisa no céu, na terra ou no mar. Não se curve diante deles nem os adore, pois eu, o Senhor, seu Deus, sou um Deus zeloso. Trago as consequências do pecado dos pais sobre os filhos até a terceira e quarta geração dos que me rejeitam, mas demonstro amor por até mil gerações dos que me amam e obedecem a meus mandamentos.

"Não use o nome do Senhor, seu Deus, de forma indevida. O Senhor não deixará impune quem usar o nome dele de forma indevida.

"Lembre-se de guardar o sábado, fazendo dele um dia santo. Você tem seis dias na semana para fazer os trabalhos habituais, mas o sétimo dia é o sábado do Senhor, seu Deus. Nesse dia, ninguém em sua casa fará trabalho algum: nem você, nem seus filhos e filhas, nem seus servos e servas, nem seus animais, nem os estrangeiros que vivem entre vocês. O Senhor fez os céus, a terra, o mar e tudo que neles há em seis dias; no sétimo dia, porém, descansou. Por isso o Senhor abençoou o sábado e fez dele um dia santo.

"Honre seu pai e sua mãe. Assim você terá vida longa e plena na terra que o Senhor, seu Deus, lhe dá.

"Não mate.

"Não cometa adultério.

"Não roube.

"Não dê falso testemunho contra o seu próximo.

"Não cobice a casa do seu próximo. Não cobice a mulher dele, nem seus servos ou servas, nem seu boi ou jumento, nem qualquer outra coisa que lhe pertença".

Êxodo 20.1-17

Os Dez Mandamentos resumem o que significa ser uma nação de adoradores, um reino de sacerdotes. Em suma, o Decálogo começa com a atitude que Israel deveria ter em relação a Deus e, em seguida, esclarece o que deveria orientar as relações horizontais entre o povo. É pela mesma razão que a Lei se estende por quase todo o restante do Pentateuco, expondo regras bastante específicas sobre como administrar o culto a Deus e sobre como lidar com situações diversas da vida. Tudo diz respeito a viver sob a revelação do caráter de Yahweh no contexto do êxodo.

Permita-me mencionar dois dos exemplos mais clássicos. Em Deuteronômio 22.8, há uma injunção para que os israelitas construam parapeitos no terraço de suas casas. Já que Deus zela pela preservação da vida, é imperativo que ninguém negligencie itens importantes de segurança no dia a dia.

No longo bloco de textos em Levítico 12.1—15.33, por sua vez, há um detalhamento sobre aquilo que tornava alguém cerimonialmente impuro. É importante sublinhar que impureza cerimonial nem sempre é sinônimo de pecado. O ponto é que a glória divina é santíssima, e nada que reflete a realidade do caos ocasionado em Gênesis 3 pode se aproximar de sua presença. Ninguém é louco de encarar diretamente o sol ou de entrar em um reator nuclear sem seguir os devidos protocolos de segurança. Aproximar-se de Yahweh em um estado inapropriado era infinitamente mais perigoso. Portanto, o intuito da Lei sempre foi ajudar Israel a entender como adorar o Deus que é absolutamente santo, em um contexto em que a realidade da queda ainda estava bem presente no mundo. Nesse sentido, a Lei era mais uma expressão da dádiva do Criador, pois representava um meio concreto de seu povo discernir seus caminhos.

Mas aqui alguém poderia levantar uma objeção. Como pode ser vista como dádiva uma série de regras que mais se parecem com proibições? De fato, a Lei difere do mandamento que Adão e Eva haviam recebido, sobretudo em sua ênfase predominantemente negativa. Em Gênesis 2.4-24, a ênfase das palavras divinas era toda positiva. Não nos esqueçamos, no entanto, de que quando Adão e Eva receberam sua incumbência, Gênesis 3 ainda não havia acontecido. Fora do Éden, em contrapartida, os mandamentos "negativos" são simplesmente inevitáveis e refletem a intenção de Deus de nos proteger. De todo modo, alguns séculos depois entrará em cena uma pessoa chamada Jesus, cujos ensinamentos representarão nada menos que o cumprimento da própria Lei (cf. Mt 5.17-20). Em dado momento de seu ministério, esse Jesus dirá que a realidade do caráter perfeito de Deus, para a qual a Lei tinha o objetivo de apontar, tornava-se plenamente visível em sua vida. Em Jesus, então, o mandamento divino voltará a receber um acento positivo: "Portanto, sejam perfeitos, como perfeito é seu Pai celestial" (Mt 5.48).

Em síntese, quando localizamos Israel no enredo mais amplo que começa em Gênesis 1—2, percebemos que o que dá sentido à existência do povo de Deus é a decisão unilateral do Criador de reconciliar consigo mesmo, inteiramente por sua graça, todas as coisas nos céus e na terra. E o fato de que Deus faz uma aliança com Israel no mesmo contexto em que a palavra "salvação" ocorre de forma tão significativa, conforme notamos no capítulo anterior, nos faz enxergar que ser alvo dos atos salvíficos de Yahweh significa ser resgatado da opressão do caos que a própria humanidade ocasionou sobre ela mesma, para poder caminhar novamente diante da presença de Deus, como uma nação sacerdotal que mantém o cosmo como o espaço sagrado de Deus. Tão importante quanto Israel ter sido salvo *de* uma realidade é que Israel foi salvo *para* outra realidade: da terra do faraó para expressar quem Yahweh é perante as nações, a partir de uma vida de adoração centrada no tabernáculo. Absolutamente fundamental no plano de Deus de salvar toda humanidade, restabelecendo ordem no universo, é a formação de um povo que refletirá a glória de Deus no mundo.

E nós, discípulos de Jesus, somos a continuação disso. Os detalhes de como somos inseridos nessa mesma história serão tratados mais à frente, mas interessa encerrar esta parte notando que, segundo o Novo Testamento, a nossa própria vocação como povo de Deus está em ampla continuidade com o chamado dos descendentes de Abraão. É precisamente nesses termos que Pedro, o líder dos doze apóstolos, definirá a identidade daqueles que creem no Messias crucificado e ressurreto: "Vocês, porém, são povo escolhido, reino de sacerdotes, nação santa, propriedade exclusiva de Deus. Assim, vocês podem mostrar às pessoas como é admirável aquele que os chamou das trevas para sua maravilhosa luz" (1Pe 2.9). A palavra "igreja", aliás, vem do grego *ekklēsia*, que é o termo usado na versão grega antiga do Antigo Testamento para traduzir o hebraico *qāhāl*, muito frequentemente usado em referência ao povo de Israel. Portanto, já que é em Êxodo 19 que encontramos a origem de nossa própria narrativa como povo, sigamos também a exortação que Pedro faz aos leitores de seu tempo que, como Israel durante muitos séculos, estavam cercados de padrões de vida conflitantes com o caráter do Criador: "Procurem viver de maneira exemplar entre os que não creem. Assim, mesmo que eles os acusem de praticar o mal, verão seu comportamento correto e darão glória a Deus quando ele julgar o mundo" (1Pe 2.12). Ou, nas palavras do próprio Jesus de Nazaré, que veio cumprir a Lei e os profetas: "Vocês são a luz do mundo. [...] Da mesma forma, suas boas obras devem brilhar, para que todos as vejam e louvem seu Pai, que está no céu" (Mt 5.14-16).

PARTE II

Do Sinai ao exílio

6

O caos no coração:
O episódio do bezerro de ouro

....

Quando o povo viu que Moisés demorava a descer do monte, reuniu-se ao redor de Arão e disse: "Tome uma providência! Faça para nós deuses que nos guiem. Não sabemos o que aconteceu com esse Moisés, que nos trouxe da terra do Egito para cá".

Arão respondeu: "Tirem as argolas de ouro das orelhas de suas mulheres e de seus filhos e filhas e tragam-nas para mim".

Todos tiraram as argolas de ouro e as levaram a Arão. Ele recebeu o ouro, derreteu-o e trabalhou nele, dando-lhe a forma de um bezerro. Quando o povo viu o bezerro, começou a exclamar: "Ó Israel, estes são os seus deuses que o tiraram da terra do Egito!".

Percebendo o entusiasmo do povo, Arão construiu um altar diante do bezerro e anunciou: "Amanhã haverá uma festa para o SENHOR!". Na manhã seguinte, o povo se levantou cedo para apresentar holocaustos e ofertas de paz. Depois, todos comeram e beberam e se entregaram à farra.

ÊXODO 32.1-6

....

Na semana em que eu preparava o esboço desta mensagem, deparei com uma história contada pelo jornalista policial Josmar Jozino, que gerou em mim uma boa dose de reflexão. Diz respeito a Lupércio Ferreira de Lima, ex-massagista de atletas profissionais, condenado em meados do século passado por tráfico de entorpecentes:

Condenado por tráfico, Lupércio passou metade de sua vida na prisão. Na década de 1950, ele já era hóspede do extinto presídio Tiradentes, quando os presidiários vestiam o uniforme de listras pretas e brancas. Conviveu com criminosos famosos (como o Bandido da Luz Vermelha, Meneguetti, Promessinha, entre outros). Considerado "o detento mais antigo do Brasil", Lupércio era querido no Carandiru, onde tinha acesso a todos os pavilhões. Sua cela às vezes ficava 24 horas aberta. Ex-massagista da Seleção Brasileira de Basquete e do São Paulo Futebol Clube, Lupércio acompanhou 11 Copas do Mundo na cadeia, de 1958 a 1998.

Em julho de 1998, ele saiu em liberdade. Sem ter para onde ir, não quis ficar longe da cadeia. Dispensou mesmo a ajuda de antigos amigos comerciantes da Avenida Duque de Caxias, que insistiam em lhe pagar um hotel para dormir. Assim, todas as noites, Lupércio dormia na própria Detenção, em um Box destinado à revista de mulheres e parentes de detentos. Os próprios agentes penitenciários lhe serviam café, almoço e janta. Eles contam que, na década de 1980, Lupércio ganhou alvará de soltura. Mas, assim que chegou à Praça da República, ele comprou uma porção de maconha, telefonou como anônimo para a polícia e disse que havia um homem negro vendendo drogas no local. O homem negro era o próprio Lupércio, e assim ele foi levado de volta para a Detenção. Foi quando recebeu o apelido de Mala. [...]

Livre, Lupércio continuou dormindo na Detenção até falecer em 2001.[1]

Minha intenção aqui não é tirar conclusões sobre o que realmente levou Lupércio a tomar aquelas decisões ao final de sua vida. O que me deixou pensativo foi que, ao olhar para sua trajetória, lembrei-me de que, muitas vezes, ainda que por razões diferentes, eu mesmo sou como Lupércio. Talvez o leitor se identifique com o que estou dizendo. Não é verdade que, quando nos habituamos demais ao ambiente onde estamos inseridos, é fácil enxergar perigo em qualquer situação fora de nossa zona de conforto? O problema é que, se o ambiente com o qual estivermos acostumados for uma cela, a liberdade será compreendida como uma forma mais terrível ainda de prisão.

O livro de Êxodo nos conta como os descendentes de Abraão foram libertos da opressão do caos, estabelecidos aos pés do monte Sinai como uma grande nação, e chamados a mediar a revelação divina a todos os povos da terra. E Deus realiza essas coisas apontando para o começo de uma nova criação, posicionando Israel a retomar a vocação humana que havia sido interrompida no Jardim do Éden. Não é mera coincidência que o êxodo e a aliança entre Yahweh e Israel tenham desembocado na glória divina enchendo o tabernáculo, que representava a própria antecipação de um novo Éden. Nesse contexto, Deus também entregou a Israel sua Lei, cuja função

---

[1] Josmar Jozino, *Cobras e lagartos: A verdadeira história do PCC*, 2ª ed. (São Paulo: Via Leitura, 2017), p. 77.

era servir de parâmetro para que os israelitas pudessem discernir a sabedoria de Deus e viver à luz de seu caráter.

Será que os israelitas conseguiram ser fiéis em "ouvir atentamente a voz de Deus"? Será que o cosmo logo desfrutaria de restauração plena? Sabemos que esse cenário de aparente estabilidade não se sustentou por muito tempo. É verdade que, depois de quarenta anos peregrinando pelo deserto, os israelitas vieram de fato a conquistar Canaã sob a liderança de Josué, sucessor de Moisés. Em grande medida, isso representaria o cumprimento da promessa que Deus havia feito a Abraão de dar aquele território à sua descendência (Gn 13.14-17). Não precisou de muito tempo, porém, para que os israelitas, já devidamente assentados na terra prometida, passassem a se parecer muito mais com o seu entorno — ou seja, com as nações pagãs que eles mesmos deveriam ter expulsado completamente daquela terra — do que com as realidades para as quais a Lei apontava. De fato, é bem chocante perceber que bastou Josué morrer para que a coisa logo começasse a desandar. Falaremos um pouco mais sobre o livro de Juízes no capítulo seguinte, mas, neste ponto, é inevitável questionarmos como esse distanciamento entre Israel e seu chamado pôde acontecer tão depressa — após somente duas ou três gerações, depois de todas as maravilhas realizadas por Yahweh no Egito.

Uma das verdades que temos destacado com mais intencionalidade até aqui é que a história da salvação é algo inteiramente iniciado por Deus. Ele é aquele que, por sua livre escolha, decidiu restabelecer sua ordem na criação fazendo uma promessa a Abraão, seguindo adiante com o resgate dos hebreus do Egito e firmando uma aliança com os israelitas. Contudo, por mais que Deus tenha feito tudo isso, não podemos nos esquecer de que a redenção do cosmo só estaria completa se a humanidade estivesse restaurada no centro desse projeto. O problema é que a única coisa que a humanidade tem conseguido provar até aqui é a sua total incapacidade de se regenerar por si própria. Os capítulos que seguem a expulsão da humanidade do Jardim do Éden não deixam a menor sombra de dúvidas de que a depravação da natureza humana é uma realidade universal. Dessa maneira, se é verdade que Deus se revela como salvador no evento do êxodo, por outro lado esse mesmo evento escancara o fato de que essa salvação confronta diretamente as forças do caos que invadiram não somente o cosmo, mas, sobretudo, o coração humano.

72 O ENREDO DA SALVAÇÃO

Ao selar a aliança com os israelitas no monte Sinai, Yahweh lhes concedia, juntamente com a missão de ser um reino de sacerdotes, a possibilidade de perceber quanto do caos que definia o Egito havia afetado o próprio jeito de ser do povo. Na mesma proporção em que a Lei apontava para Deus, ela também iluminava a profundidade do caos que havia penetrado a mentalidade dos israelitas. É como se a Lei mostrasse a direção para onde o povo deveria seguir, ao mesmo tempo que indicasse quão distantes eles estavam dessa direção. (É fato que Paulo só veio a se lembrar desse ponto após a ressurreição de Jesus, mas esta é a sua ênfase em Romanos 7.7: "Na verdade, foi a lei que me mostrou meu pecado. Eu jamais saberia que cobiçar é errado se a lei não dissesse: 'Não cobice'".) Ou seja, a autorrevelação de Deus na história desnuda a nossa própria condição diante de quem ele é. Conhecer a Deus é perceber quão profunda foi a deformação que o pecado causou em sua imagem em nós.

Isso significa que tirar os descendentes de Abraão para fora do domínio do caos era apenas o começo da nova criação que estava se iniciando no êxodo. Era necessário, a partir dali, tirar o domínio do caos para fora do coração dos israelitas. A dificuldade é que o povo levou bastante tempo para entender isso. Eles haviam se acostumado de tal maneira com o cativeiro, que a liberdade para a qual Deus os chamava parecia algo incômodo demais. Ainda no Egito, eles deram sinais claros de que preferiam a condição de escravos, e chega a ser angustiante ver os hebreus suplicarem para que Moisés os deixasse "em paz", enquanto este realizava os planos de Yahweh (Êx 5.20-21; 14.12). E três dias após terem testemunhado as dez pragas e a divisão do mar Vermelho, o povo já murmurava por água e por comida: "'Se ao menos o Senhor tivesse nos matado no Egito!', lamentavam-se. 'Lá, nós nos sentávamos em volta de panelas cheias de carne e comíamos pão à vontade. Mas agora vocês nos trouxeram a este deserto para nos matar de fome!'" (Êx 16.3). Israel tinha acabado de sair do Egito, mas será que o Egito havia saído de Israel?

Nenhum evento evidencia esse problema de maneira tão exemplar como o episódio do bezerro de ouro, em que percebemos uma dimensão ainda mais profunda e urgente da salvação que Israel — e, consequentemente, a humanidade — carecia da parte de Deus. Pouco tempo depois do anúncio dos Dez Mandamentos e dos demais termos básicos da aliança, Deus chama Moisés ao topo do monte Sinai para dar instruções sobre a construção do tabernáculo. A importância da subida de Moisés, portanto, não pode ser atenuada: o líder da nação receberia nada menos que as ordens divinas sobre como montar a "maquete" do novo Éden, o local de habitação de Deus entre o seu povo.

A questão é que, na perspectiva do povo, Moisés ficaria lá no topo do monte Sinai por tempo indeterminado. Em Êxodo 24.18, o narrador diz em retrospecto que Moisés permaneceu na presença de Deus "quarenta dias e quarenta noites". O povo, no entanto, não tinha a menor ideia do tempo exato que duraria aquele retiro. E, por mais estranho que possa parecer, é precisamente isso que reacende a murmuração do povo depois de certo tempo. Tendo visto Moisés subir ao topo do Sinai, os israelitas provavelmente imaginaram que o seu grande líder desceria de lá em poucos instantes. Afinal, era assim que funcionara com os deuses do Egito. Os cultos pagãos eram — e, em via de regra, ainda são — extremamente previsíveis. Na maioria dos casos, o sujeito levava seu sacrifício ao altar, diante do qual sempre haveria uma representação visível da divindade — imóvel, surda e muda. Bastava, então, o adorador deixar sua oferta, cumprir o ritual e voltar para casa, imaginando ter conseguido manipular os desejos da suposta entidade divina. Em contraste com a norma, o tempo foi passando aos pés do monte Sinai — um dia, dois dias, três dias, uma semana, duas semanas, três semanas —, e Moisés não descia. E, diante daquela aparente ausência e daquele aparente silêncio, os israelitas sentiram-se profundamente desnorteados: "Não sabemos o que aconteceu com esse Moisés, que nos trouxe da terra do Egito para cá" (Êx 32.1).

Tal perplexidade poderia até ser interpretada com certa leniência, não fosse o fato de que ela refletia um problema demasiado sério. Em Êxodo 24.14, o líder da nação tinha dado ao povo uma instrução muito direta: "Esperem aqui até voltarmos". Consequentemente, sugerir que não sabiam o que tinha ocorrido com Moisés era uma forma muito sutil de afirmar, primeiro, que aquilo que Deus dissera a Moisés não era fidedigno e, segundo, que o povo não estava disposto a aguardar. Parecia muito mais lógico, pelo contrário, seguir seu próprio padrão de "bem e mal" do que "ouvir atentamente" a voz de Deus. Mas o erro ainda mais grave era que, implicitamente, o veredicto dos israelitas expressava uma ofensa contra o próprio caráter de Yahweh. Naquela aparente ausência e naquele aparente silêncio, ao chamar Moisés ao topo do Sinai e simplesmente deixar aquela multidão esperando

74 O ENREDO DA SALVAÇÃO

"até segunda ordem", Yahweh mostrava ser alguém sem a menor obrigação de corresponder às ansiedades idolátricas de Israel. Yahweh "aparecia" quando desejava, e "desaparecia" também quando julgava necessário, sem que ninguém oferecesse a ele algum tipo de sacrifício. Yahweh era completamente distinto dos ídolos manipuláveis da terra do Egito. O detalhe, de novo, é que o "sumiço" de Deus não era caprichoso: enquanto Israel maquinava o mal, Yahweh mostrava a Moisés todos os detalhes de como ele habitaria com seu povo no tabernáculo. E, nesse ínterim, a única opção de resposta que ele esperava dos israelitas era a confiança.

Ah, mas os israelitas não estavam acostumados com a ideia de um Deus que se considerava Deus! Sentiam-se muito mais confortáveis com entidades manipuláveis, que tinham a obrigação de responder a seus sacrifícios, suas ofertas, seus encantamentos mágicos. E, como resultado, o povo solicita que Arão, o vice-líder da nação, construa um ídolo que pudesse ser guardado no bolso e "colocado contra a parede", de acordo com a conveniência do momento — um deus sujeito à "dança da chuva", que nunca sumiria do mapa quando bem entendesse. Arão, por sua vez, que se agradava da ideia de conquistar a maior quantidade possível de *likes* e de visualizações, faz o que todo líder que se prontifica a atender aos anseios religiosos das massas costuma fazer: o primeiro sumo sacerdote forja um ídolo à imagem das aspirações do povo — no caso, uma estátua de ouro do deus egípcio da fertilidade Ápis. E o mais chocante de todo esse imbróglio é que eles chamam aquele bezerro de ouro — aquela estátua surda, muda e imóvel — de Yahweh: "Arão construiu um altar diante do bezerro e anunciou: 'Amanhã haverá uma festa para o Senhor [*yhwh*]!'" (Êx 32.5).

Note, portanto, que, em sua falta de confiança nas palavras de Deus, os israelitas quebraram todos os três primeiros mandamentos do Decálogo, dos quais dependiam toda a sua vocação como povo de adoradores: "Não tenha outros deuses além de mim", "Não faça para si espécie alguma de ídolo ou imagem de qualquer coisa no céu, na terra ou no mar", "Não use o nome do Senhor, seu Deus, de forma indevida" (Êx 20.3-4,7). É certamente sugestivo que Arão, quando enfim confrontado por Moisés, reaja de forma muito semelhante a Adão e Eva: "Você sabe como este povo é mau. [...] Quando eles trouxeram as joias de ouro para mim, simplesmente as joguei no fogo e saiu este bezerro!" (Êx 32.22-24). Quer dizer: a culpa foi toda do *povo* e do *fogo*, jamais do próprio Arão. Claramente, os efeitos de Gênesis 3 ainda estavam bem presentes entre o povo. Israel havia saído do Egito, mas o Egito não havia saído de Israel.

Não é à toa que, em resposta a tudo aquilo, Deus diz a Moisés que não poderia mais seguir adiante com aquele povo. Em decorrência do incidente com o bezerro de ouro, Moisés é compelido a encontrar-se com Yahweh fora do acampamento (Êx 33.7-11). À semelhança de Gênesis 3, o pecado do povo havia complicado a possibilidade da presença divina em seu meio. E, como alternativa, Yahweh sugere dar continuidade ao seu plano com a descendência de Moisés (Êx 32.10), insistindo que não poderia prosseguir com um povo tão obstinado (Êx 33.3).

É nesse ponto, todavia, quando os israelitas já se encontram no fundo do poço — pouquíssimo tempo depois de terem saído do Egito, cabe lembrar —, que Yahweh revela o seu caráter da forma mais profunda até aqui. Após o episódio do bezerro de ouro, vemos que Deus não só deixa de aniquilar Israel, como também decide renovar sua aliança com aquele mesmo povo, de modo que sua presença pudesse de fato habitar entre eles no tabernáculo (Êx 34.10-17). Mas como isso pôde acontecer?

Crucial para que entendamos isso é a intercessão que Moisés realiza pelo povo, tão logo fica sabendo da idolatria dos israelitas:

> Moisés [...] tentou apaziguar o SENHOR, seu Deus. "Ó SENHOR!", exclamou ele. "Por que estás tão irado com teu próprio povo, que tiraste do Egito com tão grande poder e mão forte? Por que deixar os egípcios dizerem: 'O Deus deles os resgatou com a má intenção de exterminá-los nos montes e apagá-los da face da terra'? Deixa de lado tua ira ardente! Arrepende-te quanto a esta calamidade terrível que ameaçaste enviar sobre teu povo! Lembra-te dos teus servos Abraão, Isaque e Jacó. Assumiste um compromisso com eles por meio de juramento, dizendo: 'Tornarei seus descendentes tão numerosos quanto as estrelas do céu. Eu lhes darei toda esta terra que lhes prometi, e eles a possuirão para sempre'."
>
> Então o SENHOR se arrependeu da calamidade terrível que havia ameaçado enviar sobre seu povo.
>
> Êxodo 32.11-14

Esse pequeno trecho das Escrituras tem representado um imenso campo de batalha em discussões filosóficas sobre a participação humana nos planos divinos, algo a que sequer conseguiremos fazer uma breve introdução aqui. De todo modo, embora eu considere relevante tratar dessas questões, é importante dizer também que, em muitos casos, o texto bíblico nos obriga a admitir com a devida humildade que boa parte de nossas conclusões dogmáticas devem ser provisórias até que enxerguemos o retrato todo no mundo vindouro.

O que me parece claro na passagem em questão é que a conversa toda que culmina no famoso "arrependimento" de Deus só pôde ter acontecido pela iniciativa do próprio Deus, e não há absolutamente nada que pudesse tê-lo impedido de levar a cabo a destruição total de Israel sem sequer avisar a Moisés quanto àquilo. Mas, do ponto de vista narrativo, é como se Yahweh não desperdiçasse nenhuma oportunidade para revelar nuances de sua santidade a seus servos. Caso semelhante é visto na intercessão de Abraão por Sodoma e Gomorra, que desemboca no livramento de Ló e de sua família (Gn 18.16—19.29). Ou seja, o diálogo que Yahweh inicia com Moisés sobre a idolatria de Israel é um movimento pedagógico da parte do próprio Deus, com a intenção de revelar mais claramente seu caráter ao líder da nação. E, de fato, a oração de Moisés reflete precisamente o que estava em jogo: "Por que deixar os egípcios dizerem: 'O Deus deles os resgatou com a má intenção de exterminá-los nos montes e apagá-los da face da terra'?" (Êx 32.12).

Posto de forma simples, Moisés sugere que, se os israelitas fossem totalmente apagados da história, Yahweh seria percebido pelos egípcios como alguém semelhante ao faraó — mais poderoso, sim, mas igualmente cruel e sádico. O que estava em jogo, portanto, era a reputação do Deus que havia prometido redimir o cosmo por meio de sua fidelidade à descendência dos patriarcas: "Lembra-te dos teus servos Abraão, Isaque e Jacó. Assumiste um compromisso com eles por meio de juramento" (Êx 32.13). Moisés, então, descobre que Yahweh, muito longe de compactuar com as intenções destrutivas do faraó, é um Deus que se inclina à misericórdia. É verdade, não há idolatria que fique sem punição diante de um Deus santo, e a multidão que se curvou ao bezerro de ouro acabou sofrendo as consequências de sua transgressão (Êx 32.33-35). Mas a disposição de Yahweh está sempre voltada à restauração.

Assim, um pouco mais adiante no enredo de Êxodo, Moisés, tendo compreendido que nada é mais importante do que conhecer o cerne do caráter de Deus, pede para ver a glória divina: "Então peço que me mostres tua presença gloriosa" (Êx 33.18). E, em Êxodo 34.5-8, Yahweh responde a esse pedido, dando um retrato falado explícito de si mesmo, já que "ninguém pode me ver e continuar vivo":

Então o S<small>ENHOR</small> desceu em uma nuvem, ficou ali com Moisés e anunciou seu nome, Javé. O S<small>ENHOR</small> passou diante de Moisés, proclamando:

"Javé! O S<small>ENHOR</small>!
  O Deus de compaixão e misericórdia!
Sou lento para me irar
  e cheio de amor e fidelidade.
Cubro de amor mil gerações
  e perdoo o mal, a rebeldia e o pecado.
Contudo, não absolvo o culpado;
  trago as consequências do pecado dos pais sobre os filhos
  até a terceira e quarta geração".

No mesmo instante, Moisés se prostrou com o rosto no chão e adorou.

É aqui, portanto, que descobrimos como, a despeito da dureza de coração de um povo obstinado, a história da salvação continuaria caminhando para a frente: Yahweh, o autor dessa história, é compassivo e misericordioso, tardio em irar-se, e "cheio de amor e fidelidade" (Êx 34.6). A redenção do cosmo só seria possível porque Yahweh, aquele que jamais deixa o mal sem suas consequências, é também comprometido em cobrir seu povo com o seu amor por mil gerações. De fato, muitas gerações depois de Moisés, o apóstolo João falará de Jesus, cuja missão foi manifestar — não mais em retrato falado, mas agora em carne e osso — essa mesma glória de Yahweh que o líder dos israelitas no Antigo Testamento jamais pôde contemplar: "Ele era cheio de graça e verdade. E vimos sua glória, a glória do Filho único do Pai" (Jo 1.14). No grego, a expressão "cheio de graça e verdade" (*plērēs charitos kai alētheias*) é a tradução joanina do hebraico "cheio de amor e fidelidade" (*raḇ-ḥeseḏ weʾemeṯ*) de Êxodo 34.6. Mas isso são cenas dos próximos capítulos.

Por ora, notemos somente que todos nós corremos o risco de nos tornarmos como o povo que saiu do Egito. João Calvino acertou em cheio, quando disse que o coração humano é uma fábrica de ídolos (*Institutas* I.11.8). Isso pode até parecer estranho para quem nunca se curvou a uma estátua de ouro. Mas o ídolo nada mais é do que a projeção de nossa autonomia de Deus, de nossa própria vontade caída. É por essa razão que o ídolo é detestável, porque ele é a tentativa de divinização de nossos desejos egoístas e imorais. E, à semelhança dos israelitas aos pés do monte Sinai, nós também temos a tendência de "etiquetar" esses ídolos com o nome de Deus. Quantos tipos de "Jesus" existem no grande mercado evangélico que não passam de bezerros de ouro, manipuláveis pelos nossos sacrifícios, pelo suposto "poder de nossa palavra"? É essencial, portanto, que entendamos que a salvação que Deus realiza contempla, sim, o nosso resgate do caos que nos cerca, mas o episódio do bezerro de ouro nos lembra também de que a salvação de Deus contempla a nossa libertação de nós mesmos e dos deuses abomináveis que nós produzimos. Ser salvo não significa meramente ter sido tirado de dentro do inferno. Ser salvo significa ter o inferno tirado de dentro de nós. Ser salvo é ser resgatado da bestialidade a que os falsos deuses, produzidos em nosso próprio coração, nos submeteram.

7
Aos trancos e barrancos:
O tempo dos juízes

....

Os israelitas fizeram o que era mau aos olhos do Senhor e serviram às imagens de Baal. Abandonaram o Senhor, o Deus de seus antepassados, que os havia tirado do Egito. Seguiram e adoraram os deuses dos povos ao redor e, com isso, provocaram a ira do Senhor. […]

Então o Senhor levantou juízes para livrar o povo de seus agressores. Contudo, não quiseram ouvir os juízes, mas se prostituíram, adorando outros deuses. Como se desviaram depressa do caminho de seus antepassados, que haviam andado em obediência aos mandamentos do Senhor!

Juízes 2.11-12,16-17

....

Passar por uma pandemia é sem dúvida penoso, mas não posso negar que tenho aprendido algumas lições importantes. Quando escrevi o primeiro rascunho deste capítulo, estávamos na décima sexta semana de distanciamento social em São Paulo. E, como se não bastasse todas as incertezas relacionadas à COVID-19, tive de enfrentar alguns problemas, digamos, estruturais que estouraram ao mesmo tempo aqui em casa. Alguns chamariam isso de coincidência, mas vejo como aquele tipo de coisa que costuma acontecer com pessoas cujo caráter Deus enxerga urgência em tratar. Um desses imprevistos, em particular, foi um instrumento poderoso de santificação: o encanamento da cozinha exigiu um ajuste não tão grande, mas consideravelmente delicado.

Moro em um prédio antigo na região central da cidade, e qualquer reparo, por menor que seja, requer bastante atenção. Em condições normais, teria chamado um profissional, de modo a resolver tudo tranquilamente. Mas, como estávamos num pico de contágio, achei mais prudente colocar as próprias mãos na massa. E, diante da atenção constante dos meus filhos, que raramente haviam visto seu pai manusear a caixa de ferramentas, aquela obra tinha se tornado uma questão de honra. O desafio foi que, à medida que uma parte era arrumada, outros danos (não causados por mim) eram desvendados. Resumindo uma longa história, foi somente depois de alguns dias, tendo recorrido a serviços de entrega seis vezes até encontrar todas as peças adequadas, que consegui finalizar o conserto. Assim, além do aprimoramento de meu conhecimento básico sobre hidráulica, aprendi por meio dessa "surra" que consertar a casa requer muito mais que técnica — é necessária uma boa dose de paciência.

O episódio do bezerro de ouro, que examinamos no capítulo anterior, nos lembrou de que a restauração do cosmo continuaria a seguir um caminho um tanto sinuoso, mesmo tendo Deus se revelado de forma tão específica ao povo de Israel. No contexto do fatídico incidente da idolatria dos israelitas, nós somos informados explicitamente daquilo que já havia sido sugerido ao longo da narrativa bíblica desde Gênesis 3: a história da redenção só poderia seguir adiante por causa da fidelidade do Criador ao seu próprio desejo de restaurar céus e terra. O tabernáculo pôde ser habitado pela glória divina, e os israelitas puderam entrar na terra prometida sob a liderança de Josué, única e exclusivamente porque Yahweh é "compassivo e misericordioso, cheio de amor e fidelidade" (Êx 34.6). A salvação do cosmo diz respeito à reputação — à glória — de Deus.

Com isso em mente, nós chegamos ao livro de Juízes. Algo que preciso mencionar de início é que, embora Juízes seja um dos livros mais famosos da Bíblia — principalmente para quem já foi professor de crianças na escola dominical —, ele contém também algumas das porções mais mal-interpretadas das Escrituras. Assim como é feito com praticamente todos os livros da Bíblia, Juízes é com frequência lido como se fosse apenas uma fonte de lições de moral que devemos extrair para poder transmitir às nossas crianças. E é claro que há uma infinidade de princípios em Juízes que são aplicáveis à nossa vida cotidiana hoje. A dificuldade, porém, é que, quando ficamos obcecados somente com as implicações morais da Bíblia, inevitavelmente perdemos de vista o cerne da história contada no livro em questão.

Eis uma prova disso: quando pergunto para as pessoas qual dos personagens de Juízes elas consideram o mais exemplar, quase sempre ouço "Sansão" como resposta. Afinal, desde a infância somos ensinados que Sansão foi o mais forte, o mais corajoso, o que conseguiu matar o maior número de filisteus — enfim, o maior herói da história de Juízes. Mas a ironia é que, do ponto de vista do caráter divino expresso na Lei, Sansão é o pior de todos. Embora tivesse sido um nazireu — ou seja, separado a Deus por meio de um voto (Jz 13.5; cf. Nm 6.1-21) —, Sansão era também mulherengo, mentiroso, traiçoeiro e descontrolado. Se há alguém na Bíblia que você, caro leitor e cara leitora, não quer que seus filhos imitem, esse alguém é Sansão! Quando desconectamos Juízes do enredo mais amplo da Bíblia, corremos o risco até mesmo de inverter a real contribuição que o livro faz para o nosso entendimento da história dos atos salvíficos de Deus.

Em contrapartida, quando nos lembramos do fato óbvio de que Juízes está em ampla continuidade com o que tem acontecido até aqui na narrativa bíblica, percebemos que o livro lida, acima de tudo, com perguntas relacionadas ao plano de redenção do cosmo como espaço permanente da habitação de Deus. Ou seja, o enredo de Juízes nos conta como as gerações que seguem os israelitas que herdaram a terra respondem ao chamado mais fundamental dado por Yahweh desde o monte Sinai. Será que Israel "ouvirá atentamente a voz de Deus" depois do assentamento em Canaã? E será que Israel conseguirá produzir líderes como Moisés e Josué para ajudarem o povo a perseverar em sua vocação de ser um reino de sacerdotes perante as nações?

Um detalhe importante sobre Juízes é que o título do livro conota uma nuance que muitas vezes nos escapa na tradução. Quando ouvimos o termo "juízes" em português, logo imaginamos figuras pomposas usando togas pretas, magistrados que ocupam a função pública de preservar a justiça e adjudicar conforme a lei do país. (Poderíamos mencionar também aquelas pessoas que se vestem de amarelo e gostam de beneficiar certo time de futebol da Zona Leste paulistana, mas não entrarei em detalhes, pois nem todos estariam dispostos a receber tão dura verdade.) Contudo, os personagens do livro de Juízes estão um tanto distantes dessas figuras familiares a nós hoje. Na verdade, o termo hebraico *šōpᵉfîm* deve ser entendido aqui com o sentido de "líderes". Isso significa que os "heróis" que encontramos nesse livro são figuras de liderança tribal que Israel produziu nas gerações que vieram após Moisés e Josué.

E qual é o cerne da história de Juízes? Embora os detalhes históricos de cada episódio sejam complexos, o enredo é relativamente simples. A passagem programática de Juízes 2.10-23 nos oferece a interpretação teológica do narrador acerca da história relatada no livro como um todo. Mesmo após o

82   O ENREDO DA SALVAÇÃO

assentamento dos israelitas na terra prometida, estava muito evidente que o Egito ainda não havia saído dos israelitas. O povo que havia sido chamado a refletir o caráter de Deus às nações em seu entorno muito rapidamente passou a se assemelhar a elas: "Abandonaram o SENHOR, o Deus de seus antepassados, que os havia tirado do Egito. Seguiram e adoraram os deuses dos povos ao redor e, com isso, provocaram a ira do SENHOR" (Jz 2.12). Consequentemente, em linha com o que havia sido anunciado em Deuteronômio 28, o pecado colocou os israelitas, repetidas vezes, debaixo da opressão dos povos vizinhos. Deus responde à rebeldia dos israelitas de uma forma muito consistente com sua justiça, deixando claro que a insistência do povo em trilhar o caminho da autonomia resultaria, à semelhança de Gênesis 3, em morte. Uma das realidades mais essenciais de Juízes, portanto, é o fracasso do Israel pré-monárquico em honrar o seu chamado (Jz 2.17,19-21).

Todavia, em sua fidelidade superabundante à sua aliança, Deus jamais deixa de levantar líderes para libertar seu povo das mãos dos opressores pagãos (Jz 2.16,18). Assim, o que é nítido desde o terceiro capítulo de Juízes até o início do livro de 1Samuel é a constante intercalação entre a impiedade do povo e a graça imerecida de Yahweh. Juízes jamais é entediante, não obstante é angustiantemente repetitivo. Por um lado, a idolatria do povo resulta em caos e em opressão, que leva o povo a clamar pela intervenção divina. Por outro lado, a compaixão divina desemboca na libertação do povo por meio de um líder que o próprio Deus levanta. A geração seguinte, por sua vez, se esquece dos feitos de Deus, abandona a Lei e dá início a um novo ciclo. "Mais uma vez, os israelitas fizeram o que era mau aos olhos do SENHOR... Mais uma vez, o SENHOR os entregou... Mais uma vez, o povo pediu socorro ao SENHOR... Mais uma vez, o SENHOR os libertou... Mais uma vez, os israelitas fizeram o que era mau aos olhos do SENHOR... Mais uma vez, o SENHOR os entregou..." — e assim por diante.[1]

Neste ponto, o leitor atento certamente enxergará uma conexão entre essa repetição e a espiral descendente narrada em Gênesis 4—11. Da mesma maneira que a humanidade em Gênesis 4—11 foi afundando na autonomia iniciada em Gênesis 3, até que tudo finalmente resulta nas águas caóticas do Dilúvio, os israelitas nos dias de Juízes também, em vez de melhorar, foram se degenerando a cada episódio: no desfecho desse período, em que "Israel

---

[1] Wright, *The Old Testament in Seven Sentences*, p. 87.

não tinha rei", ocorre o hediondo estupro coletivo da concubina de um levita que ocasiona uma guerra civil em Israel (Jz 19.1—20.48). E, nos estágios derradeiros do governo do sacerdote Eli, o tabernáculo é finalmente destruído e a arca da aliança, que representava nada menos que a presença de Deus entre o povo, é levada pelos filisteus (1Sm 4.1-22).

Além disso, não é só a condição de Israel que piora ao longo do enredo, mas também o caráter de seus líderes. Se houvesse espaço aqui, apresentaríamos todos os detalhes exegéticos corroborando essa leitura, mas, como os eruditos já têm feito isso com muita propriedade nos comentários, é suficiente notar que, a partir das figuras razoavelmente íntegras como Débora (Jz 3.7—5.31), o padrão vai decaindo consistentemente: Gideão, além de incrédulo, é idólatra (Jz 6.1-40; 8.24-28); Jefté é tolo e conivente com práticas pagãs (Jz 11.29-40); e Sansão é um imoral dado aos prazeres da vida (Jz 14.1-9; 16.4-22). Se nos atentarmos à natureza dos indivíduos, inclusive dos líderes, ficará claro que pouco mudou entre Gênesis 4—11 e a época pós--assentamento. Esse paralelo, aliás, acentua ainda mais o drama, já que a humanidade antes do êxodo não tinha acesso à revelação específica de Deus na Lei, como era o caso de Israel.

O aspecto teológico destacado no livro que eu gostaria de sublinhar, então, é que Deus levanta esses líderes entre pessoas que ele tem à sua disposição — e aqueles que Deus tem à sua disposição são uma extensão do jeito de ser do próprio povo. É por isso que Juízes é o livro da Bíblia que começa a dar ênfase à ideia de que os líderes do povo careciam da capacitação do Espírito de Yahweh. Não são poucas as vezes que deparamos com a afirmação de que "o Espírito do Senhor veio" sobre alguém para capacitar essa pessoa a libertar a nação, e é certamente instrutivo que tal fenômeno aconteça mais frequentemente com Sansão (Jz 3.10; 13.24; 14.6; 15.14). Há obviamente outras causas implícitas no empoderamento que o Espírito de Deus realiza nos juízes, mas uma das mais centrais é ressaltar a ação da graça divina em um contexto de declínio completo da fidelidade às palavras de Yahweh.

O cerne do livro de Juízes, portanto, é mostrar que, mesmo após o início da nova criação no êxodo e da retomada da vocação humana no monte Sinai, o único protagonista dessa longa história da salvação continua sendo somente o próprio Yahweh, que havia se revelado como o Deus "compassivo e misericordioso, cheio de amor e fidelidade" (Êx 34.6). O plano de restauração do cosmo só pôde ser iniciado porque foi o Criador quem tomou a iniciativa de se aproximar da humanidade, e esse mesmo plano só pôde ser mantido porque é Yahweh quem jamais abre mão de sua aliança. Ainda que Israel tenha quebrado seu lado do trato, vez após vez e geração após geração, Deus jamais voltaria atrás de seu juramento. Por meio desse livro, descobrimos que a restauração do cosmo não diz respeito somente a um evento pontual e isolado em que Deus se revela como a pessoa mais poderosa do universo lá no Egito. A salvação diz respeito também à longa jornada do Egito até a consumação dos planos divinos, em que, vez após vez e geração após geração, o povo experimenta a sua paciência e a sua fidelidade constantes.

A esta altura, espero que o leitor e a leitora já tenham entendido a relevância disso para todos nós hoje. Se Yahweh não tivesse sido paciente desse jeito, e se ele não continuasse a ser paciente desse jeito neste exato momento, essa história não teria encontrado sua resolução, e nós não estaríamos aqui. Se Deus não tivesse respondido com graça aos repetidos fracassos que os israelitas e seus líderes cometeram desde o Sinai, ninguém estaria aqui. É verdade que, no dia em que decidirmos seguir os mesmos passos dos israelitas nos tempos dos juízes, teremos o mesmo destino que muitos deles tiveram: o retorno ao domínio do caos e, no final, a morte. Mas Juízes não deixa dúvidas de que a condição humana pós-Gênesis 3 não consegue fazer contribuição alguma ao projeto redentivo de Deus, e de que é necessário que cada geração, ainda hoje, aprenda a se apegar, pela misericórdia divina, aos caminhos da vida e da confiança em Deus.

Uma das heresias mais antigas da história é uma ideia chamada marcionismo, que surgiu no segundo século d.C. a partir dos ensinos de Marcião de Sinope. Moldado por uma visão dualista do mundo, em que matéria e espírito eram entendidos como realidades opostas, Marcião dizia que a divindade do Antigo Testamento representava uma entidade inferior ao Deus pregado por Jesus. O marcionismo era caracterizado por muitas outras esquisitices, mas a que importa mencionar aqui é que se acreditava que Yahweh era alguém sisudo e raivoso, completamente distinto do "Deus de amor" do Novo Testamento. Infelizmente, embora essa fantasia tenha sido refutada na mesma época em que Marcião viveu, é fácil de se constatar que os púlpitos permanecem povoados por marcionistas. Poucos anos atrás, um líder evangélico norte-americano que ainda está ranqueado entre os pregadores "mais efetivos" de seu país afirmou que os cristãos precisavam praticamente se desfazer do Antigo Testamento, já que o Deus do Novo é muito superior. Alguns pastores bastante famosos no Brasil também costumam insistir, vez por outra, que o Deus do Antigo Testamento é carrancudo, ao passo que Jesus veio revelar um Deus amoroso.

Precisamos com urgência voltar a ler a Bíblia. Juízes é um livro que demonstra claramente a insistência do amor de Deus por sua criação. Se Yahweh, o Criador que se revelou a Israel, não fosse "compassivo e misericordioso, cheio de amor e fidelidade" (Êx 34.6), o Filho de Deus nunca teria entrado em cena na história, e não haveria sequer evangelho. Aliás, o próprio Jesus ancorou todo o seu ensinamento no Antigo Testamento (Mt 5.17-20). Deus é amor desde antes de Gênesis. A diferença para o apóstolo João, por exemplo, é que, em Cristo, podemos ver que o amor de Deus o levou até uma cruz: "Sabemos o que é o amor porque Jesus deu sua vida por nós" (1Jo 3.16). E o mesmo Jesus que ensinou as pessoas a amarem "o seu próximo como a si" mesmas — citando Levítico 19.18, cabe lembrar — constantemente avisava seus ouvintes de que as mesmas consequências que acometeram o povo rebelde no Antigo Testamento viriam sobre aqueles que rejeitassem suas palavras: "Mas quem ouve meu ensino e não o pratica é tão tolo como a pessoa que constrói sua casa sobre a areia. Quando vierem as chuvas e as inundações e os ventos castigarem a casa, ela cairá com grande estrondo" (Mt 7.26-27).

As histórias de Débora, Gideão, Jefté e Sansão nos ensinam, antes e acima de tudo, que Deus nunca desistirá de seu projeto de salvação do cosmo, ainda que sejamos completamente incapazes de realizar isso. Para o Criador, colocar o cosmo em seu devido lugar sempre foi uma questão de honra. A questão é se dependeremos de sua fidelidade para permanecermos em sua presença. A graça de Deus não é uma necessidade somente no êxodo. Ela é uma necessidade também em Canaã. E Deus jamais deixou de insistir em chamar seu povo de volta à sua graça.

Em conclusão, não podemos deixar de mencionar uma última aresta que o enredo de Juízes deixa sem aparar. Conforme mencionamos brevemente acima, o santuário de Deus será destruído, e a arca da aliança, levada pelos filisteus. Percebemos, dessa forma, que a incapacidade de Israel tanto de ser fiel à aliança como também de produzir líderes que modelassem sua vocação como povo de Deus impossibilita a manutenção do espaço sagrado entre o povo. A presença divina teve de entrar em uma espécie de isolamento mais uma vez. A pergunta que isso levanta é: como a presença divina poderia voltar a habitar entre seu povo, de maneira que a última parte da promessa que Deus tinha feito a Abraão pudesse se realizar? Como seria possível que todas as nações da terra conhecessem o caráter de Deus por meio do povo chamado a ser um reino de sacerdotes?

Percebemos, assim, que o enredo da salvação lembra um pouco o ato de consertar o encanamento da minha casa: logo que um problema é resolvido, descobrimos que há outro, mais fundo, que deve ser tratado. Em suma, percebemos que a história carece de uma peça diferente: líderes que não apenas sejam tomados pelo poder extático do Espírito do Senhor, mas que também modelem o que significa ser verdadeiramente uma nação de adoradores. Para que o plano de Deus avance, serão necessários líderes tão cheios da vida de Deus que guardem a aliança com fidelidade.

8

Uma nação, um culto: O reinado de Davi

"Agora vá e diga a meu servo Davi que assim diz o SENHOR dos Exércitos: 'Eu o tirei das pastagens onde você cuidava das ovelhas e o escolhi para ser o líder de meu povo, Israel. Estive com você por onde andou e destruí todos os seus inimigos diante de seus olhos. Agora, tornarei seu nome tão conhecido quanto o dos homens mais importantes da terra! [...] Além disso, o SENHOR declara que fará uma casa para você, uma dinastia real! Pois, quando você morrer e for sepultado com seus antepassados, escolherei um de seus filhos, de sua própria descendência, e estabelecerei seu reino. Ele é que construirá uma casa para meu nome, e estabelecerei seu trono para sempre'".

2SAMUEL 7.8-9,11-13

Concluímos o capítulo anterior observando que havia algumas peças em falta no período dos juízes para que o plano divino de restauração do cosmo pudesse se concretizar. O povo carecia de líderes que guardassem fielmente a aliança, "ouvindo atentamente" as palavras de Deus. De fato, a transição que a Bíblia faz para os livros de 1—2Samuel sublinha de forma bastante eloquente que o que manterá girando a engrenagem do plano divino de salvação são pessoas que, mesmo não ocupando posição elevada aos olhos dos homens, entenderiam que o temor de Yahweh era inegociável, ainda que todas as circunstâncias os pressionassem a seguir um caminho contrário.

Isso fica evidente, por exemplo, na história de Rute, cujos protagonistas, embora não tenham sido grandes figuras carismáticas como juízes, viveram à luz do caráter de Deus, estendendo graça e bondade uns aos outros. A própria Rute — uma moabita! — era uma das noras viúvas da também viúva Noemi, que em uma série de atos comoventes de lealdade à família de seu falecido marido deu evidências de ter sido transformada pela revelação do

Deus de Israel. O detalhe é que Yahweh nunca entra em cena de forma explícita ou espetacular no enredo do livro, mas é ele quem se vale da obediência de Rute para preparar o terreno para o advento da monarquia: a moabita acaba se casando com um israelita piedoso, parente de Noemi, chamado Boaz, e dá à luz Obede, pai de Jessé e avô do grande rei Davi (Rt 4.17).

É extremamente relevante para o nosso entendimento do enredo da salvação, então, que o chamado de Samuel tenha acontecido em decorrência da resposta de Deus à suplica de Ana — note o contraste com a mãe de Sansão, que, apesar de estéril, nunca chegou a orar a Yahweh por um descendente (Jz 13.1-7) — e no contexto em que o menino ouvia a voz de Deus no santuário em Siló, próximo à arca da aliança (1Sm 3.1-10). O ponto é que, por meio de Samuel, Deus apontava para o início de um tipo diferente de liderança, que seguiria as palavras seladas na aliança do monte Sinai. O trecho do chamado de Samuel é comumente lido de forma bastante sentimentalista, como se sua aplicação imediata fosse que "Deus fala com as criancinhas". Mas essa interpretação, apesar de muito popular, pouco tem a ver com a força teológica do texto. Ao chamar "o menino Samuel" durante o governo do sacerdote Eli, Yahweh indicava o fim do ciclo dos juízes, representado naquele momento pela conivência de Eli com os pecados de seus filhos (1Sm 2.12-17). É por isso que o que Samuel ouve, em 1Samuel 3.11-14, quando Deus se dirige a ele pela primeira vez, diz respeito unicamente ao juízo que viria sobre a família de Eli:

> Então o Senhor disse a Samuel: "Estou prestes a realizar algo em Israel que fará tinir os ouvidos daqueles que ouvirem a respeito. Cumprirei do começo ao fim todas as ameaças que fiz contra Eli e sua família. Eu o adverti de que castigaria sua família para sempre, pois seus filhos blasfemaram contra Deus, e ele não os repreendeu por seus pecados. Por isso, jurei que os pecados de Eli e de seus filhos jamais serão perdoados por meio de sacrifícios nem de ofertas".

É por volta desse momento histórico que entra em cena Davi, figura que ocupa a maior parte do Antigo Testamento depois de Moisés (1—2Samuel; 1Crônicas; Salmos). Essa eminência deve-se ao fato de que, com Davi, Israel enfim adquire a condição de monarquia independente. Em outras palavras, é sob seu governo que aquele ajuntamento de doze tribos, tão marcado até então por conflitos internos e externos, se torna de fato uma nação de visibilidade, aglutinada debaixo de um único rei. Vale lembrar que, em contraste com as ideias folclóricas que muitos podem ter sobre o caçula de Jessé hoje — como, por exemplo, de que ele não passava de um meigo tocador de harpa —, Davi foi o chefe militar israelita mais bem-sucedido da história bíblica. Ademais, Davi é famoso também porque é por meio dele que a adoração em Israel é restaurada. O emblemático episódio narrado em 2Samuel 6.1-19, em que a arca da aliança é trazida para Jerusalém e Davi, sendo o líder máximo da nação, se derrama de maneira exuberante na presença de Deus, marca o retorno da glória de Yahweh ao centro da identidade dos israelitas. Esse certamente representa um ponto alto no enredo, já que a própria razão de ser de Israel girava em torno de sua vocação como uma nação de adoradores. Em suma, Davi se torna uma figura paradigmática, pois é com ele que a nação retoma o seu chamado e que o segundo "isolamento" da presença divina, ocasionado pela destruição do tabernáculo em Siló, começa a ser, mais uma vez, flexibilizado.

Agora, o pedido que o povo havia feito a Samuel, para que este rogasse a Deus por um rei, foi um tanto infeliz (1Sm 8.4-8; 10.19). É verdade que, em princípio, não havia nada na Lei de Moisés que proibisse os israelitas de serem governados por um monarca. Em Deuteronômio 17.14-15, Deus havia simplesmente anunciado que isso aconteceria um dia. E, conforme o livro de Juízes escancara diante de nossos olhos, Israel carecia, sim, de líderes que modelassem o que era "ouvir atentamente" a voz de Deus. A grande questão é que, segundo a visão proposta no monte Sinai, o Rei último sobre o povo deveria ser o próprio Yahweh. Essa é uma das implicações da expressão "reino de sacerdotes": uma nação de adoradores que ministram na presença de seu Rei, expressando a todos os povos o caráter do Soberano de toda a terra. Isso significa que, fosse quem fosse o líder sobre os israelitas, essa figura deveria governar em submissão a Yahweh, o Supremo Monarca da nação. Consequentemente, muito longe de levar o povo a acumular poder político e fazer de Israel um grande império, a função dos líderes de Israel — inclusive dos futuros reis — deveria ser, primordialmente, conduzir o povo segundo a aliança.

Todavia, o pedido dos israelitas a Samuel vinha de um coração incrédulo e autônomo. Quando, mais à frente, o profeta reflete sobre sua vida em retrospecto, ele diz que o anseio do povo por um monarca havia surgido em resposta às intimidações de Naás, rei dos amonitas (1Sm 12.12). A ameaça pagã era uma realidade decerto presente desde os dias do assentamento em Canaã, e a sugestão que as gerações anteriores haviam feito a Gideão — "Seja nosso governante!" (Jz 8.22) — implica que não era nova a ideia de um rei como a solução dos problemas da nação. Na época subsequente ao governo de Eli, Naás já havia ganhado bastante força na região, e os israelitas passaram a viver ansiosos com o perigo que ele representava. O pedido que o povo faz a Samuel, portanto, além de ter sua origem em um senso profundo de insegurança, conotava uma verve imperial. Quem sabe, se tivessem um rei como as nações pagãs, Israel também não poderia se proteger de Naás e competir pela hegemonia da terra? Assim, o pedido por um rei, em si, não era mau. O que era má era a motivação: Israel desejava se assemelhar aos povos que se definiam não pela Lei de Yahweh, mas sim pela busca idólatra por poder e influência.

E Yahweh surpreende a todos mais uma vez, respondendo àquela solicitação por meio de uma sequência de dois momentos. No primeiro, Deus concede a Israel um rei segundo os padrões que os próprios israelitas haviam imaginado, e Saul é ungido rei de Israel. Com razão, C. S. Lewis nos conta que há dois tipos de pessoas no mundo: aquelas que oram a Deus "seja feita a tua vontade" e aquelas a quem Deus diz "seja feita a tua vontade".[1] No caso de Saul, Yahweh permite que o povo receba o que eles desejam. No segundo momento, no entanto, outro rei é levantado para exemplificar o tipo de líder que Deus desejava que governasse Israel, e Davi é escolhido. Percebe-se mais uma vez, então, que a ascensão de Davi pouco tinha a ver com o próprio Davi. Na verdade, Davi era fruto da misericórdia de Deus e da sua insistência em ensinar aos israelitas a direção que eles deveriam seguir para permanecer no caminho da vida. A graça de Deus e a sua determinação em salvar o cosmo eram tamanhas que, a exemplo da história de José no Egito, Deus trabalhou para produzir bem a partir da motivação completamente autocentrada dos israelitas. E ele não desperdiçou o contraste entre Saul e Davi para ensinar ao seu povo o que era necessário para que a sua presença voltasse a habitar entre eles.

Das diferenças mais importantes que podemos destacar entre Saul e Davi, a primeira era a aparência. Pouco sabemos sobre Saul nesse quesito, mas Davi

---

[1] C. S. Lewis, *O grande divórcio* (São Paulo: Thomas Nelson Brasil, 2020).

certamente não tinha cara de rei.[2] Jessé nem sequer faz questão de convocar seu caçula, quando o profeta solicita a presença de todos os seus filhos, e o próprio Samuel se confunde, achando que Deus havia escolhido um daqueles sete que estavam reunidos no recinto (1Sm 16.1-10). Além disso, após ser questionado, o pai de Davi nem mesmo o chama pelo nome: "Ainda tenho o mais novo, mas ele está no campo, tomando conta do rebanho" (1Sm 16.11). Por meio desse episódio, Deus deixa claro que jamais se impressiona com o que atrai a atenção de seres humanos afetados pela realidade de Gênesis 3: "O Senhor não vê as coisas como o ser humano as vê. As pessoas julgam pela aparência exterior, mas o Senhor olha para o coração" (1Sm 16.7).

É quando olhamos para o caráter de Saul e de Davi, então, que percebemos a segunda e mais importante diferença que fez "toda a diferença" na perspectiva de Deus: o caráter de um era voltado para Deus, ao passo que o do outro era voltado para si mesmo. Para Saul, era mais importante ser rei do que adorador — manter sua posição perante os homens valia mais do que obedecer às palavras de Deus. Para Davi, em contraste, importava mais ser adorador do que rei — "ouvir atentamente a voz" de Yahweh, confiando em sua sabedoria, valia mais do que acumular poder e influência. Um detalhe interessante nos retratos que a Bíblia nos oferece de Saul e de Davi é que uma das poucas características em comum que eles ostentavam era o empoderamento por parte do Espírito de Yahweh, à semelhança de alguns juízes antes deles (1Sm 10.10; 16.13). No entanto, quando prestamos atenção à maneira como cada um deles respondeu em momentos críticos da nação, fica patente que Saul vivia em autonomia, enquanto Davi dependia de Deus. Saul esperava que Deus estivesse do seu lado, enquanto Davi buscou estar do lado de Deus. Alguns exemplos bastam para elucidar essa conclusão.

Em 1Samuel 13, Saul se vê cercado de filisteus em uma batalha. E, em vez de aguardar a chegada de Samuel para que, juntos, invocassem o nome de Yahweh — conforme uma ordem que Samuel tinha dado sete dias antes —, o rei se inquieta com a opinião do povo e decide oferecer um holocausto na ausência do profeta. A lógica era que Saul pensava ter a capacidade de apressar algum tipo de resposta divina por meio de seu sacrifício — atitude não muito distante do que vimos em Êxodo 32 (1Sm 13.12). Em 1Samuel 15, por sua vez, no episódio em que Deus manda Saul aniquilar todos os amalequitas,

---

[2] Wright, *The Old Testament in Seven Sentences*, p. 89-90.

o rei acha mais interessante seguir sua própria sabedoria, poupando o gado mais gordo, os bens de maior valor e o rei dos amalequitas, sob o pretexto de que tudo aquilo poderia ser oferecido a Yahweh (1Sm 15.15). Aqui, a suposta adoração de Saul serviria de "suborno" em favor de sua desobediência. Nesses dois episódios que resultam na rejeição de Saul, ele se mostra alguém disposto até mesmo a usar a Deus para se beneficiar e manter sua posição perante o povo. Saul pensava que seu reinado dizia respeito a si próprio.

Já na famosa luta contra Golias, o que é importante notar é que quem deveria ter enfrentado o representante daqueles pagãos (e de seus deuses) era justamente o representante dos israelitas (e de Yahweh): Saul, o rei de Israel. Em vez disso, ele se esconde em sua tenda e oferece a própria filha a quem desse um jeito no gigante filisteu. É fascinante, então, que seja nesse exato momento do enredo que Davi mostra as caras em público. Na verdade, Davi fica sabendo de todo aquele drama por acaso, ao levar marmita a seus irmãos, que estavam acampados na linha de batalha (1Sm 17.12-25). Mas, quando ouve as blasfêmias que Golias proferia contra os exércitos de Israel, o caçula de Jessé — pastor de ovelhas de seu pai e entregador do almoço de seus sete irmãos — responde como alguém que conhecia o caráter de seu Deus. "Afinal de contas, quem é esse filisteu incircunciso para desafiar os exércitos do Deus vivo?" (1Sm 17.26). Tal declaração, longe de representar uma demonstração de coragem sem qualquer senso de proporção, sugeria um entendimento claro de que aquilo que estava em jogo era a reputação de Yahweh. E, conforme o próprio Davi explica, sua confiança vinha dos livramentos que havia experimentado em vários momentos de suas caminhadas pelos campos: "O Senhor que me livrou das garras do leão e do urso também me livrará desse filisteu!" (1Sm 17.37).

Assim, embora Saul tivesse todas as armas à sua disposição, seu reinado não era uma extensão de sua adoração e, por isso, faltava-lhe a única qualidade que o capacitaria a liderar o povo contra a ameaça das forças do caos, epitomizadas naquele instante por Golias. Mas era precisamente essa qualidade que Davi possuía de sobra: ele confiava em Yahweh. Não é à toa que, depois da vitória de Davi sobre Golias, Saul se enche de ciúme e começa a persegui-lo (1Sm 18.6-15; 19.8-11). Consequentemente, é nessa porção da história que enxergamos outro contraste significativo entre Saul e Davi. O primeiro, que já havia subordinado sua vida de adoração a seus interesses pessoais, literalmente enlouquece e busca a morte do segundo. Este, no entanto, recusa tomar o trono à força, embora já tivesse sido ungido rei secretamente pelo profeta enviado pelo próprio Deus, e ainda que isso significasse viver como foragido e *persona non grata* até a morte de Saul, que reinou por trinta anos (1Sm 20.35—31.13).

A importância da vida de Davi na história da salvação, portanto, é que ele prefigura o tipo de líder — o tipo de rei — de que os israelitas precisavam para que o plano de Deus pudesse se realizar. O povo precisava de um rei que não abrisse mão de sua vocação de ser um adorador, ainda que isso significasse suportar o pior tipo de injustiça — um rei que reconhecesse que, acima dele, havia outro Rei Supremo, a quem até mesmo o monarca de Israel deveria estar submisso. Isso está claramente pressuposto na teologia dos salmos davídicos, em especial do Salmo 2: "Aquele que governa nos céus ri [...]. Ele diz: 'Estabeleci meu rei no trono em Sião, em meu santo monte'" (Sl 2.4,6). É a partir de Davi, então, que o enredo bíblico começa a articular com mais clareza a expectativa pela restauração do cosmo por meio da linguagem do reinado de Deus.

Por isso 2Samuel 7.8-17 é tão relevante. No contexto imediato da passagem, Davi expressa seu desejo de reconstruir o santuário de Yahweh. Jamais podemos nos esquecer de que o tabernáculo era um microcosmo do Jardim do Éden, uma representação física do lugar onde a presença divina habitava. No perturbador episódio em que Uzá foi ferido pela ira divina após ter manuseado a arca da aliança indevidamente — em Êxodo 25.10-16, Deus havia instruído que a arca deveria ser carregada por varas em argolas, para que não fosse tocada diretamente por mãos humanas, muito menos por carroças —, Davi parece ter entendido que a mensagem do Pentateuco jamais poderia ser ignorada (2Sm 6.1-9). E, no Pentateuco, o que dava razão à existência de Israel era a presença de Deus entre o seu povo (Êx 33.15-16). A lógica do pedido de Davi é que o seu reinado estaria incompleto enquanto não houvesse um templo dedicado a Yahweh no centro na nação.

Entretanto, em ampla continuidade com as promessas feitas a Abraão, o Senhor declara, antes, que era necessário perpetuar a linhagem davídica. Assim, a palavra "descendência" [*zeraʿ*], tão significativa no enredo bíblico até aqui — especialmente em Gênesis e Êxodo —, ocorre mais uma vez em um ponto de virada crucial na história (2Sm 7.12). Somente em seguida, Deus promete que um dos "descendentes" de Davi construiria a habitação da glória divina entre o seu povo (2Sm 7.13). Ou seja, construir o templo era

94 O ENREDO DA SALVAÇÃO

sem dúvida essencial, mas a habitação de Deus entre o seu povo poderia se concretizar apenas no contexto em que a figura do rei seguisse o exemplo deixado por Davi. E mais: o compromisso divino com a casa de Davi seria tão profundo que o próprio Yahweh seria como um Pai a esse descendente, e esse descendente seria como um filho a Deus (2Sm 7.14). Essa linguagem de filiação divina de imediato nos remonta ao evento do êxodo, em que Israel é chamado por Yahweh de "meu filho" (Êx 4.22), e aponta para a realidade de que esse rei davídico futuro seria o representante ideal do povo. Caso o leitor ou a leitora não se recorde, é precisamente nesses termos que Deus se dirige a Jesus em seu batismo: "Você é meu Filho amado, que me dá grande alegria" (Mc 1.11; cf. Sl 2.7).

Em resposta ao desejo de Davi de construir um templo, o Senhor deixa claro que o edifício representando a reconciliação entre céus e terra — o templo — seria construído por um de seus sucessores. E as declarações de Deus provavelmente apontavam para um futuro mais distante do que a primeira geração subsequente a Davi. Conforme veremos adiante, Salomão de fato erguerá o santuário em Jerusalém. Mas será que sua história provará que o primeiro filho de Davi foi o descendente ideal de quem Deus havia falado, em quem a vocação de Israel seria realizada à perfeição e a redenção definitiva na criação poderia ser tornar realidade? Isso são cenas dos próximos capítulos. De todo modo, o que está claro é que, da mesma maneira que o cosmo desandou a partir dos primeiros representantes da humanidade em Gênesis 3, a criação será redimida por meio de um novo representante da humanidade: uma figura davídica, cujo reino não terá fim.

Ser salvo não significa meramente sair do Egito e estabelecer-se na terra prometida. Ser salvo é ter o Egito tirado de si e submeter-se ao governo de um rei. Sendo assim, Davi nos lembra de que precisamos de um rei que governe sobre nós segundo o caráter de Deus, manifestando a realidade do reinado de Deus. O detalhe é que, embora Davi tenha exemplificado isso, esse rei de quem nós tanto precisamos não é Davi. Assim como os juízes antes dele, Davi não terminou bem seu reinado. Poucos capítulos após a promessa divina por meio do profeta Natã, nós lemos a respeito do fatídico episódio em que Davi toma para si a esposa de um de seus homens de confiança, Urias, e depois maquina a morte dele para acobertar uma gravidez indesejada (2Sm 11.1-27). Que crime atroz! E, embora Davi tenha se arrependido, seu reinado a partir de então passou a ser marcado por consequências sérias daquela transgressão. (Talvez essa tenha sido outra diferença importante entre Davi e Saul: quando confrontado pelo profeta, Davi se converteu de seu ato. E, segundo a tradição, o famoso Salmo 51 foi escrito posteriormente pelo rei, em um momento de profunda contrição. Os frutos do pecado de Davi, porém, foram colhidos ainda em sua geração.) Em suma, Davi pecou, morreu e ainda permanece morto.

O rei de quem precisamos é esse descendente de Davi, a respeito de quem Deus prometeu estabelecer "seu trono para sempre" (2Sm 7.13). E de quem será que estamos falando? Será que estamos falando de Salomão, o sucessor direto de Davi? Para saber a resposta, teremos de continuar avançando nas próximas páginas deste livro.

9

Aquele descendente (não tão) sábio: A queda de Salomão

....

Naquela noite, Deus apareceu a Salomão e lhe disse: "Peça o que quiser, e eu lhe darei".

Salomão respondeu a Deus: "Tu mostraste grande amor leal a meu pai, Davi, e agora me fizeste rei em seu lugar. Ó Senhor Deus, cumpre a promessa que fizeste a meu pai, Davi, pois me fizeste rei sobre um povo tão numeroso como o pó da terra! Dá-me sabedoria e conhecimento para que eu os lidere bem, pois quem é capaz de governar este teu grande povo?".

Deus disse a Salomão: "Uma vez que esse é seu desejo, e não pediu riqueza, nem bens, nem fama, nem a morte de seus inimigos, nem vida longa, mas sabedoria e conhecimento para governar bem meu povo, sobre o qual o fiz rei, certamente lhe darei a sabedoria e o conhecimento que pediu. Também lhe darei riqueza, bens e fama como nenhum rei teve nem jamais terá".

2Crônicas 1.7-12

....

Em dias chuvosos — ou em qualquer momento durante uma pandemia —, quando se torna difícil fazer passeios prolongados, Roberta e eu gostamos de revisitar nossos álbuns de fotografia. Às vezes, tentamos reviver com nossas crianças algumas viagens que marcaram nossa memória, fazendo de conta que estamos naquele lugar. Recentemente, nos veio à lembrança um dos nossos locais favoritos de lazer na época em que vivemos em Edimburgo, durante os meus anos de doutorado. Trata-se do Arthur's Seat, um antigo vulcão situado em frente ao Holyrood Park, onde ficam o novo prédio do Parlamento Escocês e o palácio de veraneio da família real britânica.

A ironia é que, embora seja um dos nossos pontos preferidos em Edimburgo, nunca subimos ao topo do Arthur's Seat. Entre a montanha e o

Holyrood Park, há outro monte, semelhante a uma imensa rampa rochosa, chamado Salisbury Crags. Ocorre que, olhando da base, a impressão que dá é que o ponto mais alto do Salisbury Crags marca a metade do caminho até o cume do Arthur's Seat. Na primeira vez que tentamos fazer a escalada, nossa filha mais velha Isabella tinha apenas dois anos de idade. Achamos, então, mais prudente dividir a jornada em duas etapas: dedicaríamos uma hora para o Salisbury Crags e outra hora para o restante do Arthur's Seat. O problema é que, conforme nos aproximávamos do topo da primeira montanha, ficava cada vez mais evidente que não se tratava da metade do caminho até o cume da segunda montanha. Há um vale separando ambos. Para subir o Arthur's Seat seria necessário descer o outro lado do Salisbury Crags até a base e iniciar a caminhada acima da segunda montanha — muito mais íngreme e arriscada para crianças — novamente "do zero". Enfim, tiramos algumas fotos e voltamos para casa, conscientes de que toda viagem bem-sucedida depende de alguém que conheça minimamente o itinerário.

No capítulo anterior, vimos que o foco do enredo da salvação começa a se afunilar na figura do rei de Israel. Davi foi o líder que, em contraste com os juízes antes dele, deu primazia à manutenção da aliança e, consequentemente, unificou os israelitas como uma nação independente, sob o reinado do próprio Yahweh. Assim, no apogeu de seu governo, Davi recebe uma promessa da parte de Deus, acerca de um descendente que seria plenamente bem-sucedido em cumprir a vocação de Israel e por meio de quem a restauração do cosmo encontraria seu ponto culminante.

Com isso, chegamos a Salomão. Seria impossível falar da história da salvação sem mencionar o sucessor direto de Davi, já que ele é a pessoa que enfim constrói o magnífico templo de Jerusalém. De início, então, devemos afirmar que Salomão é importante, pois é nele que o enredo bíblico alcança seu ponto mais elevado até aqui. A construção do santuário não é um evento grandioso tão somente pela suntuosidade de seu edifício. No contexto bíblico-teológico que temos explanado, em que os autores apresentam os episódios bíblicos como partes de uma grande narrativa — ainda que os personagens não compartilhem do mesmo ponto de vista ou conhecimento dos narradores —, aquele evento iniciado pelo descendente davídico carrega conotações cósmicas. Assim como o tabernáculo de Moisés havia sido construído como uma representação do Jardim do Éden — por exemplo, com

98 O ENREDO DA SALVAÇÃO

dois querubins bordados no véu que protegia a arca da aliança —, o lugar santíssimo no templo de Salomão era guardado por dois querubins de ouro, em outra alusão explícita a Gênesis 3.24 (1Rs 6.23-28). Ademais, a cerimônia de consagração do santuário de Jerusalém durou dois blocos de sete dias, o que remonta ao padrão de completude presente na criação do cosmo como templo de Deus em Gênesis 1—2 (1Rs 8.65).[1]

Não surpreende que, logo após a cerimônia de consagração em 1Reis 8.62-66, haja dois acontecimentos que conectam o episódio momentoso da construção do templo com as promessas feitas por Deus a Abraão séculos antes. Em 1Reis 9.3-9, Deus reforça a importância de Salomão viver segundo a aliança, basicamente reiterando o mandamento de seguir o caminho da confiança, em uma referência contextualizada tanto a Êxodo 19 e Deuteronômio 28 como às duas árvores que o Criador havia plantado em Gênesis 2:

O Senhor lhe disse:

"Ouvi sua oração e sua súplica. Consagrei este templo que você construiu, onde meu nome será honrado para sempre. Olharei continuamente para ele, com todo o meu coração.

"Quanto a você, se me seguir com integridade e retidão, como fez seu pai, Davi, obedecendo a todos os meus mandamentos, decretos e estatutos, estabelecerei o trono de sua dinastia sobre Israel para sempre. Pois fiz esta promessa a seu pai, Davi: 'Um de seus descendentes sempre se sentará no trono de Israel'.

"Mas, se você ou seus descendentes me abandonarem e desobedecerem a meus mandamentos e decretos, seguindo e adorando outros deuses, arrancarei Israel desta terra que lhe dei. Rejeitarei este templo que consagrei em honra ao meu nome, e farei de Israel objeto de zombaria e desprezo entre as nações. E, embora este templo seja agora imponente, todos que passarem perto dele ficarão chocados e horrorizados. Perguntarão: 'Por que o Senhor fez coisas tão terríveis com esta terra e com este templo?'.

"E a resposta será: 'Porque os israelitas abandonaram o Senhor, seu Deus, que tirou seus antepassados da terra do Egito e, em lugar dele, adoraram outros deuses e se prostraram diante deles. Por isso o Senhor trouxe sobre eles essas calamidades'".

---

[1] Para mais detalhes sobre como a Bíblia trabalha a imagem do templo da Bíblia, além das obras citadas na introdução, ver também T. Desmond Alexander e Simon Gathercole (orgs.), *Heaven on Earth: The Temple in Biblical Theology* (Milton Keynes, UK: Authentic Media, 2004).

AQUELE DESCENDENTE (NÃO TÃO) SÁBIO   **99**

Agora que o templo estava de pé, era necessário que o rei se mantivesse fiel à sua vocação de liderar a nação como reino de sacerdotes, "obedecendo aos mandamentos" de Yahweh e, dessa maneira, mantendo intacto o espaço sagrado entre eles. G. K. Beale nota que a "descrição da grandeza de Salomão tem mais paralelos literários com Gênesis 1.26-28 e seu contexto imediato do que com qualquer outra narrativa sobre reis israelitas".[2]

Em 1Reis 10.1-13, por sua vez, Salomão recebe a visita ilustre da rainha de Sabá, que se encanta com a glória do reinado do filho de Davi exemplificada no templo:

> Disse ela ao rei: "É verdade tudo que ouvi em meu país a respeito de suas realizações e de sua sabedoria! Não acreditava no que diziam até que cheguei aqui e vi com os próprios olhos. Aliás, não tinham me contado nem a metade! Sua sabedoria e prosperidade vão muito além do que ouvi. Como deve ser feliz o seu povo! Que privilégio para seus oficiais estarem em sua presença todos os dias, ouvindo sua sabedoria! Louvado seja o SENHOR, seu Deus, que se agradou de você e o colocou no trono de Israel. Por causa do amor eterno do SENHOR por Israel, ele o fez rei para governar com justiça e retidão".
>
> 1Reis 10.6-9

Ora, essa efusão laudatória, vinda de uma chefe de estado pagã, orienta a nossa atenção de volta àquilo que Deus tinha dito ao grande patriarca de Gênesis: "Por meio de você, todas as famílias da terra serão abençoadas" (Gn 12.3). Para o leitor que tem acompanhado o enredo bíblico nessa sequência, desde o "princípio", chega a ser até previsível que Salomão tenha esse nome: o nome hebraico *šᵉlōmōh* é cognato de *šallom*, traduzido para o português por "paz", "segurança", "plenitude".

Agora, se é verdade que o primeiro sucessor de Davi inaugura o ponto mais alto da história da salvação até aqui, essa mesma história não se resolve completamente em sua vida. Embora Salomão tenha construído o templo, e por mais que a rainha de Sabá tenha vindo de longe para reconhecer a glória de Yahweh, o terceiro rei de Israel não viu a consumação plena do que tinha sido anunciado a Abraão. Para todos os efeitos, Salomão, assim como seu pai, morreu e permanece morto até hoje. Na verdade, a impressão que dá quando nos aproximamos do final da vida de Salomão é que acabamos de

---

[2] Beale, *Teologia bíblica do Novo Testamento*, p. 76.

100 O ENREDO DA SALVAÇÃO

ouvir uma música inacabada, semelhante à Oitava Sinfonia de Franz Schubert.[3] Por quê?

A fama de Salomão se deve também a um episódio que acontece no início de seu reinado, cuja versão mais bem conhecida é aquela atestada em 2Crônicas 1.7-12. Ali, Deus concede ao recém-entronizado rei um pedido. E, entre todas as coisas que Salomão poderia ter solicitado — por exemplo, riquezas e poder —, ele roga por aquilo de que todo líder do povo precisava: sabedoria. E, de fato, o Senhor não só atende ao pedido como também elogia Salomão pela escolha que ele havia feito. Fica muito evidente, então, que esse dom concedido por Deus trabalhou muito em favor de Salomão e de seu reino (1Rs 3.16-28).

A questão é que 1—2Crônicas foram escritos em um período bem posterior da história com o intuito de encorajar gerações pós-exílicas de israelitas a terem esperança no futuro. Assim, esses livros recapitulam os momentos mais importantes do passado de Israel, chamando a atenção dos leitores para as qualidades dos grandes nomes da história do povo. Com isso, nota-se um tom bastante tolerante com os erros dos reis de Israel. O caso com Bate-Seba, por exemplo, nem é mencionado com destaque na história de Davi, e os erros de Salomão são severamente atenuados. O objetivo é acentuar os pontos positivos dessas figuras, para exortar o povo a fazer o mesmo. Outro indício desse interesse é o espaço relativamente extenso que 2Crônicas dedica para descrever a consagração do templo (2Cr 3.1—7.10). De novo, o ponto é olhar com nostalgia para os dias em que a glória de Deus encheu seu santuário em Jerusalém, de maneira a inspirar as gerações futuras a buscarem a mesma prosperidade do povo.

Todavia, quando olhamos para a maneira como Salomão é apresentado em 1Reis, percebemos um retrato muito mais, digamos, realista do rei que, apesar de ter recebido sabedoria da parte de Deus, falhou em seguir os conselhos divinos registrados no livro de Deuteronômio. Particularmente instrutivo, portanto, é que a versão da súplica que Salomão faz a Deus por sabedoria em 1Reis 3 é antecedida pela reveladora afirmação de que o filho de Davi não tinha um coração totalmente inclinado a viver de acordo com a aliança:

> Salomão fez um acordo com o faraó, rei do Egito, e se casou com uma das filhas dele. Trouxe-a para morar na Cidade de Davi até terminar a construção do palácio

---

[3] Essa comparação é comum na literatura secundária. Ver, por exemplo, Kirschner, "Da Babilônia à Nova Jerusalém", p. 23.

real, do templo do Senhor e do muro ao redor de Jerusalém. Nessa época, o povo de Israel oferecia sacrifícios nos altares das colinas de suas regiões, pois ainda não havia sido construído um templo em honra ao nome do Senhor.

1Reis 3.1-2

Quer dizer, muito cedo em seu reinado Salomão já havia se aliado ao rei do Egito — os casamentos "internacionais" tinham esse propósito —, tolerando também a prática do culto a Deus à maneira pagã, nos lugares altos. A primeira decisão representava uma quebra flagrante de Deuteronômio 7.3-4: "Não se unam a elas [nações pagãs] por meio de casamentos. Não deem suas filhas em casamento aos filhos delas, nem tomem as filhas delas como esposas para seus filhos, pois farão seus filhos se afastarem de mim para adorar outros deuses". E a segunda escolha denunciava uma desobediência explícita a Deuteronômio 12.2,4: "Quando expulsarem as nações que vivem ali [na terra prometida], destruam todos os lugares em que elas adoram seus deuses: no alto dos montes, nas colinas e debaixo de toda árvore verdejante. [...] Não adorem o Senhor, seu Deus, da forma como esses povos pagãos adoram os deuses deles". Em suma, Salomão sempre deu evidências de ter um caráter profundamente ambíguo. Ele amava Yahweh, no sentido de desejar fazer grandes coisas em seu nome, mas, ao mesmo tempo, alimentava tendências muito fortes de relativizar a palavra divina, alcançando invejáveis metas de acordo com sua própria definição de "bem e mal". Deus deu sabedoria a Salomão, sim, mas esse dom deveria ter sido acompanhado de temor, obediência e confiança nas palavras do Senhor.

É comum pensar que Salomão veio a cair somente depois de ter sido corrompido pelo poder. O sucessor de Davi é com frequência mencionado como exemplo do conhecido clichê: "o poder corrompe, e o poder absoluto corrompe absolutamente". Se prestarmos atenção ao retrato bíblico, porém, seremos obrigados a discordar dessa opinião. O coração de Salomão já era uma amostra do que era o coração humano desde Gênesis 3, inclinado a si mesmo muito antes de assumir todo aquele poder em suas mãos. É muito mais coerente seguirmos um outro clichê e concluirmos que "o poder não corrompe, apenas revela o que a pessoa realmente é".

E aqui está a explicação para o eventual fracasso de Salomão: a despeito de toda a sabedoria que havia recebido, e apesar de todas as conquistas acumuladas em seu governo, ele manteve sua recusa em confiar no Senhor, em obedecer às suas palavras e em responder às suas bênçãos com o temor devido. Consequentemente, tanto em 1Reis 10.21,26-27 como em 11.1-8, o governo de Salomão é resumido em tons extremamente sombrios:

> Todas as taças do rei Salomão eram de ouro, e todos os utensílios do Palácio da Floresta do Líbano eram de ouro puro. Não eram de prata, pois nos dias de Salomão a prata era considerada um metal sem valor. [...] Salomão ajuntou muitos carros de guerra e cavalos. Possuía 1.400 carros de guerra e 12.000 cavalos. Mantinha alguns deles nas cidades designadas para guardar esses carros de guerra e outros perto dele, em Jerusalém. O rei tornou a prata tão comum em Jerusalém como as pedras. E havia tanta madeira valiosa de cedro como as figueiras-bravas que crescem nas colinas de Judá.
>
> 1Reis 10.21,26-27

> No total, casou-se com setecentas princesas e teve trezentas concubinas. E elas desviaram seu coração do Senhor. Quando Salomão era idoso, elas o induziram a adorar outros deuses em vez de ser inteiramente fiel ao Senhor, seu Deus, como seu pai, Davi, tinha sido. Salomão adorou Astarote, a deusa dos sidônios, e Moloque, o repulsivo deus dos amonitas. Com isso, Salomão fez o que era mau aos olhos do Senhor; recusou-se a seguir inteiramente o Senhor, como seu pai, Davi, tinha feito.
>
> 1Reis 11.3-6

Que tragédia! O grande filho de Davi que, dotado da própria sabedoria divina, construiu nada menos que o templo de Jerusalém, no final das contas achou mais seguro confiar nos deuses pagãos, quebrando a ordem de Deuteronômio 17.16-17 em todos os sentidos — "O rei não terá muitos cavalos [...] não acumulará para si grandes quantidades de prata e de ouro" — e fazendo nada menos que setecentas alianças políticas com as nações em seu entorno. Dessa maneira, assim que alcançamos esse ponto alto do enredo da salvação, percebemos que o problema do caos, da idolatria, da morte do Egito não havia saído também de Salomão. Mesmo tendo recebido sabedoria da parte de Deus para governar a nação com sucesso, Salomão rejeitou a Deus como Rei de sua vida e abandonou sua vocação mais fundamental de ser um adorador de Yahweh. E não precisou passar sequer uma geração desde a construção do templo para que isso acontecesse.

Como resultado, o que acontece com o povo é algo semelhante ao que havia acontecido com a queda do primeiro casal em Gênesis 3. A nação sofre uma ruptura irreparável em seus alicerces, de modo que o reino é dividido entre Israel, ao norte, e Judá, ao sul. Afinal de contas, conforme temos visto vez após vez, é isso que o pecado faz: a autonomia humana quebra, aliena, desconfigura e mata. É por isso que o famoso livro de Eclesiastes, que tradicionalmente é atribuído aos últimos dias de Salomão, é um grande lamento de alguém que reflete na vida em retrospecto. "Nada faz sentido", repete o soliloquista, "tudo é vaidade, como correr atrás do vento" (p. ex., Ec 1.2,14; 2.11,17,19,23,26). E, ironicamente, Eclesiastes conclui afirmando que a única coisa que é de fato sábia a se fazer na vida é aquilo que Salomão abandonou logo cedo em seu reinado: "Esta é minha conclusão: tema a Deus e obedeça a seus mandamentos, pois esse é o dever de todos" (Ec 12.13).

Ao fim da história de Salomão, percebemos mais uma vez um vasto e profundo vale separando o povo — e, por implicação, a humanidade — da restauração do cosmo. Infelizmente, o tão aguardado final feliz, o cumprimento pleno da salvação e das promessas divinas a Abraão, ainda não pôde acontecer. O filho de Davi anunciado por Deus em 2Samuel 7.8-17 acabou não sendo Salomão. Precisamos aguardar a vinda de outro rei. E o que fica transparente nesse momento da história é que o rei de quem dependemos deve ser alguém que, do princípio ao fim, não se deixa intoxicar pela luxúria do poder e da vanglória de homens. Precisamos de um rei que, mesmo ocupando a cadeira mais exaltada de todo o universo, entende que sua vocação é viver segundo o caráter de Deus. Para que céus e terra possam ser redimidos de uma vez por todas, carecemos de um rei que, do princípio ao fim, "não considera que ser igual a Deus seja algo a que deva se apegar", mas "em vez disso, esvazia a si mesmo, assume a posição de escravo e nasce como ser humano", e, "vindo em forma humana, humilha-se e é obediente até a morte, e morte de cruz" (Fp 2.6-8). Não importa ser somente da linhagem correta. É necessário seguir o caminho oposto àquele trilhado por Adão e Eva, pelos israelitas e por Salomão. A montanha a ser escalada é muito mais alta do que havíamos imaginado. Que Deus nos lembre de que, ainda hoje, qualquer ser humano que esteja aquém desse padrão — isto é, qualquer ser humano, ponto final — não passa de um boneco de barro que carece do socorro e da fidelidade do filho ideal de Davi que haveria de vir.

10

Podem os mortos voltar a viver?
O exílio e os profetas

O rei da Assíria ocupou todo o território de Israel e, durante três anos, cercou a cidade de Samaria. Por fim, no nono ano do reinado de Oseias, o rei assírio conquistou Samaria e exilou os israelitas na Assíria. [...] Isso aconteceu porque os israelitas adoraram outros deuses. Pecaram contra o Senhor, seu Deus, que os havia tirado da terra do Egito e os livrado do poder do faraó, o rei do Egito.

2Reis 17.5-7

Em 14 de agosto daquele ano, o décimo nono do reinado de Nabuco-donosor, Nebuzaradã, capitão da guarda e oficial do rei da Babilônia, chegou a Jerusalém. Queimou o templo do Senhor, o palácio real e todas as casas de Jerusalém. Pôs fogo em todos os edifícios importan-tes da cidade. Depois supervisionou o exército babilônio na demolição de todos os muros de Jerusalém. Em seguida, Nebuzaradã, capitão da guarda, deportou o povo que havia ficado na cidade, os desertores que se entregaram ao rei da Babilônia e o restante da população.

2Reis 25.8-11

Começamos nossa jornada pelo enredo da salvação com o cosmo sendo criado para ser o lugar onde céus e terra poderiam se intercalar perfeita-mente. Entretanto, por causa da autonomia do primeiro casal de represen-tantes da humanidade, abriu-se um abismo entre a criação e o Criador, o caos invadiu o universo trazendo fragmentação em todas as relações dentro dele, e a morte se tornou uma realidade inexorável entre aqueles que haviam sido feitos à imagem e semelhança de Deus. Adão e Eva foram expulsos do Jardim do Éden. Mas Deus, movido por seu desejo irremediável de fazer do cosmo seu lar eterno, começa a trazer de volta a ordem no mundo, revelando-se absolutamente fiel a Abraão e prometendo-lhe uma descendência que se tornaria uma grande nação. Por meio desse povo, todas as famílias da terra voltariam a ter acesso ao conhecimento de Deus.

Essa promessa começa a se cumprir no evento do êxodo, que representa não só o resgate dos descendentes de Abraão da opressão do caos, mas também a inauguração de uma nova criação. E isso desemboca imediatamente na aliança que Deus faz com Israel. Assim, a vocação humana perdida no Jardim do Éden é retomada no monte Sinai, onde os israelitas são chamados a "ouvirem atentamente" a voz de Deus e a viverem como um reino de sacerdotes perante todos os povos da terra. Contudo, além de terem construído um bezerro de ouro no mesmo contexto em que haviam recebido o Decálogo, os israelitas insistem em seguir o exemplo das nações idólatras mesmo após seu assentamento na terra prometida. E nem seus líderes são capazes de seguir um padrão diferente. Embora tivessem sido "tomados pelo Espírito", o coração dos juízes ainda estava tomado pela realidade de Gênesis 3.

Diante desse fracasso, Deus levanta Davi, cuja história deixa claro que a redenção do cosmo só poderia acontecer em definitivo por meio de um rei que fosse totalmente fiel à aliança. É isso que o Senhor promete, dizendo que um descendente davídico cumpriria esse papel. De fato, quando enfim chegamos ao ponto alto da história até aqui, Salomão constrói o templo e recebe a visita da rainha de Sabá, concretizando em parte o último aspecto da promessa feita por Deus a Abraão. Todavia, a despeito da grande prosperidade de que Israel desfrutou nos tempos de Salomão, vimos que o sucessor de Davi se recusou a seguir um caminho diferente de Adão e Eva: como ninguém, é ele quem quebra os mandamentos de Deus prescritos em Deuteronômio.

Nesse ponto, as coisas não parecem mais tão alvissareiras como no momento em que Deus havia prometido a Davi que perpetuaria sua dinastia. O povo já não existe como uma nação unificada em torno da adoração a Yahweh, visto que Israel agora se restringe ao reino do norte, e Judá, com sua capital Jerusalém, ao reino do sul. E isso é grave, pois sem a centralização do povo em torno do culto no templo não há possibilidade de concretização plena da promessa de Deus a Abraão. A salvação do cosmo jamais poderá chegar ao seu ponto culminante por meio de um reino fragmentado pelo pecado de seus reis. Dessa maneira, o sentimento que a narrativa bíblica gera nos leitores é de profunda frustração e incerteza: aquela sombra densa e escura que tem atemorizado a criação desde Gênesis 3 está longe de ser dissipada.

É como se tivéssemos acabado de receber notícias promissoras do tratamento de uma doença viral mortal atingindo toda a população no mundo, somente para descobrirmos em seguida que o vírus acaba de sofrer uma mutação que tornou o medicamento obsoleto antes mesmo de ser lançado.

De fato, o que vai ficando cada vez mais evidente na narrativa que segue a vida de Salomão é que nada mais poderá reverter aquele estado das coisas. No restante do segundo livro de Reis, vemos a mesma espiral descendente que havíamos acompanhado tanto em Gênesis 4—11 como no livro de Juízes. Ou seja, dos vinte governantes que o reino do norte produziu, nenhum deles era descendente genuíno de Davi, e todos, sem exceção, foram idólatras e infiéis à aliança de Deus. Em 1Reis 12.25-33, vemos que o primeiro deles, Jeroboão, privado de acesso ao templo em Jerusalém, mandou construir outros dois templos, um em Betel e outro em Dã, colocando em cada um deles um bezerro de ouro:

> Jeroboão pensou: "Se eu não tiver cuidado, o reino voltará à dinastia de Davi. Quando o povo for a Jerusalém para oferecer sacrifícios no templo do Senhor, voltará a ser leal a Roboão, rei de Judá. Eles me matarão e o proclamarão rei deles".
>
> Então, seguindo a recomendação de seus conselheiros, o rei fez dois bezerros de ouro. Disse ao povo: "É complicado demais ir a Jerusalém para adorar. Veja, Israel, estes são os deuses que tiraram vocês do Egito!".
>
> Colocou um dos bezerros em Betel e o outro em Dã, nos dois extremos de seu reino. Isso se tornou um grande pecado, pois o povo viajava até Dã, ao norte, para adorar o ídolo que ficava ali.
>
> 1Reis 12.26-30

Em outras palavras, o reino do norte reteve o nome de Israel, mas em sua totalidade já havia voltado a assumir, sem pudor algum, o jeito de ser do Egito, o império da serpente e do caos.

O reino do sul, por sua vez, conseguiu manter alguém da linhagem davídica no trono a cada geração, e também Jerusalém como capital. Em razão disso, dos vinte reis que Judá teve, dois são caracterizados por uma conduta consistente com a visão bíblica: Ezequias e Josias (2Rs 18.1—20.21; 22.1—23.30). A questão é que, diante da atitude extremamente ímpia de outros doze reis de Judá, nem mesmo a piedade de Ezequias e de Josias foi suficiente para evitar a apostasia do reino do sul. Em dado momento, Judá também, à semelhança de Israel, acabou se afastando em definitivo das palavras de Deus, a ponto de Manassés, o mais terrível de todos os reis do sul, instaurar o sacrifício de crianças a Moloque no próprio templo de Jerusalém (2Rs 21.1-18).

Como será que Deus responderia a essa falência absoluta não somente do povo, mas agora principalmente dos reis de Israel e de Judá? Ora, se estivermos antenados ao fio condutor que amarra todo o enredo bíblico até aqui — que é a revelação do caráter de Deus na história da humanidade e de seu povo —, já sabemos muito bem que o que nos aguarda rua abaixo é mais uma reprise de Gênesis 3. No Pentateuco, Yahweh mesmo tinha dito que a consequência da quebra insistente da aliança por parte do povo resultaria em cativeiro: "O SENHOR enviará vocês e seu rei para o exílio numa nação que vocês e seus antepassados não conheceram. Ali, adorarão deuses de madeira e de pedra!" (Dt 28.36; cf. 28.49,64). Algo parecido, vale lembrar, já havia ocorrido, ainda que de forma parcial, no final do período dos juízes, quando o tabernáculo foi destruído pelos filisteus. Dessa vez, com o fracasso total não só do povo mas também dos reis de Israel e de Judá, a história não poderá terminar de outro jeito, senão com o próprio fim da existência dos descendentes de Abraão na terra. Consequentemente, da mesma forma que Adão e Eva tiveram de ser exilados do Jardim do Éden, Israel é deportado para a Assíria, e Judá, para a Babilônia.

O que é peculiar a essa repetição de Gênesis 3 é que ela é completa: além da ruptura da identidade do povo, a presença de Deus se retira totalmente do meio deles, o caos deixa a população desolada, e aqueles que haviam sido chamados a ser um reino de sacerdotes voltam à condição de seus antepassados no Egito: prisioneiros e escravos distantes da terra. É por isso que, fora dos relatos de 2Reis, a Bíblia associa o exílio à imagem da morte (cf. Ez 37.1-2,11). O povo no exílio é a continuação da morte que entrou no cosmo com a queda de Adão e Eva. Tudo com que a humanidade poderia ter contribuído nesse processo já foi esgotado, e a única coisa que os seres humanos — inclusive Israel e seus reis — conseguiram realizar foi a repetição da rebeldia do primeiro casal. A convicção que temos, portanto, é de que gastamos todas as fichas. Não há nada que possamos fazer. Nunca houve. Quando achávamos que sairíamos da estaca zero, descobrimos mais uma vez que não temos condições de avançar de lá.

Mas e agora? Se o enredo desemboca em uma espécie de repetição de Gênesis 3, será mesmo que existe esperança? Será que a redenção do cosmo

108 O ENREDO DA SALVAÇÃO

poderá realmente acontecer? É aqui que entram em cena os profetas bíblicos. Diferentemente do que é pregado em muitos lugares hoje, os profetas bíblicos não eram pessoas que se ocupavam em buscar revelações estranhas sobre o futuro ou sobre segredos espirituais supostamente ocultos. Embora a Bíblia descreva os profetas de variadas maneiras, o principal denominador comum que determinava se um profeta era de Deus não dizia respeito à capacidade de fazer predições ou de ter visões místicas. O interessante é que o importante texto de Deuteronômio 13.1-18 afirma não só que o falso profeta poderia realizar todas essas coisas, como também que, em muitos dos casos, aquilo que o falso profeta anunciava poderia até acontecer. A questão é que o falso profeta realizava todas essas coisas para, no final, chamar a atenção para si, não para Deus, levando o povo a seguir os ídolos pagãos. Anunciar o futuro e realizar prodígios não fazia de alguém um profeta genuinamente enviado por Yahweh. O episódio de Balaão indica que a região estava repleta desse tipo de fenômeno (Nm 22.1-41).

Segundo a Lei, o que caracterizava um profeta verdadeiro era o seu apego à aliança e, consequentemente, à palavra de Deus. O profeta era, antes e acima de tudo, um guardião da revelação do caráter de Yahweh nas Escrituras. Não surpreende, nesse sentido, que os profetas bíblicos tenham sido, sem exceção, iconoclastas, o tempo todo chamando o povo a voltar para a adoração genuína ao Senhor. Elias e Eliseu realizaram grandes sinais (1Rs 17.1-24; 18.20-46; 2Rs 4.1-44; 5.1-19; 6.1-7), ao passo que Jeremias e Malaquias, por exemplo, não. Mas todos eles tinham em comum seu zelo pela glória de Yahweh revelada na narrativa de seu povo. Era com base nisso que os profetas conseguiam interpretar o presente e falar do futuro. Uma vez que os profetas conheciam muito bem o caráter de Deus revelado de forma normativa nas Escrituras — ou seja, uma vez que os profetas conheciam muito bem o passado, o enredo da salvação —, eles eram capazes de antecipar como Deus responderia no presente e no futuro. Conhecendo bem o caráter de Deus, e percebendo que o povo e seus monarcas não se arrependeriam de sua idolatria, foram os profetas, então, que anunciaram a destruição do templo e a chegada do exílio.

O detalhe que faz toda a diferença, porém, sem o qual não poderíamos encerrar este capítulo, é que os profetas, conhecendo bem o caráter de Deus, sabiam também que a ira de Deus não era a palavra final. E eles, conhecendo bem o caráter de Yahweh, sabiam que a santidade e a justiça do Senhor de maneira nenhuma contradiziam sua graça. Com base na própria história que os seus antepassados haviam vivido, os profetas entendiam muito bem que o mesmo Yahweh que "trazia as consequências do pecado dos pais sobre os filhos até a terceira e quarta geração" era também "Deus de compaixão e misericórdia, lento para se irar, cheio de amor e fidelidade" (Êx 34.6-7). Embora o juízo divino contra a idolatria do povo fosse inevitável, o compromisso do Criador de restaurar o cosmo por meio de um povo redimido era irrevogável. Assim, esses mesmos profetas que anunciaram a retribuição de Deus contra a obstinação da nação, que choraram por causa das calamidades que sobreviriam ao povo e a eles mesmos, que chegaram a sofrer perseguição em virtude de seu amor à aliança, fizeram questão de lembrar seus contemporâneos de que, embora o exílio e a morte fossem reais, o Senhor haveria de continuar seu projeto de habitar entre eles mais uma vez.

E o que especificamente os profetas anunciaram sobre o futuro dos planos divinos? Há, com certeza, uma infinidade de ênfases teológicas na literatura profética que poderíamos mencionar para responder a essa pergunta,[1] mas para os propósitos deste livro cinco exemplos bastarão para que fique claro o que haveria de acontecer quando Yahweh fosse revisitar seu povo. Podemos começar com Amós, cuja pregação sublinha o problema da injustiça social. Nos dias de Jeroboão II, embora Israel desfrutasse de grande prosperidade — como se a bolsa de valores batesse mais de cem mil pontos diariamente[2] —, os mais fortes da sociedade oprimiam os vulneráveis com o intuito de incrementar suas posses, em flagrante distanciamento da Lei e do chamado de ser uma bênção para as nações (Am 2.6-7). E a raiz de todo aquele problema era a idolatria (Am 4.4-5). Assim, no cerne da mensagem de Amós está a exortação para que o povo honre seu verdadeiro chamado de refletir o caráter de Yahweh: "Em vez disso, quero ver uma grande inundação de justiça, um rio inesgotável de retidão" (Am 5.24). Israel, sabemos, ignoraria o apelo do profeta. O interessante, porém, é que os últimos versos do livro, em Amós 9.11-15, encerram com uma mensagem de esperança: retidão virá ao povo de Israel e às nações da terra com a chegada de um rei davídico:

---

[1] Ver Beale, *Teologia bíblica do Novo Testamento*, p. 94-126.
[2] Devo essa analogia ao economista e obreiro da Igreja Presbiteriana do Caminho, Davi Jung, que nos trouxe uma excelente reflexão em Amós durante um interlúdio na série original sobre o enredo da salvação.

110 O ENREDO DA SALVAÇÃO

"Naquele dia, restaurarei a tenda caída de Davi
    e consertarei seus muros quebrados.
Das ruínas a reconstruirei
    e restaurarei sua antiga glória.
Israel possuirá o que restar de Edom
    e de todas as nações que chamei para serem minhas".
O Senhor falou
    e fará essas coisas.

"Virá o tempo", diz o Senhor,
    "em que o trigo e as uvas crescerão tão rápido
    que o povo não dará conta de colhê-los.
Vinho doce gotejará das videiras
    no alto das colinas de Israel.
Trarei meu povo exilado de Israel
    de volta de terras distantes,
e eles reconstruirão as cidades destruídas
    e voltarão a morar nelas.
Plantarão vinhedos e jardins,
    comerão de suas colheitas e beberão de seu vinho.
Eu os plantarei firmemente ali,
    em sua própria terra.
Nunca mais serão arrancados da terra que lhes dei",
    diz o Senhor, seu Deus.

Mais adiante no enredo bíblico, no concílio de Jerusalém em Atos 15.12-21, o apóstolo Tiago, meio-irmão de Jesus, dirá que o texto de Amós 9.11-15 encontra seu cumprimento no Messias ressurreto, em quem os gentios também podiam finalmente receber a "purificação do coração" (At 15.9).

De igual modo, o profeta Jeremias, que interpretou as ações de Deus nos anos subsequentes aos reinados de Manassés e de Amom a partir da teologia de Deuteronômio (1Rs 21.26; Jr 1.2c), também anuncia o restabelecimento do trono davídico (Jr 33.14-22). O que vale destacar é que o contexto literário mais amplo de Jeremias contempla a expectativa de que o governo do rei escatológico afetaria todo o jeito de ser do povo. Dessa maneira, uma vez que o problema principal dos israelitas e de seus líderes era sua incapacidade de guardar a aliança, o Senhor promete por meio do profeta que, no grande dia em que seu pacto fosse renovado com Israel — sob o auspício do "Renovo de Davi" (Jr 33.14) —, ele mesmo capacitaria a nação a viver segundo seus preceitos. Vemos isso claramente em Jeremias 31.31-34:

> "Está chegando o dia", diz o Senhor, "em que farei uma nova aliança com o povo de Israel e de Judá. Não será como a aliança que fiz com seus antepassados, quando os tomei pela mão e os tirei da terra do Egito. Embora eu os amasse como o marido ama a esposa, eles quebraram a aliança", diz o Senhor.
>
> "E esta é a nova aliança que farei com o povo de Israel depois daqueles dias", diz o Senhor. "Porei minhas leis em sua mente e as escreverei em seu coração. Serei o seu Deus, e eles serão o meu povo. E não será necessário ensinarem a seus vizinhos e parentes, dizendo: 'Você precisa conhecer o Senhor'. Pois todos, desde o mais humilde até o mais importante, me conhecerão", diz o Senhor. "E eu perdoarei sua maldade e nunca mais me lembrarei de seus pecados."

O problema não era a Lei, mas o coração humano, incapaz de seguir a Lei. (Paulo diz algo parecido em Romanos 7.14-20.) E já que a nação jamais conseguiria realizar uma cirurgia cardíaca nela mesma, o próprio Yahweh faria aquilo.[3] A renovação do trono davídico, portanto, envolveria a renovação da Lei que culminaria na renovação do próprio coração do povo.

As implicações cúlticas e éticas da restauração da dinastia de Davi são pressupostas igualmente pelo profeta Isaías. A despeito de todas as calamidades que estavam prestes a acometer o povo devido a seu teimoso abandono da aliança, Isaías insiste que Yahweh jamais se esqueceria da promessa que havia feito em 2Samuel 7.8-17. No entanto, na passagem mais famosa em que o profeta anuncia a vinda do rei ideal, em Isaías 11.1-10, percebemos que os efeitos do governo do descendente de Davi seriam nada menos que cósmicos:

> Do tronco da linhagem de Jessé brotará um renovo;
> > sim, um novo Ramo que de suas raízes dará frutos.
> E o Espírito do Senhor estará sobre ele,
> > o Espírito de sabedoria e discernimento,
> > o Espírito de conselho e poder,
> > o Espírito de conhecimento e temor do Senhor.

---

[3] Devo essa observação à colega Rachel Sousa, que pregou um belíssimo sermão em Jeremias 31.31-34 na Igreja Presbiteriana do Caminho durante o mesmo interlúdio mencionado na nota acima.

112   O ENREDO DA SALVAÇÃO

Ele terá prazer em obedecer ao Senhor;
> não julgará pela aparência, nem acusará com base em rumores.

Fará justiça aos pobres
> e tomará decisões imparciais em favor dos oprimidos.

A terra estremecerá com a força de sua palavra,
> e o sopro de sua boca destruirá os perversos.

Vestirá a justiça como um cinto
> e a verdade como uma cinta nos quadris.

Naquele dia, o lobo viverá com o cordeiro,
> e o leopardo se deitará junto ao cabrito.

O bezerro estará seguro perto do leão,
> e uma criança os guiará.

A vaca pastará perto do urso,
> e seus filhotes descansarão juntos;
> o leão comerá capim, como a vaca.

O bebê brincará em segurança perto da toca da cobra;
> sim, a criancinha colocará a mão num ninho de víboras.

Em todo o meu santo monte,
> não se fará mal nem haverá destruição,

pois, como as águas enchem o mar,
> a terra estará cheia de gente que conhece o Senhor.

Naquele dia, o descendente de Jessé
> será uma bandeira de salvação para todo o mundo.

As nações se reunirão junto a ele,
> e a terra onde ele habita será um lugar glorioso.

Ou seja, o rei escatológico surgiria do meio das cinzas do exílio (11.1), seria cheio do Espírito do Senhor, refletindo também o caráter divino (11.2), e viveria na justiça e na retidão para a qual a Lei sempre havia apontado (11.3-4), de modo que toda a terra contemplaria a glória de Deus (11.9-10). Mas o mais impressionante de tudo isso é que todas essas coisas representariam a restauração da ordem perdida no Jardim do Éden (11.6-8).[4] Em outras palavras, ainda que o pecado tivesse fragmentado a boa criação e desolado a

---

[4] Ver mais sobre esse assunto em Beale e Kim, *Deus mora entre nós*, p. 45-55.

humanidade e o povo da aliança, o próprio Deus salvaria o cosmo mediante o descendente ideal de Davi — e de Abraão e de Adão e Eva.[5]

Se Jeremias sugere que a verdadeira enfermidade residia no coração do povo, Ezequiel, por sua vez, nos dá um retrato ainda mais potente. A real condição de Israel no exílio e, por implicação, de toda humanidade após Gênesis 3 é que o mundo se parece com um imenso cemitério: "A mão do SENHOR veio sobre mim, e o Espírito do SENHOR me levou a um vale cheio de ossos. Ele me conduziu por entre os ossos que cobriam o fundo do vale, espalhados por toda parte e completamente secos" (Ez 37.1-2). Contudo, na mesma visão, em Ezequiel 37.11-14, o Senhor anuncia que, no tempo devido, sopraria seu fôlego de vida sobre aqueles cadáveres, de modo que os ossos secos voltariam a viver como uma grande nação:

> Então ele me disse: "Filho do homem, esses ossos representam todo o povo de Israel. Eles dizem: 'Tornamo-nos ossos velhos e secos; não há mais esperança. Nossa nação acabou'. Portanto, profetize para eles e diga: 'Assim diz o SENHOR Soberano: Ó meu povo, eu abrirei as sepulturas do exílio e os farei sair delas. Então os trarei de volta à terra de Israel. Quando isso acontecer, meu povo, vocês saberão que eu sou o SENHOR. Soprarei meu espírito em vocês, e voltarão a viver, e eu os trarei de volta para sua terra. Então saberão que eu, o SENHOR, falei e cumpri o que prometi. Sim, eu, o SENHOR, falei!'".

O que vemos aqui é a antecipação de que, no dia em que o exílio for findado e o povo de Deus experimentar a tão aguardada salvação, o mal será resolvido pela raiz. A salvação do povo de Deus se realizará pela vitória sobre o pior inimigo de todos desde Gênesis 3: a própria morte. Ademais, o Espírito do Senhor será derramado sobre todo o povo, não mais somente sobre os líderes. E tudo isso, não podemos nos esquecer, também sob o governo de um rei davídico: "Meu servo Davi será seu rei, e eles terão um só pastor. Seguirão meus estatutos e terão o cuidado de guardar meus decretos. [...]

---

[5] Encontramos uma relação temática semelhante no texto apocalíptico de Daniel 7, em que os impérios pagãos são apresentados pela imagem de animais bestiais, mas Israel é representado pela figura de um "filho de homem". Na opinião de muitos eruditos, Daniel 7 pressupõe a teologia de Gênesis 1—2, em que a humanidade recebe a autoridade para governar sobre todas as criaturas da terra. A visão de Daniel 7 é de extrema importância para a teologia do Novo Testamento, mas, por questões de espaço, terá de ser abordada em outra ocasião.

114 O ENREDO DA SALVAÇÃO

Sim, eu habitarei no meio deles. Serei o seu Deus, e eles serão o meu povo" (Ez 37.24,27).

E, finalmente, devemos fazer menção do profeta Joel, uma vez que ele também anuncia o derramamento da presença de Deus sobre todo o povo no dia da visitação divina. Em Joel 2.28-32, que é a passagem bíblica que o apóstolo Pedro interpreta para explicar a descida do Espírito Santo no dia de Pentecostes em Atos 2.14-36, há o prenúncio de que o fim do exílio inaugurará a reconciliação definitiva da presença de Yahweh com a nação:

> "Então, depois que eu tiver feito essas coisas,
> derramarei meu Espírito sobre todo tipo de pessoa.
> Seus filhos e suas filhas profetizarão;
> os velhos terão sonhos,
> e os jovens terão visões.
> Naqueles dias, derramarei meu Espírito
> até mesmo sobre servos e servas.
> Farei maravilhas nos céus e na terra:
> sangue e fogo, e colunas de fumaça.
> O sol se escurecerá,
> a lua se tornará vermelha como sangue
> antes que chegue o grande e terrível dia do Senhor.
> Mas todo aquele que invocar o nome do Senhor será salvo,
> pois alguns no monte Sião, em Jerusalém, escaparão,
> como o Senhor prometeu.
> Estarão entre os sobreviventes
> que o Senhor chamou."

O que nos dá esperança, portanto, é que o enredo da salvação não depende de nós, nem diz respeito primordialmente a nós, seja a nosso suposto sucesso ou nosso evidente fracasso. No quesito "capacidade humana de realizar a manutenção do cosmo como espaço sagrado", a norma sempre foi Gênesis 3, mas não será isso que definirá o destino da criação para sempre. O enredo da salvação diz respeito ao caráter imutável de Deus: sua justiça perfeita e sua graça eterna que nunca mudam. Assim, a única coisa que nos segura nessa história neste ponto são as promessas que Deus faz repetidas vezes por meio dos profetas. Se as Escrituras nos mostram que a morte é a única coisa que a humanidade consegue produzir por si a partir de Adão e Eva, elas nos lembram também de que o Autor da vida — que criou céus e terra, chamou Abraão, julgou o Egito, formou Israel, ungiu Davi e abençoou Salomão — levantou profetas para anunciar, em meio à iminência do exílio, que jamais desistiria de restaurar o cosmo. Esse Deus nunca mente: o descendente ideal de Davi um dia virá para fazer morada entre seu povo. E, quando isso acontecer, será vida entre os mortos.

PARTE III

Do nascimento à ressurreição de Jesus

11
A chegada do salvador:
O descendente de Davi e de Abraão

Este é o registro dos antepassados de Jesus Cristo, descendente de Davi e de Abraão:

Abraão gerou Isaque.

Isaque gerou Jacó.

Jacó gerou Judá e seus irmãos.

Judá gerou Perez e Zerá, cuja mãe foi Tamar.

Perez gerou Esrom.

Esrom gerou Rão.

Rão gerou Aminadabe.

Aminadabe gerou Naassom.

Naassom gerou Salmom.

Salmom gerou Boaz, cuja mãe foi Raabe.

Boaz gerou Obede, cuja mãe foi Rute.

Obede gerou Jessé.

Jessé gerou o rei Davi.

Davi gerou Salomão, cuja mãe foi Bate-Seba, viúva de Urias.

Salomão gerou Roboão.

Roboão gerou Abias.

Abias gerou Asa.

Asa gerou Josafá.

Josafá gerou Jeorão.

Jeorão gerou Uzias.

Uzias gerou Jotão.

Jotão gerou Acaz.

Acaz gerou Ezequias.

Ezequias gerou Manassés.

Manassés gerou Amom.

Amom gerou Josias.

Josias gerou Joaquim e seus irmãos, nascidos no tempo do exílio na Babilônia.

120 O ENREDO DA SALVAÇÃO

> Depois do exílio na Babilônia:
> Joaquim gerou Salatiel.
> Salatiel gerou Zorobabel.
> Zorobabel gerou Abiúde.
> Abiúde gerou Eliaquim.
> Eliaquim gerou Azor.
> Azor gerou Sadoque.
> Sadoque gerou Aquim.
> Aquim gerou Eliúde.
> Eliúde gerou Eleazar.
> Eleazar gerou Matã.
> Matã gerou Jacó.
> Jacó gerou José, marido de Maria.
> Maria deu à luz Jesus, que é chamado Cristo.
>
> Portanto, são catorze gerações de Abraão até Davi, catorze de Davi até o exílio na Babilônia e catorze do exílio na Babilônia até Cristo.
>
> MATEUS 1.1-17

Coincidência ou não, foi na segunda semana de advento que preparei a versão final deste capítulo. Em uma brilhante exposição sobre a anunciação angelical em Lucas 2.8-20, uma das obreiras da Igreja Presbiteriana do Caminho, Rachel Sousa, tinha acabado de remeter nossa comunidade à comovente história de Darlene Etienne, uma adolescente haitiana que, quinze dias após o devastador terremoto de 12 de janeiro de 2010, foi encontrada viva nos escombros de uma escola em Porto Príncipe. As equipes de resgate haviam encerrado as buscas fazia cinco dias, mas por acaso habitantes da região, enquanto vasculhavam o que restava de suas próprias casas, ouviram a voz de uma pessoa soterrada e rapidamente procuraram ajuda. Em poucos instantes, Darlene estaria a caminho da ambulância ao som de uma pequena multidão que aclamava todos os envolvidos no salvamento da garota: "A melhor equipe de resgate do mundo!".

De fato, em todos os anos de minha vida, não me recordo de nenhum relato de vítimas de soterramento que conseguiram se salvar por si mesmas. É o tipo de situação em que só pode haver esperança se alguém de fora ouvir nosso gemido, compadecer-se de nós e vir ao nosso socorro. Naqueles quinze dias,

Darlene certamente alimentou essa expectativa. Segundo o relato da BBC, ao ver o líder das forças de salvamento, a única palavra que pôde sair dos lábios da garota foi "obrigada".[1] Se eu estivesse naquele lugar, também não teria muito mais a dizer. E é disso que o advento nos lembra todos os anos.

Entre muitas outras coisas, o enredo da salvação tem sido marcado por um tom de angústia e de frustração. Para que o plano divino de redimir céus e terra pudesse se realizar, era necessário que a vocação humana, que havia sido perdida no Jardim do Éden, fosse levada a cabo por alguém que seguiria o caminho contrário ao caminho da autonomia, trilhado por Adão e Eva. E Deus começou a mostrar essa realidade a partir de Abraão e, subsequentemente, por meio da aliança com Israel no monte Sinai. Mas, a partir daquele momento, percebemos também dois grandes problemas que tem dado o tom de angústia e de frustração à história bíblica. Primeiro, os israelitas falharam consistentemente em cumprir o chamado que Deus lhes dera: em vez de se assemelharem a Yahweh, imitaram as nações idólatras de seu entorno e seguiram seu próprio "conhecimento do bem e do mal". Com essa falha, então, o plano de salvação precisou ser afunilado sobre a figura do rei do povo. Todavia, assim como todos os seres humanos desde Gênesis 3, os reis também fracassaram na tarefa de viver segundo a aliança de forma plena. Esse é o segundo problema. Nem Davi, nem Salomão, nem ninguém viveu de maneira perfeitamente distinta dos caminhos de Adão e Eva e, por isso, a permanência da presença de Deus teve de ser suspensa mais uma vez, a exemplo do que havia acontecido em Gênesis 3. Consequentemente, as nações teriam de permanecer sem ver o cumprimento pleno das promessas divinas a Abraão. A culminação da história de Israel e dos reis no exílio serve a um propósito didático de extrema importância, sem o qual não conseguimos entender o que vem no Novo Testamento: o Antigo Testamento aniquila qualquer sombra de dúvidas de que a humanidade é incapaz de se regenerar por si mesma. Fazendo coro com Paulo, "já mostramos que todos, judeus ou gentios, estão sob o poder do pecado", e "todos pecaram e não alcançam o padrão da glória de Deus" (Rm 3.9,23).

Mas é justamente por causa desse tom angustiante e frustrante que precisamos também insistir que a história contada de Gênesis a Apocalipse é, antes

---

[1] BBC Brasil, "Haitiana é resgatada em escola 15 dias após o terremoto", 28 de janeiro de 2010, <https://www.bbc.com/portuguese/noticias/2010/01/100128_haiti_resgatada_vdm>. Acesso em 12 de janeiro de 2021.

122 O ENREDO DA SALVAÇÃO

e acima de tudo, a história sobre a fidelidade divina: o compromisso de Deus com seu plano de habitar permanentemente no cosmo e com suas promessas de fazer que isso acontecesse, mesmo com a humanidade, o tempo todo, dificultando esse processo. Nesse sentido, conforme fazemos a transição para o Novo Testamento, precisamos perceber que fomos trazidos a uma encruzilhada, em que o fracasso absoluto da raça humana e o desejo de Deus de restaurar sua criação colidem em profunda tensão. Por um lado, a única coisa em que podemos nos agarrar é o fato de os profetas terem anunciado que, a despeito do juízo que Israel tinha feito por merecer, Deus haveria de enviar o descendente de Davi para conduzir as promessas a Abraão ao seu ponto culminante. Por outro lado, à luz de toda essa história que nos levou ao exílio, não temos a menor ideia de como isso pode acontecer. O que será que prevalecerá daqui para a frente: a fidelidade de Deus ou a incapacidade humana?

Sem dúvida, "tensão" é uma das palavras-chave para entendermos o mundo do Novo Testamento. É óbvio que não temos espaço aqui para detalhar a situação dos israelitas na virada das eras. Uma coisa que é essencial sabermos, em todo caso, é que, em comparação com a realidade pré-exílica, nos dias retratados nos Evangelhos não muita coisa havia evoluído em direção à retomada da vocação humana. Depois de anos no exílio, os israelitas que haviam decidido reconstruir a vida na Palestina com a autorização de Ciro da Pérsia, a partir da geração de Esdras e de Neemias, vieram a assumir uma postura bastante radical em relação à integridade de sua autopercepção. Tendo aprendido a dura lição de que a quebra dos mandamentos prescritos em Deuteronômio era uma péssima ideia, o povo, que naquela época já era chamado "judeu" em virtude de sua centralização em torno da Judeia, passou a adotar três símbolos para definir sua identidade: o templo, a Lei e a pureza étnica.

A despeito desse zelo, porém, os judeus continuaram a viver a maior parte desse período sob o domínio de outras nações pagãs. Após os persas, vieram os gregos, os ptolomeus, os selêucidas e, depois de um período de independência sob o governo dos macabeus (ou asmoneus), os romanos.[2] E mesmo durante os cem anos que seguiram a famosa conquista dos macabeus, os

---

[2] Uma das discussões mais acessíveis sobre esse período está disponível em português em F. F. Bruce, *História do Novo Testamento* (São Paulo: Vida Nova, 2019). Para um estudo mais exaustivo e atualizado com os avanços nas pesquisas recentes, ver Martin Goodman, *A história do Judaísmo: A saga de um povo: das suas origens aos tempos atuais* (São Paulo: Planeta, 2020), p. 27-263.

A CHEGADA DO SALVADOR **123**

líderes que os próprios judeus haviam produzido foram considerados piores que aqueles dos dias do livro de Juízes. O relato mais extenso sobre esse período, oferecido pelo historiador judeu Flávio Josefo, que viveu no primeiro século d.C., é digno de uma megaprodução hollywoodiana. Quando chegamos à época do Novo Testamento, portanto, é bem claro que, embora o povo tivesse voltado do exílio e já estivesse vivendo na terra, a realidade do exílio — e de Gênesis 3 — ainda não havia se dissipado. Assim como o Egito havia permanecido em Israel mesmo após a saída de Israel do Egito, o exílio ainda era uma realidade muito palpável entre os judeus mesmo após seu retorno do cativeiro. Tanto é que não muito tempo após o retorno à terra, os profetas Ageu, Zacarias e Malaquias protestam contra a complacência da nação em relação à finalização do templo, e quem governa sobre os judeus no primeiro século é ninguém menos que Herodes, um fantoche dos romanos que, até o nascimento de Jesus, já havia se ensandecido, ordenando o assassinato da própria esposa e de dois de seus filhos (Josefo, *Antiguidades* 15).

Entender isso é importante porque, se você fosse um judeu piedoso dessa época, que cresceu ouvindo seus pais contarem a história tratada neste livro — a história de que Deus ainda haveria de concluir sua obra de redenção do cosmo —, você certamente navegaria toda essa tensão com um profundo senso de expectativa pela vinda daquele que os profetas haviam anunciado. E, em particular na época de Herodes, muitos judeus se referiam a essa figura anunciada pelos profetas com um apelido que veio a se tornar muito famoso: "Messias", no hebraico, ou "Cristo", no grego, que significa "ungido" em português. Em síntese, um judeu piedoso do primeiro século digeria a tensão entre a fidelidade de Deus e a realidade bagunçada à sua volta, aguardando a vinda do Messias que, à semelhança de seu antepassado Davi, libertaria o seu povo das mãos dos pagãos, restauraria a adoração em Israel e posicionaria os judeus como os representantes de Deus perante todas as nações. E, na sua imaginação, esse evento seria tão grandioso que representaria o retorno definitivo do exílio — ou, na linguagem do profeta Ezequiel que vimos no capítulo anterior, a ressurreição dos mortos.

É nesse ambiente que entra em cena a figura mais importante de toda essa história, para quem nós temos apontado desde o episódio inicial desta série: Jesus de Nazaré. No entanto, é muito importante que comecemos a falar de Jesus deixando claro que ele não "caiu do céu" — Jesus não aparece "do além" para realizar algo completamente inusitado e desconectado de qualquer

124 O ENREDO DA SALVAÇÃO

contexto. Essa afirmação pode até parecer trivial, mas é precisamente isso que está por trás do entendimento de muitas pessoas que frequentam nossas igrejas. A impressão que dá nas famosas "quatro leis espirituais", por exemplo, é que o enredo da salvação pula de Gênesis 3 direto para a crucificação de Jesus. O problema de se interpretar Jesus à parte da história da qual ele mesmo fazia parte, contudo, é que ficamos fadados a reduzir sua missão a meras ideias abstratas. Uma prova disso é que um sem-número de evangélicos entende a importância de Jesus somente em termos de que ele "morreu por nós", mas poucos sabem explicar por que, afinal de contas, a cruz de Cristo foi eficaz para nos beneficiar de alguma forma. Ou seja, embora seja biblicamente inquestionável que Jesus "morreu por nós", especialmente para lidar com o problema dos nossos pecados (cf. Rm 3.21-26; 4.25; 5.8; 8.3), há ainda muitos leitores da Bíblia que nem mesmo compreendem a razão de Jesus ter vivido tanto tempo, já que, no entendimento deles, o Messias com o qual estão acostumados — abstrato, despido de qualquer contexto — veio somente para morrer. Como consequência, o evangelho serve apenas para aliviar nossa consciência — graças a Deus, alguém morreu em nosso lugar! —, não tendo conexão alguma com os afazeres da segunda-feira.

Entretanto, se quisermos entender quem foi Jesus e o que ele realizou — inclusive por que sua morte foi eficaz para pagar por nossos pecados —, é imprescindível que localizemos os Evangelhos no longo enredo que começou em Gênesis. E é disso que fala Mateus 1.1-17. Mateus se dá ao trabalho de começar pela genealogia de Jesus porque, sem essas informações, nada do que Jesus realizou — nem mesmo a sua morte — seria inteligível. No terceiro capítulo deste livro, nós mencionamos rapidamente que as genealogias na Bíblia desempenham funções muito mais teológicas do que genéticas. Em Gênesis, por exemplo, há uma ênfase cristalina em sugerir que, apesar da queda de Adão e Eva, o Criador não havia deixado de abençoar as gerações seguintes. O primeiro capítulo do cânone do Novo Testamento não é diferente: além de apresentar a linhagem de Jesus, sua genealogia nos oferece uma visão teológica do significado de seu nascimento.

A genealogia de Jesus localiza sua vida precisamente no enredo da salvação que temos tratado aqui. É importante percebermos que Lucas também apresenta uma genealogia de Jesus, mas seguindo uma abordagem diferente. Lucas começa em Jesus e volta até Adão e o próprio Deus (Lc 3.23-38), ao passo que Mateus começa em Abraão, passa por Davi e pelo exílio, chegando finalmente em Jesus. Isso significa que Jesus é aquele que veio resgatar as promessas que Deus havia feito tanto a Abraão como a Davi: por seu intermédio, todas as famílias da terra enfim conheceriam a glória divina, o governo do próprio Deus se tornaria uma realidade plena, e céus e terra seriam redimidos. Em outras palavras, Jesus é aquele que esmagaria em definitivo a cabeça da serpente, restabelecendo a ordem perfeita de Deus no cosmo — ele é o apogeu desse longo drama que se iniciou lá no Jardim do Éden, o Rei supremo que os profetas haviam anunciado, o descendente ideal de Davi e de Abraão. E o detalhe exegético que não podemos ignorar é que a frase de abertura do Evangelho de Mateus — no grego, *biblos geneseōs*, "livro da genealogia" — é exatamente a mesma expressão usada na versão grega antiga de Gênesis 2.4 para introduzir o relato da formação de Adão e Eva, o primeiro casal de representantes da humanidade.

Ademais, diferentemente de Lucas, Mateus estrutura a genealogia de Jesus em três momentos específicos da história de Israel: Abraão, Davi e o exílio, com catorze gerações entre eles. O número sete na literatura bíblica normalmente remonta à semana da criação do universo, e a tripla repetição de duas vezes sete aponta para a ideia de completude perfeita. Sendo um judeu que gostava de brincar com conotações simbólicas de números, o ex-cobrador de impostos Mateus apresenta Jesus como o ponto culminante do enredo redentivo. Pode ser também que haja aqui o uso de um artifício literário bem atestado na literatura rabínica, chamado gematria, em que o número catorze equivale ao termo "Davi". As consoantes hebraicas *dāleṯ*, *wāw* e *dāleṯ*, do nome do grande rei de Israel, *Dāwiḏ*, correspondem respectivamente aos algarismos quatro, seis e quatro, que somados dão catorze. O curioso é que o décimo quarto nome mencionado na genealogia de Jesus é o de Davi. Em todo caso, é importante esclarecer que, se Mateus de fato lança mão aqui da gematria, essa ocorrência difere bastante daqueles métodos cabalísticos em que supostas correspondências numéricas são decifradas do texto bíblico, como se este ocultasse "verdades misteriosas". Não há nada de oculto em Mateus 1.1-17: aquele que está prestes a realizar o cumprimento pleno da história da salvação é ninguém menos que o descendente de Davi por excelência.

Essa ideia é eloquentemente corroborada por aquilo que acontece logo após o nascimento de Jesus, na visita dos magos vindos do Oriente (Mt 2.1-12). Ora, do que mais essa imagem de pessoas importantes vindas de outras nações para adorar o Deus de Israel nos lembraria, senão da rainha de Sabá, que séculos

126 O ENREDO DA SALVAÇÃO

antes havia visitado Salomão, o primeiro sucessor de Davi, em Jerusalém? De fato, o profeta Isaías havia imaginado o tempo da restauração precisamente em termos das nações se reunindo em Sião para reconhecer a grandeza de Yahweh:

> Levante-se, Jerusalém!
> Que sua luz brilhe para que todos a vejam,
> pois sobre você se levanta e reluz a glória do SENHOR.
> Trevas escuras como a noite cobrem as nações da terra,
> mas sobre você se levanta e se manifesta a glória do SENHOR.
> As nações virão à sua luz,
> os reis verão o seu esplendor.
>
> Levante os olhos e veja,
> pois todos se reúnem e voltam para casa!
> Seus filhos vêm de terras distantes,
> e suas filhas pequenas são carregadas nos braços.
> Você os verá,
> e seu coração vibrará de alegria,
> pois comerciantes do mundo todo virão até você
> e lhe trarão as riquezas de muitas nações.
> Grandes caravanas de camelos cobrirão sua terra,
> camelos vindos de Midiã e de Efá.
> O povo de Sabá trará ouro e incenso
> e adorará o SENHOR.
> Entregarão a você os rebanhos de Quedar
> e trarão para meus altares os carneiros de Nebaiote.
> Aceitarei suas ofertas
> e tornarei meu templo ainda mais glorioso.
>
> Isaías 60.1-7

A diferença é que, em Mateus, os magos não são levados até Jesus pela fama de um edifício feito por mãos humanas — é Herodes quem está em Jerusalém —, mas pelo testemunho de uma estrela. No caso de Jesus, os próprios céus apontam para sua glória.

Mais importante ainda que tudo isso, ao estruturar a genealogia de Jesus dessa maneira, Mateus destaca que a vida de Jesus está não só em ampla continuidade com as promessas que Deus tinha feito a Abraão e a Davi, mas também em completa identificação com a realidade do exílio — que, conforme vimos, representa a repetição de Gênesis 3. A ênfase dada pelo evangelista, portanto, é que Jesus nasce exatamente na encruzilhada entre a fidelidade de Deus e a incapacidade humana. Assim, Mateus inclui algumas quebras de padrão, mencionando quatro mulheres entre a multidão de nomes masculinos na genealogia do Messias: Tamar, Raabe, Rute e Bate-Seba (Mt 1.3,5,6). Isso é altamente relevante, porque todas essas quatro figuras femininas evocam episódios muito específicos na longa narrativa de Israel, lembrando o leitor de que a biografia do povo, desde os dias dos patriarcas, jamais havia sido perfeita — muito menos "pura" em termos nacionalistas. A história de Tamar foi tão marcada por falhas éticas que a chantagem dela só não foi pior que a série de enganações de seu sogro Judá, um dos filhos de Jacó (Gn 38.1-30). Raabe foi a prostituta de Jericó que ajudou os espias israelitas nos primeiros capítulos de Josué e, por isso, foi poupada da destruição (Js 2.1-24). Rute foi a moabita que demonstrou mais fé e dignidade que muitos de seus contemporâneos da época dos juízes (Rt 1—4). E Bate-Seba foi aquela de quem o grande rei Davi se apossou às custas da vida de um de seus homens de confiança (2Sm 11.1—12.23). É instrutivo, aliás, que Bate-Seba nem sequer seja mencionada pelo nome no texto grego, sendo referida apenas por "a mulher de Urias".

O ponto é que, embora Jesus seja o rei que Israel nunca havia conseguido produzir, ele não veio escrever uma história "do zero", descartando toda a trajetória de seu povo antes dele. Muito pelo contrário: sendo o Filho de Davi e de Abraão, ele acolhe toda essa história de fracassos, de quedas, de angústias e de frustrações, para finalmente reverter o problema do exílio e de Gênesis 3. O Messias veio encontrar seu povo e toda a humanidade nos escombros das falhas que eles cometeram perante o Criador. Ou, se preferirmos outra metáfora, Jesus pega o bastão da vocação humana no ponto em que os demais haviam deixado cair, cumprindo assim essa vocação perfeitamente e representando a todos na linha de chegada.

Com isso, não deve nos surpreender que, à semelhança de Israel, Jesus também tenha sido trazido do Egito (Mt 2.19-23; cf. Os 11.1), começado seu ministério a partir da travessia das águas (Mt 3.13-17; cf. Êx 14.15-25), recebido da parte de Deus o *status* de "meu Filho" (Mt 3.17; cf. Êx 4.22; Sl 2.7) e se dirigido, sob a orientação da própria presença divina, ao deserto (Mt 4.1; cf. Êx 16.35). Lá, tendo perambulado por quarenta dias e quarenta noites, Jesus seguiria o caminho oposto àquele trilhado por Israel: "Uma pessoa não vive só de pão, mas de toda palavra que vem da boca de Deus" (Mt 4.4; cf. Dt 8.3). Detalhes exegéticos sobre esses — e mais — paralelos entre o ministério de Jesus e a narrativa de Israel terão de ficar para outro estudo. Mas, caso o leitor ou a leitora ainda não tenha percebido, o que Mateus quer dizer é que Jesus, sendo aquele que finalmente levaria a cabo os planos de Deus de restaurar o cosmo, reviveu a história de Israel com perfeição, cumprindo a vocação humana à altura do que o Criador sempre havia desejado.

Portanto, faz todo sentido que o anjo tenha comandado José a chamar o bebê de Jesus, "pois ele salvará seu povo dos seus pecados" (Mt 1.21). O nome Jesus corresponde ao termo aramaico que se traduz por "Yahweh salva". Jesus é o nosso salvador, que veio nos resgatar de onde estávamos outrora soterrados — de nossa história quebrantada, falida e desgraçada — para reverter a realidade iniciada em Gênesis 3 e desbravar um novo caminho a partir da encruzilhada entre o nosso fracasso e a fidelidade de Deus. Nas palavras de Francis Watson, Jesus pôde "salvar seu povo dos seus pecados" porque o Messias de fato invadiu a realidade permeada pelos pecados do seu próprio povo.[3]

À luz disso, fica mais fácil de percebermos por que Jesus é tão importante além de sua morte pelos nossos pecados. A morte de Jesus pelos nossos pecados só pôde ser aceita por Deus como sacrifício suficiente e definitivo porque o Messias de Israel — e nosso representante último — reviveu toda a história de seu povo e toda a vocação humana de maneira perfeita. Jesus é importante por ser ele aquele que se colocou na intersecção entre a incapacidade humana de se salvar e o plano insistente de Deus de nos restaurar, fazendo dessa intersecção um único caminho em direção à redenção de céus e terra. Jesus foi o único que finalmente realizou o que Adão e Eva — e todos nós, inclusive Israel — foram incapazes de realizar, possibilitando o jeito de ser que era necessário para que Deus pudesse voltar a habitar entre a humanidade. Nós precisamos de Jesus porque ele é o nosso cabeça e o ponto climático de toda a história da salvação. Ser salvo, então, é entender que Jesus é o único que pôde ser o salvador.

Mas como exatamente Jesus realizou todas essas coisas? Ter nascido, sido batizado e passado pelo deserto sem cair em tentação não foi tudo que

---

[3] Francis Watson, *The Fourfold Gospel: A Theological Reading of the New Testament Portraits of Jesus* (Grand Rapids, MI: Baker Academic, 2016), p. 42.

ele realizou. Aliás, os próprios contemporâneos de Jesus esperavam feitos bastante específicos por parte do Messias. Será que Jesus corresponderia a todas aquelas expectativas? E outra: se todos os seres humanos antes dele falharam, como é que Jesus não falhou? O que ele tinha de diferente? O que mais é importante entendermos sobre a identidade de Jesus? Veremos isso nos próximos capítulos. Por ora, é importante assimilar uma verdade bastante fundamental que dá sentido a todo o evangelho: Jesus é o nosso novo e definitivo representante perante o Senhor Deus — o nosso campeão, "o líder e aperfeiçoador de nossa fé" (Hb 12.2). É nele que podemos confiar; é ele que devemos seguir.

12

A restauração da imagem de Deus: O reino de Deus é chegado

Depois que João foi preso, Jesus foi para a Galileia, onde anunciou as boas-novas de Deus. "Enfim chegou o tempo prometido!", proclamava. "O reino de Deus está próximo! Arrependam-se e creiam nas boas-novas!"

MARCOS 1.14-15

Jesus de Nazaré é o ponto de virada definitivo do enredo da salvação. O tão aguardado Messias, descendente ideal de Abraão e de Davi, representante último da raça humana, entrou na encruzilhada entre o nosso fracasso e a fidelidade de Deus, para finalmente desbravar o caminho em direção à redenção de céus e terra. O povo só pôde produzir os escombros do exílio, mas, graças a Jesus, as promessas divinas a Abraão e a Davi poderão ser levadas a cabo. O grande compositor do século 18, Charles Wesley, expressou bem a potência do primeiro Natal ao nos brindar com o magnífico hino *Come Thou Long Expected Jesus*:

Vem, Jesus tão ansiado!
Nasceste p'ra teu povo libertar
Dos medos e do pecado,
E p'ra descanso nos dar.

Força e consolo de Israel,
Por ti almeja todo ser;
És a esperança sob o céu,
És a alegria do nosso viver.

Nasceste p'ra teu povo livrar,
Rei és, criança vieste;

Nasceste p'ra sobre nós reinar,
Por graça teu reino nos deste.

Por teu espírito de compaixão,
Por teu mérito único e total,
Reina em nosso coração,
Leva-nos a teu trono real.

Mas como exatamente o Messias realizaria a libertação de seu povo? Não tem sido raro em minhas andanças por algumas igrejas encontrar pessoas que reduzem o ministério de Jesus a ideias como, por exemplo, amor, perdão ou compaixão. Contudo, se prestarmos atenção aos Evangelhos sinóticos — Mateus, Marcos e Lucas —, perceberemos que eles em unanimidade definem a missão do Messias em termos do reino de Deus. O Evangelho de Marcos é o exemplo clássico, já que ele introduz seu relato sobre as atividades de Jesus na Galileia com o seguinte resumo programático de sua pregação: "O reino de Deus está próximo!" (Mc 1.15).

Há que se perguntar, porém, do que exatamente se trata o reino de Deus. Embora o entendimento popular veja esse conceito como um lugar totalmente "espiritual", para onde os crentes vão depois de morrer, a Bíblia não define o reino de Deus como essa dimensão "etérea" e unicamente futura. No contexto do enredo da salvação, a linguagem do reino de Deus tem apontado para a expectativa pela culminação da vocação humana, no evento da restauração do povo e do trono davídico. Vimos anteriormente que o Salmo 2 reflete essa ideia de maneira bastante explícita: o governo de Yahweh encontra sua expressão concreta por meio daquele que se assenta sobre o trono israelita, chamado de "Ungido" e "meu filho" pelo próprio Senhor do cosmo. Outra instância se encontra na bem conhecida visão de Daniel 7, em que a restauração do povo é atrelada à vindicação de seu representante — no caso, alguém verdadeiramente humano, "semelhante a um filho de homem", em contraste com os líderes monstruosos dos impérios pagãos — que receberia da parte do Senhor um reino eterno sem fim (Dn 7.1-14). Mais relevante ainda é que esse reino representaria o reinado do próprio Deus: "Então serão dados ao povo santo do Altíssimo a soberania, o poder e a grandeza de todos os reinos debaixo dos céus. O reino do Altíssimo permanecerá para sempre, e todos os governantes o servirão e lhe obedecerão" (Dn 7.27). De fato, já na época em que o exílio era iminente, quando os profetas passaram a anunciar a redenção que Deus haveria de realizar no futuro, os mensageiros divinos lançaram mão dessa mesma linguagem, dizendo que a restauração do reino desembocaria na renovação da ordem perdida no Jardim do Éden (Is 11.1-11).

O reino de Deus, portanto, diz respeito à vontade do Rei Supremo do universo sendo feita na terra como nos céus, em contraste com o caminho trilhado pela humanidade desde Adão e Eva. O termo grego *basileia*, aliás, conota um reinado, não meramente uma extensão geográfica. Ao definir a missão de Jesus nesses termos, os evangelistas estão gritando para nós que esse Jesus — que é o Messias, descendente de Davi e de Abraão — veio inaugurar essa realidade. É por isso que, quando Jesus fala sobre o papel central que a oração deve exercer na vida do povo de Deus, ele ensina seus discípulos a orarem da seguinte maneira: "Pai nosso que estás no céu, santificado seja o teu nome. Venha o teu reino. Seja feita a tua vontade, assim na terra como no céu" (Mt 6.9-10). Ora, o que é "o teu reino", senão "seja feita a tua vontade"?

Não é à toa que, em todos os quatro Evangelhos, Jesus é chamado não somente de Messias e Filho de Davi, como também de Filho de Deus e de Filho do homem. Posto de forma simples, o epíteto "Filho de Deus" coloca a identidade de Jesus em continuidade com o chamado de Israel e com a história de Davi (cf. Êx 4.22; 2Sm 7.14; Sl 2.7), e a expressão "Filho do homem" sugere o entendimento por parte de Jesus de que ele inauguraria o reino eterno sem fim, no padrão da visão de Daniel 7. (Há outras razões por que tais termos são usados, mas essas observações bastam para compreendermos o ponto.) Assim, a proeminência do tema do reino de Deus no ministério de Jesus sublinha o fato de que o tempo da restauração sonhado pelos profetas — o grande dia em que Yahweh voltaria a reinar sobre o cosmo — se manifestava ali, na pessoa do Messias. N. T. Wright explica isso de forma bem eloquente:

> Isso significa, é claro, que o anúncio do reino de Deus, por definição, jamais poderia ser entendido como uma mensagem "atemporal", um exemplo incidental ou uma ocorrência de alguma verdade genérica. O ponto era que os sonhos de Israel estavam se tornando realidade *agora*.[1]

Nesse sentido, é muito importante entendermos que as coisas que Jesus ensina têm pouco a ver com lições de moral cujo intuito fosse tornar-nos

---

[1] Wright, *Jesus and the Victory of God*, p. 228.

pessoas "melhores" ou "mais religiosas". Ao contrário do que tem sido pregado com certa frequência, as palavras de Jesus não são meras "verdades espirituais" que nos fazem viver mais em paz com nós mesmos. De igual modo, os feitos maravilhosos de Jesus estão muito distantes da ideia pagã, ainda implícita em muitos púlpitos hoje, de que Jesus fez o que fez para demonstrar seu poder ao público. As curas e os exorcismos realizados por Jesus, por exemplo, nada têm a nos dizer sobre uma suposta necessidade que Jesus sentia de provar algo a seus adversários. Tudo aquilo que Jesus ensinou e realizou diz respeito à chegada do reinado de Deus, da restauração da ordem do cosmo, da retomada da vontade de Deus como elemento central na vocação humana.

Em seu bloco de ensino mais famoso, no qual o Messias explica em que consiste a justiça do reino de Deus, ele afirma ter vindo "cumprir a Lei e os profetas" (Mt 5.17-20). A ideia de cumprimento vem do grego *plērōma*, que carrega o sentido de "plenificação", de levar algo a seu ponto culminante. A função da Lei e dos profetas era expressar o caráter de Deus, ainda que parcialmente, a partir do qual a humanidade havia sido chamada a viver desde o Jardim do Éden. Assim, ao plenificar a Lei e os profetas, Jesus manifesta de uma vez por todas a própria realidade para a qual as Escrituras sempre apontaram: "Portanto, sejam perfeitos, como perfeito é seu Pai celestial" (Mt 5.48). Ao término desse ensinamento, em Mateus 7.21-27, Jesus equipara suas palavras às ordenanças divinas em Deuteronômio 28, atribuindo peso de vida ou morte ao Sermão do Monte:

> Nem todos que me chamam: "Senhor! Senhor!" entrarão no reino dos céus, mas apenas aqueles que, de fato, fazem a vontade de meu Pai, que está no céu. No dia do juízo, muitos me dirão: "Senhor! Senhor! Não profetizamos em teu nome, não expulsamos demônios em teu nome e não realizamos muitos milagres em teu nome?". Eu, porém, responderei: "Nunca os conheci. Afastem-se de mim, vocês que desobedecem à lei!".
>
> Quem ouve minhas palavras e as pratica é tão sábio como a pessoa que constrói sua casa sobre uma rocha firme. Quando vierem as chuvas e as inundações, e os ventos castigarem a casa, ela não cairá, pois foi construída sobre rocha firme. Mas quem ouve meu ensino e não o pratica é tão tolo como a pessoa que constrói sua casa sobre a areia. Quando vierem as chuvas e as inundações e os ventos castigarem a casa, ela cairá com grande estrondo.

134 O ENREDO DA SALVAÇÃO

O ensino de Jesus é a exposição clara — e encarnada — do caráter do Senhor e do padrão de vida do reino de Deus. Ouvir e obedecer não é opcional aos súditos do Rei Supremo do cosmo.

Relacionado a isso, não surpreende que Jesus tenha realizado tantas curas e tantos exorcismos como parte central de sua missão de inaugurar o reinado divino. Os sinais que acompanharam o ministério do Messias nunca foram fins em si mesmos. Sinais, por definição, apontam para realidades maiores. (Essa é uma das ênfases mais importantes que o Evangelho de João sublinha em sua narrativa.) Assim, para que entendamos o propósito das curas e dos exorcismos operados por Jesus, é essencial que nos lembremos de que, no centro do enredo da salvação, está a necessidade da restauração da humanidade. É disso que o Senhor esteve em busca desde Gênesis 3: a redenção do cosmo só poderia se concretizar a partir da salvação daqueles que haviam sido criados à imagem e semelhança do Rei Supremo do universo. Entretanto, conforme vimos ao longo de todo o Antigo Testamento, o pecado deformou a humanidade de tal modo que ela não somente perdeu os absolutos divinos do horizonte, como também passou a se assemelhar muito mais aos falsos deuses do que a seu Criador. Ou seja, a humanidade havia sido criada para refletir o caráter de Deus, mas tornou-se autoabsorvida e deformada ao definir "bem e mal" em seus próprios termos. Aquele personagem repulsivo de *O Senhor dos anéis*, Gollum, é o retrato perfeito da natureza humana separada da presença divina. Todos nós acabamos nos tornando como os deuses falsos que nossa imaginação rebelde construiu: como estátuas de madeira e de pedra, temos ouvidos, mas não entendemos a verdade; temos olhos, mas não percebemos a graça divina; temos boca, mas não proclamamos as maravilhas de Deus; temos membros, mas não os colocamos a serviço do próximo; temos coração, mas não seguimos o caminho da sabedoria (Sl 115.1-11; Is 6.9-10).

É certamente relevante, então, que nenhum dos evangelistas nos diga que Jesus reverteu calvície ou fez dente de ouro nascer. Não porque o Messias fosse incapaz de realizar tais feitos. A razão é que, sendo eventos que apontam para verdades mais abrangentes, as curas e os exorcismos anunciavam a chegada definitiva da restauração da humanidade. É por isso que esses sinais seguem um padrão bastante consistente: olhos, ouvidos, boca, pernas e doenças relacionadas à pureza cerimonial, como hemorragia e problemas na pele. E os demônios também entram nessa categoria de pureza, já que são chamados predominantemente de "espíritos impuros". Esses detalhes são relevantes porque indicam que as curas e os exorcismos estão profundamente conectados com a deformação que a idolatria decorrente de Gênesis 3 produziu na humanidade. E aqui está o ponto: o reinado de Deus tem como alvo primordial a restauração da imagem de Deus na humanidade, de maneira que ela volte a se assemelhar ao Criador.

O fato de Jesus ter escolhido doze apóstolos no contexto em que o reino de Deus estava sendo pregado abertamente na Galileia reforça essa mensagem (Mc 3.13-29). À medida que os Doze estão em paralelo com as tribos originalmente formadas por Yahweh com o propósito de serem veículos de sua revelação às nações, os apóstolos — todos eles judeus, cabe lembrar — representam agora o povo escatológico, moldado segundo a nova humanidade do reino de Deus. Participar da restauração do povo não diz respeito a pertencer a uma linhagem, mas a ser transformado pelo Messias de Israel, Filho de Davi, Filho de Abraão, Filho de Deus, Filho do homem. Jesus não veio somente para morrer: veio também restaurar a humanidade e formar para si um povo que o seguisse na vocação que ele retomou por todos nós.

Antes de prosseguirmos, é preciso observar que há um obstáculo sério que a missão de Jesus tem de enfrentar. Os judeus do primeiro século tinham expectativas muito peculiares daquilo que o Messias deveria ser ou fazer. De acordo com alguns textos judaicos datando de um período próximo à vida de Jesus, os judeus esperavam, por exemplo, que o rei escatológico purificasse Jerusalém, organizando um poderoso exército para expulsar a presença pagã da terra (*Salmo de Salomão* 17). Entretanto, embora Jesus atraísse a admiração de muitos, ele não se encaixava em algumas dessas categorias que seus contemporâneos projetavam sobre o libertador da nação. Como se não bastasse ter vindo de Nazaré (Jo 1.45-46), Jesus dizia que o reino de Deus estava disponível a qualquer pessoa que depositasse sua fé no Filho de Deus, inclusive aqueles que a elite religiosa da sua época considerava indigna (Mc 2.13-17). E, muito longe de planejar uma estratégia militar, o Messias dos Evangelhos morreria em uma cruz romana (Mc 8.31-33). Como resultado, o Messias foi não só rejeitado pelas autoridades judaicas, como também profundamente incompreendido até mesmo por seus próprios seguidores.

O reino de Deus, assim, estava simultaneamente acessível e fechado: acessível para qualquer pessoa que, reconhecendo sua própria falência perante Deus, se apega a Cristo (Mt 5.3), e fechado para todo o que se considera rico do ponto de vista da justiça divina. E, em dado momento de seu ministério,

Jesus começa a ensinar sobre o reino de Deus por meio de parábolas. Sem precisar detalhar as muitas informações que poderíamos mencionar sobre as parábolas, um dos propósitos centrais delas é um tanto quanto simples: provocar seus ouvintes a refletirem com cuidado no que é dito, de modo a separar discípulos genuínos de curiosos casuais. É certamente isso que está contemplado na paradigmática parábola do semeador que, sendo a primeira de todas, é uma lição sobre a própria proclamação do reino de Deus: embora a semente do evangelho seja lançada a todos os tipos de solo, somente aqueles que acolhem verdadeiramente a Palavra podem dar fruto (Mc 4.1-20). E o detalhe importante é que, em Marcos, Jesus só começa a falar em parábolas após ter sido publicamente rejeitado por representantes da liderança de Jerusalém (Mc 3.20-30). Ao explicar aos discípulos por que falava em "mistério", o Messias equipara os israelitas obstinados da época de Isaías à sua própria geração: estes também, tendo ouvidos, não entendiam; tendo olhos, não viam; e, tendo coração, não percebiam (Mc 4.10-12; cf. Is 6.9-10).

Por essas e outras razões, desde o início a mensagem pregada por Jesus traz consigo um senso de profunda urgência: "O reino de Deus está próximo! Arrependam-se e creiam nas boas-novas!" (Mc 1.15). Arrependimento é a resposta necessária diante de tão momentoso evento. O termo grego *metanoia* sugere "mudança de mente", e o verbo hebraico equivalente *šûb* conota "mudança de direção". Em síntese, uma vez que o reinado de Yahweh já está presente entre o povo, é necessário conversão: aprender a enxergar toda a realidade através das novas lentes do evangelho, abrindo mão de projetar sobre Deus nossos próprios anseios. É assim que o reino de Deus nos alcança. Jesus encarnou perfeitamente o caráter de Deus para renovar a vocação humana e restaurar a imagem do Criador em nós. Ser salvo é voltar-se a ele sem reservas, sabendo que seu reino é dado àqueles que confiam em seu "mérito único e total".

13

Cura leprosos, perdoa pecados e cala a tempestade? A autoridade divina do Messias

....

Veio ao mundo que ele criou, mas o mundo não o reconheceu. Veio a seu próprio povo, e eles o rejeitaram. Mas, a todos que creram nele e o aceitaram, ele deu o direito de se tornarem filhos de Deus. Estes não nasceram segundo a ordem natural, nem como resultado da paixão ou da vontade humana, mas nasceram de Deus.

Assim, a Palavra se tornou ser humano, carne e osso, e habitou entre nós. Ele era cheio de graça e verdade. E vimos sua glória, a glória do Filho único do Pai.

João 1.10-14

....

Nos últimos dois capítulos, começamos a descrever quem foi e o que realizou a figura para a qual toda a história da salvação tem apontado desde o livro de Gênesis. Jesus de Nazaré, chamado também o Cristo, é o descendente ideal de Davi e de Abraão que veio reverter o grande problema da desobediência humana iniciado por Adão e Eva, estabelecendo o reinado de Deus entre as nações. O Messias toma sobre si a história caída de seu povo, revive o chamado de Israel perfeitamente e inicia um projeto de restauração em massa da imagem de Deus sobre as pessoas. Nele, a vontade divina enfim começa a ser feita "assim na terra como no céu".

Eu suspeito, porém, que o leitor e a leitora mais atentos, neste ponto, desejem fazer uma pergunta incômoda, mas que é ao mesmo tempo necessária. Quando falamos do exílio, notamos que a realidade da expulsão do Jardim do Éden é simplesmente insuperável para qualquer imitador de Adão e Eva. Israel deu provas de que não há um indivíduo sequer em toda a história que poderia ter deixado de seguir os passos do primeiro casal de representantes

138 O ENREDO DA SALVAÇÃO

da raça humana. Paulo não deixa dúvidas quanto a isso: "Quando Adão pecou, o pecado entrou no mundo, e com ele a morte, que se estendeu a todos, porque todos pecaram" (Rm 5.12). A questão que se levanta é que, se Jesus foi de fato como um de nós, de carne e osso, como será que ele pôde ter vivido perfeitamente segundo a justiça divina, cumprindo plenamente a Lei e os profetas? Como foi possível alguém superar o caminho de Gênesis 3 de forma tão cabal?

E algo que é imperativo ser enfatizado é que o Messias foi de fato humano. Muitos cristãos por vezes se esquecem disso, mas ninguém que caminhou com Jesus teve a menor sombra de dúvidas a esse respeito. Nenhuma pessoa, em nenhum momento nos Evangelhos, sequer perde seu tempo refletindo acerca "do que" Jesus era feito. "Não é esse o filho de José?", indagaram seus patrícios, em tom sarcástico, quando ouviram Jesus afirmar ser aquele que traria libertação escatológica ao povo (Lc 4.16-22; cf. Is 61.1-2). Como qualquer judeu do primeiro século, ele teve fome, sede e frio; sentiu cansaço, dor e tristeza; riu de cenas engraçadas, alegrou-se ao redor da mesa, abraçou com ternura sua mãe; e sofreu até mesmo de mau cheiro nas axilas após as longas caminhadas que precisava fazer em seu ministério itinerante. Aliás, alguém que termina sua carreira esmagado pela lógica opressora do maior império de sua época, pregado no instrumento de tortura destinado ao pior tipo de criminoso, só pode ter sido gente como a gente. Jesus foi humano, ponto final. Um ser "espiritual" ou angelical jamais teria padecido daquele jeito. Essa é a razão da bronca do apóstolo João com alguns hereges que perturbavam igrejas da Ásia Menor no final do primeiro século. Influenciados pelo dualismo grego, que pressupunha a superioridade de realidades supostamente "espirituais" sobre a matéria, tais mestres diziam que o Cristo era somente divino e que os sofrimentos dele, assim como a sua morte na cruz, haviam acontecido apenas "na aparência". Vem daí a heresia do docetismo, cujo termo vem do grego *dókēsis*, "aparência". João é taxativo: por um lado, a mensagem apostólica diz respeito àquele que "ouvimos e vimos com nossos próprios olhos e tocamos com nossas próprias mãos" (1Jo 1.1) e, por outro lado, negar que "Jesus Cristo veio em corpo humano" é agir como "o enganador e o anticristo" (2Jo 1.7).

Todavia, se olharmos com bastante atenção, perceberemos que, embora Jesus seja indiscutivelmente humano, ele faz afirmações que mortal algum jamais teve o direito de fazer. Uma das coisas que deixam seus ouvintes mais

CURA LEPROSOS, PERDOA PECADOS E CALA A TEMPESTADE? **139**

perplexos é que Jesus assume algumas prerrogativas em seus ensinamentos que pertenciam somente a Yahweh. Por exemplo, no já mencionado Sermão do Monte, em que encontramos a exposição do real sentido da Lei e dos profetas, percebemos que Jesus não deriva o peso de suas palavras de ninguém, senão dele mesmo. Não teria problema algum se ele, assim como o próprio Moisés e os próprios profetas subsequentes, simplesmente falasse em nome de Deus, introduzindo as diversas partes de sua pregação com o famoso "assim diz o Senhor". Mas não é isso que acontece. Ao mesmo tempo que afirma a autoridade da Lei e dos profetas, Jesus define ele próprio as implicações específicas da palavra divina, falando segundo a sua autoridade: "Vocês ouviram o que foi dito [...] Eu, porém, lhes digo" (Mt 5.21-48).

Além disso, em outras ocasiões no Evangelho de João, por exemplo, Jesus sugere sua preexistência — "antes mesmo de Abraão nascer, Eu Sou!" (Jo 8.58) — ou associa sua identidade a imagens que, no Antigo Testamento, eram claramente atribuídas a Yahweh: "Eu sou o bom pastor" (Jo 10.11; cf. Sl 23.1). Não é à toa que a admiração de alguns de seus ouvintes logo se transformava em ofensa. Admito que, se eu mesmo fosse um judeu daquela época e estivesse lá ouvindo essas palavras *in loco*, não teria uma impressão muito positiva da sanidade mental daquele filho de carpinteiro. Quem ele pensa que é para falar daquele jeito?! O mais lógico, portanto, é concordar com C. S. Lewis, quando ele diz que a única pessoa que pode ficar indiferente em relação a Jesus é aquela que nunca considerou verdadeiramente o que ele tem a dizer:

> Um homem que fosse somente um homem e dissesse as coisas que Jesus disse não seria um grande mestre moral. Seria um lunático — no mesmo grau de alguém que pretendesse ser um ovo cozido — ou então o diabo em pessoa. Faça a sua escolha. Ou esse homem era, e é, o Filho de Deus, ou não passa de louco ou coisa pior. Você pode querer calá-lo por ser um louco, pode cuspir nele e matá-lo como a um demônio; ou pode prosternar-se a seus pés e chamá-lo de Senhor e Deus. Mas que ninguém venha, com paternal condescendência, dizer que ele não passava de um grande mestre humano. Ele não nos deixou essa opção, e não quis deixá-la.[1]

De fato, se Jesus tivesse somente dito coisas como as que acabamos de mencionar, teríamos boas razões para não o levar tanto a sério. O problema é que,

---

[1] Lewis, *Cristianismo puro e simples*, p. 69-70.

conforme lemos os Evangelhos, percebemos que o que deixa sua audiência atordoada não é apenas o que Jesus diz, mas também o que ele faz. Três exemplos bastam para elucidar esse ponto.

Em Marcos 1.40-42, vemos uma das primeiras curas que Jesus realiza em seu ministério:

> Um leproso veio e ajoelhou-se diante de Jesus, implorando para ser curado: "Se o senhor quiser, pode me curar e me deixar limpo".
>
> Cheio de compaixão, Jesus estendeu a mão e tocou nele. "Eu quero", respondeu. "Seja curado e fique limpo!" No mesmo instante, a lepra desapareceu e o homem foi curado.

É importante lembrar que atividades terapêuticas jamais são inovações de Jesus. No Antigo Testamento, há muitos relatos em que enfermos foram visitados pela misericórdia divina, como, por exemplo o leproso etíope Naamã, que foi restaurado nos dias de Eliseu (2Rs 5.1-19) e oferece um precedente inegável àquilo que acontece nos Evangelhos.

O que parece ser inédito em Marcos é a dinâmica envolvendo o processo da cura do leproso que se dirige a Jesus. Segundo o código de Levítico, a lepra não era necessariamente uma condição pecaminosa, mas, sim, um sinal da disfuncionalidade do mundo pós-Gênesis 3. Essa é a razão por que essa doença se enquadrava na categoria de impureza: ela sinalizava o efeito do caos e da morte que estavam ausentes no Jardim do Éden. E o detalhe que faz toda a diferença é que ninguém no primeiro século esperava que o Messias fosse curar lepra com as próprias mãos. Na tradição judaica aproximadamente daquela época, existia a antecipação de que somente a presença de Yahweh poderia trazer purificação definitiva entre o povo (*Lev. Rabbah* 15.9). Mas isso aconteceria somente nos "últimos dias", quando tudo que apontava para a presença do caos e da morte seria revertido pela própria glória divina. Contudo, ao restaurar o leproso, Jesus faz isso não somente por sua livre vontade — "Eu quero. [...] Seja curado e fique limpo" — como também tocando no enfermo. Marcos não explica com todas as letras as implicações disso porque ele acha desnecessário fazê-lo. O leitor bem informado é capaz de tirar as próprias conclusões: Quem é esse que toca em leprosos e os purifica "no mesmo instante"?

Em Marcos 2.1-12, por sua vez, vemos a famosa história de um paralítico que, além de receber a cura por parte de Jesus, tem também seus pecados perdoados.

Dias depois, quando Jesus retornou a Cafarnaum, a notícia de que ele tinha voltado se espalhou rapidamente. Em pouco tempo, a casa onde estava hospedado ficou tão cheia que não havia lugar nem do lado de fora da porta. Enquanto ele anunciava a palavra de Deus, quatro homens vieram carregando um paralítico numa maca. Por causa da multidão, não tinham como levá-lo até Jesus. Então abriram um buraco no teto, acima de onde Jesus estava. Em seguida, baixaram o homem na maca, bem na frente dele. Ao ver a fé que eles tinham, Jesus disse ao paralítico: "Filho, seus pecados estão perdoados".

Alguns dos mestres da lei que estavam ali sentados pensaram: "O que ele está dizendo? Isso é blasfêmia! Somente Deus pode perdoar pecados!".

Jesus logo percebeu o que eles estavam pensando e perguntou: "Por que vocês questionam essas coisas em seu coração? O que é mais fácil dizer ao paralítico: 'Seus pecados estão perdoados' ou 'Levante-se, pegue sua maca e ande'? Mas eu lhes mostrarei que o Filho do Homem tem autoridade na terra para perdoar pecados". Então disse ao paralítico: "Levante-se, pegue sua maca e vá para casa".

O homem se levantou de um salto, pegou sua maca e saiu andando diante de todos. A multidão ficou admirada e louvava a Deus, exclamando: "Nunca vimos nada igual!".

O que é sem precedentes nessa história são as minúcias do diálogo que acontece entre Jesus e seus interlocutores. Ao ver tamanha fé, o Messias se aproxima do coxo e diz sem delongas que os pecados dele estavam perdoados. Diante de tão ousada afirmação, os escribas que estavam presentes fazem uma objeção bastante ortodoxa: "Somente Deus pode perdoar pecados!". O mais fascinante é que Jesus não repreende os escribas por sua resposta — é verdade que ninguém pode perdoar pecados a não ser Yahweh. Entretanto, Jesus prossegue e sugere uma enquete a seus ouvintes: O que seria mais fácil, perdoar pecados ou reverter a paralisia daquele que estava acamado?

Ora, o ponto é que nenhuma das duas coisas, seja perdoar pecados seja curar o paralítico, é "fácil" para nós, seres humanos mortais. Segundo sua própria autoridade, porém, Jesus ordena que o paralítico ande, e a cura de fato acontece. Assim, o agora ex-paralítico torna-se a própria confirmação de que Jesus possui também a prerrogativa de perdoar pecados instantaneamente,

142 O ENREDO DA SALVAÇÃO

por sua livre iniciativa. E, de novo, nada disso era esperado do Messias. O rei escatológico viria para governar o povo, não para fazer o que somente Yahweh poderia. O que será que isso sugere sobre Jesus?

E, por fim, em Marcos 4.35-41, vemos outra passagem muito bem conhecida, em que Jesus realiza mais uma vez algo inesperado. Aqui, no entanto, são as próprias forças da criação que são domadas diante dos olhos dos discípulos:

> Ao anoitecer, Jesus disse a seus discípulos: "Vamos atravessar para o outro lado do mar". Com ele a bordo, partiram e deixaram a multidão para trás, embora outros barcos os seguissem. Logo uma forte tempestade se levantou. As ondas arrebentavam sobre o barco, que começou a encher-se de água.
>
> Jesus dormia na parte de trás do barco, com a cabeça numa almofada. Os discípulos o acordaram, clamando: "Mestre, vamos morrer! O senhor não se importa?".
>
> Jesus despertou, repreendeu o vento e disse ao mar: "Silêncio! Aquiete-se!". De repente, o vento parou, e houve grande calmaria. Então Jesus lhes perguntou: "Por que estão com medo? Ainda não têm fé?".
>
> Apavorados, os discípulos diziam uns aos outros: "Quem é este homem? Até o vento e o mar lhe obedecem!".

À semelhança dos exemplos anteriores, sinais como esses não são novidade. No Antigo Testamento, vemos muitos casos em que Yahweh exerceu seu domínio soberano sobre os fenômenos brutais da natureza. Conforme vimos em capítulos anteriores, o êxodo é o evento mais emblemático nesse sentido. Novamente, o que espanta no relato em Marcos são as minúcias de como o sinal é realizado por Jesus. Os discípulos estão desesperados, achando que estão prestes a morrer. Vale lembrar que o mar e a tempestade, no pensamento bíblico, representam as forças do caos que se colocam além do controle da capacidade humana. (O fato de Yahweh ter se dirigido a Jó da tempestade, por exemplo, conota a soberania divina sobre todo o cosmo, inclusive as forças naturais que evidenciam a pequenez da humanidade [Jó 38.1].)

Ao acordar Jesus, portanto, os discípulos provavelmente esperavam que ele fosse orar pelo livramento de Deus. Entretanto, uma vez despertado de sua "leve soneca", o Messias não se ajoelha nem esboça uma oração. Ele se dirige ao mar e à tempestade, proferindo apenas dois imperativos: "Silêncio! Aquiete-se!". O mais assustador de tudo isso é que o mar e a tempestade obedecem. E os discípulos são judeus que conhecem as Escrituras. Eles sabem quem é o único no enredo da salvação que pode fazer o que Jesus acabou de realizar: Yahweh, cujo Espírito pairava sobre as águas antes da criação do cosmo e que havia partido o mar Vermelho para que os israelitas pudessem ir ao outro lado, na nova criação do êxodo. É por isso que, conforme meu professor Rikk Watts sempre costumava dizer em suas aulas no Regent College, os discípulos ficam agora mais amedrontados com Jesus do que com a tempestade que ameaçava a vida deles até poucos segundos atrás: "Quem é este homem? Até o vento e o mar lhe obedecem!".

Percebemos, então, que esse ser humano, que teve de mamar no seio de sua mãe por meses, que precisou de alguém para trocar sua fralda (ou o equivalente a isso na Antiguidade), que chorou muitas e muitas vezes de fome e de sono, que tropeçou nas primeiras tentativas de andar, que teve de aprender a falar aramaico, hebraico e um pouco de grego, que assimilou o sotaque típico de seu vilarejo, que estudou as Escrituras, que se submeteu à autoridade de seus pais, que foi possivelmente provocado por algum colega *bully* na escola (ou o equivalente a isso na Antiguidade), que precisou aprender a fazer a barba, que chorou na hora de picar cebola, que respirou o ar empoeirado da Palestina do primeiro século, que comeu com gratidão o que tinha disponível no dia, que viu os pais trabalharem duro para poder pagar os pesados impostos a César, que passou por inúmeros momentos de tédio, que lavava os pés antes de dormir, que se frustrou com as injustiças do mundo, e que foi executado em uma rude cruz romana — esse ser humano, chamado Jesus de Nazaré, era ninguém menos que o Deus do grande enredo da salvação, que havia criado céus e terra, chamado Abraão, resgatado Israel, concedido a Lei, feito um pacto com Davi e prometido restaurar o cosmo no último dia. Jesus era, de uma maneira completamente inexplicável, Yahweh manifesto em carne e osso.

Isso significa que aquilo que Mateus diz acerca do nascimento do filho adotivo de José, à luz de uma profecia de Isaías, deve ser entendido ao pé da letra: "Vejam! A virgem ficará grávida! Ela dará à luz um filho, e o chamarão Emanuel, que significa 'Deus conosco'" (Mt 1.22-23; cf. Is 7.14; 8.8,10). Jesus é Deus conosco no sentido mais concreto do termo. Essa pessoa que veio cumprir o papel do rei ideal do povo — do ser humano perfeito, do tão aguardado descendente de Davi, de Abraão e de Eva — foi ninguém menos que o próprio Criador que, desde Gênesis 3, tem se revelado à humanidade para redimir céus e terra e fazer do cosmo seu espaço de habitação definitivo.

144 O ENREDO DA SALVAÇÃO

Jesus é o próprio Deus que se fez o novo Adão. O grande Autor da história entrou no drama que ele mesmo havia escrito.

É por isso que, ao falar de Jesus, o apóstolo João escancara o que os evangelistas antes dele haviam indicado de forma mais comedida: Deus "se tornou ser humano, carne e osso, e habitou entre nós [...] cheio de graça e verdade" e "vimos sua glória, a glória do Filho único do Pai" (Jo 1.14). O termo que a NVT traduz por "habitou", aliás, é o verbo grego *skēnoō*, "habitar em uma tenda", que na tradução grega do Antigo Testamento faz referência ao tabernáculo construído por Moisés. Lá, o próprio Yahweh havia "habitado", ou "tabernaculado", entre o seu povo, em uma antecipação da redenção de céus e terra e em consonância com seu caráter revelado em Êxodo 34.6: "cheio de graça e verdade". A diferença é que o máximo que Moisés pôde receber fora um retrato falado da parte de Deus, ao passo que, nos Evangelhos, contemplamos o Deus de Israel no rosto de seu Filho.

Em Jesus, portanto, não somente toda a história de Israel é revivida de forma completa, como também toda a revelação da glória divina torna-se um fato histórico definitivo. Porque Jesus veio, ninguém, nunca mais, precisa viver no escuro quanto ao caráter do Criador. Estamos livres de tentar adivinhar como Deus é, seja por especulações metafísicas, seja por experiências místicas supostamente sobrenaturais. Jesus Cristo "possuía a vida, e sua vida trouxe luz a todos" (Jo 1.4). Ele é tudo de que precisamos e tudo que temos para ver a face de Deus. Eis que, assim, um grande mistério nos é desvendado. É no evento da encarnação que enxergamos o fim que o Criador sempre desejou para a própria humanidade: que nos parecêssemos com ele. Quando a graça de Deus nos torna humanos como Jesus, ela nos transforma segundo o caráter do próprio Deus.

Podemos encerrar este capítulo aqui, mas convém notar um último aspecto bastante curioso no enredo dos Evangelhos. Por mais que Jesus tenha dito e feito todas essas coisas que apontavam para sua autoridade divina, nem mesmo seus discípulos mais íntimos puderam compreender, ou talvez aceitar, as implicações. É interessante que ninguém saísse dizendo por aí que Jesus é Deus que se fez ser humano. E a razão é simples: a ideia de que Yahweh se manifestaria em carne e osso jamais passou pela cabeça dos judeus — ou, de fato, de ninguém. A doutrina da encarnação jamais poderia ter sido inventada "do nada".

Consequentemente, por mais sensacional que tenha sido testemunhar todos aqueles sinais em primeiríssima mão, Pedro e seus colegas nem sequer possuíam categorias adequadas para assimilar tamanha revelação. Tudo que os evangelistas nos contam é em retrospecto, e o máximo que os discípulos poderiam ter feito naqueles momentos era perguntar: "Quem é este, meu Deus do céu?!". Ademais, o fator agravante é que, além de não saberem direito o que fazer com a possibilidade de aquele filho de carpinteiro ser o Autor de todo cosmo, o desfecho da missão de Jesus nitidamente parecia contradizer todas aquelas realidades. Já era impossível aceitar um Messias crucificado, quanto menos plausível soava a imagem de Deus na cruz. É somente no final, depois de Jesus ter ressuscitado dos mortos, que a ficha cai e que os fatos se comprovam. Sobre isso, falaremos nos próximos capítulos.

14

A morte da morte:
O adversário final do Messias

....

Jesus, sentindo-se novamente indignado, chegou ao túmulo, uma gruta com uma pedra fechando a entrada. "Rolem a pedra para o lado", ordenou.

"Senhor, ele está morto há quatro dias", disse Marta, a irmã do falecido. "O mau cheiro será terrível."

Jesus respondeu: "Eu não lhe disse que, se você cresse, veria a glória de Deus?". Então rolaram a pedra para o lado. Jesus olhou para o céu e disse: "Pai, eu te agradeço porque me ouviste. Tu sempre me ouves, mas eu disse isso por causa de todas as pessoas que estão aqui, para que elas creiam que tu me enviaste". Então Jesus gritou: "Lázaro, venha para fora!". E o morto saiu, com as mãos e os pés presos com faixas e o rosto envolto num pano. Jesus disse: "Desamarrem as faixas e deixem-no ir!".

João 11.38-44

....

No décimo primeiro capítulo, expliquei brevemente que os contemporâneos de Jesus alimentavam expectativas um tanto peculiares sobre o que o Messias conquistaria. Uma das mais importantes era que ele enfim derrotaria os inimigos do povo. No momento em que os judeus voltassem a ser uma nação independente, com o trono davídico e a adoração no templo como realidades restauradas no centro de sua identidade nacional, isso representaria o retorno definitivo do exílio. A partir daí, todas as nações da terra veriam a justiça de Deus — para o bem ou para o mal — por meio de Israel.

É fácil de imaginar, então, por que, no contexto em que o Império Romano dominava boa parte do mundo conhecido, um dos personagens bíblicos que mais inspiravam o imaginário popular era o rei Davi. Foi ele que, tendo derrotado Golias, expulsou a presença inimiga da terra prometida, unificando a nação sob a aliança de Deus com seu povo. Se eu fosse um judeu do primeiro século, também imaginaria o Messias nesses termos: um general bem-sucedido que derrotaria os romanos e inauguraria um reinado de estabilidade. É verdade que os macabeus chegaram a esboçar algo semelhante pouco mais de um século antes de Jesus nascer, mas eles não ostentavam *pedigree* davídico, o que acabou gerando considerável desaprovação por parte da população. De todo modo, por volta dos anos em que Jesus aparece em cena, a Palestina já havia testemunhado o surgimento de alguns movimentos de resistência cujos líderes haviam imitado os passos de Davi, tentando conquistar a independência do povo pela via da força bruta.

Entender esse contexto é importante porque é precisamente nele que Jesus de Nazaré aparece pregando a chegada do reino de Deus na Galileia. E o simples fato de que seus discípulos mais próximos o enxergaram como o tão aguardado Messias (Mt 16.13-20) nos força a perguntar como exatamente ele interpretou sua missão em relação a essa expectativa pela vinda de um libertador militarista. E é aqui que, mais uma vez, os Evangelhos nos oferecem uma qualificação bastante significativa daquilo que Jesus veio realizar.

É bastante óbvio que Jesus não foi um general conquistador. Até mesmo quem nunca leu a Bíblia sabe que o protagonista dos Evangelhos jamais pregou qualquer tipo de revolta armada anti-imperial ou de domínio tirânico sobre seus adversários. Jesus, na verdade, pregou um jeito de ser diametralmente oposto ao da violência, chegando a dizer que o discípulo deve orar com fervor por aqueles que o perseguem e buscar o bem-estar até mesmo de seus inimigos (Mt 5.7,9-12,38-48). O caminho de Jesus Cristo não compactua com a lógica da insurgência, tampouco com a busca por hegemonia. Foi, aliás, a possibilidade de instaurar o reinado de Deus à força que o tentador ofereceu ao Filho de Deus no deserto: "Em seguida, o diabo o levou até um monte muito alto e lhe mostrou todos os reinos do mundo e sua glória. 'Eu lhe darei tudo isto', declarou. 'Basta ajoelhar-se e adorar-me'" (Mt 4.8-19). Obviamente, o que o diabo fez ali não foi negociar um "louvorzão satânico", mas, sim, oferecer domínio político em troca da submissão à violência.

Dito isso, é igualmente falso concluir, como faz boa parte dos evangélicos que conheço, que Jesus veio simplesmente trazer um reino "espiritual". É importante esclarecer que, na maioria absoluta das ocorrências no Novo Testamento do termo grego *pneumatikos*, traduzido por "espiritual", a expressão sugere a ação do Espírito Santo, não uma dimensão supostamente paralela ou superior ao mundo visível. "Espiritual", em outras palavras, é

148   O ENREDO DA SALVAÇÃO

alguém, algo ou alguma realidade que está sob a influência santa do Espírito de Deus. Já o dualismo que gosta de fatiar "espiritual" e "material" é oriundo de uma cosmovisão helenista e, portanto, essencialmente pagã.

E mais importante ainda é o fato de que os Evangelhos nunca definem o reino de Deus nesses termos. Jesus ensina seus seguidores a orarem: "Venha o teu reino. Seja feita a tua vontade, assim na terra como no céu" (Mt 6.10). Além disso, ele não apenas prega generosidade dos ricos para com os pobres, como também ocupa parte central de seu ministério restaurando a vida das pessoas nas questões mais básicas de sua existência terrena: vista aos cegos, audição aos surdos, movimento aos coxos. Ao falar do reino de Deus, Jesus só pôde se referir a uma realidade muito concreta. O termo "reino", afinal, só faz sentido quando entendido concretamente, como o espaço onde a vontade de um rei é realizada. Assim, o fato de Jesus não ter adotado uma agenda militarista nada tem a ver com seu suposto interesse em ensinar sobre coisas meramente abstratas ou sentimentais.

Como, então, Jesus interpretou sua missão em relação à esperança por emancipação, que seus contemporâneos alimentavam? Nesse ponto, é relevante trazermos de volta à reflexão uma das atividades mais essenciais dentro do ministério público de Jesus, que são os exorcismos. Os exorcismos são cruciais na missão messiânica, porque eles davam provas de que o reinado de Deus havia de fato chegado. Quando questionado sobre sua autoridade, Jesus é categórico: "Se expulso demônios pelo Espírito de Deus, então o reino de Deus já chegou até vocês" (Mt 12.28).

O detalhe é que ninguém esperava que o Messias fosse gastar tanto tempo lidando com espíritos impuros. Há uma tradição judaica posterior, sugerindo a ideia de que o Filho de Davi seria um exorcista, mas o fato é que essa expectativa teria sido diminuta nos dias de Jesus. O que as multidões esperavam com muito interesse era que o Messias fosse organizar um grande movimento anti-Roma para derrotar aqueles pagãos que oprimiam o povo de Deus. Eram os romanos idólatras, afinal, que representavam os verdadeiros "endemoninhados", profanadores da terra.

Entretanto, os exorcismos estavam em ampla conexão com as curas que Jesus também realizava, apontando dessa forma para a realidade de que o reino de Deus trazia restauração à humanidade, a começar por Israel. Em outras palavras, enquanto os judeus achavam que o problema do caos se materializava somente pela presença dos pagãos na terra prometida, os exorcismos de Jesus afirmavam que, na verdade, o caos estava bem presente na vida daquelas mesmas pessoas que eram descendentes de Abraão. É bem chocante, com efeito, que Jesus expulse espíritos impuros dos judeus e que, por vezes, isso aconteça nas sinagogas. Enquanto os judeus achavam que o Messias fosse purificar a terra botando os romanos para correr, ele veio resolver o problema pela raiz, botando os demônios para correr. N. T. Wright nos ajuda mais uma vez:

> Os exorcismos, em particular, carregam consigo as palavras assombrosas: "Se eu, pelo dedo de Deus, expulso demônios, então, o reino de Deus chegou a vocês". Isso evoca a mesma narrativa implícita: o Deus de Israel um dia se tornará Rei; o estabelecimento de seu reino envolverá a derrota do inimigo que tem mantido Israel cativo; há sinais claros [nos exorcismos] de que isso está acontecendo; portanto, o reino de fato é chegado. Yahweh está realmente se tornando Rei; Israel está realmente sendo liberto.[1]

Os exorcismos, portanto, equivalem aos efeitos purificadores da presença definitiva do reino de Deus entre o seu povo.

Com isso em mente, podemos nos aproximar do relato da ressurreição de Lázaro. O Evangelho de João possui várias peculiaridades em relação aos três outros Evangelhos. Uma das mais conhecidas é que ele foi escrito depois dos demais, com o intuito de trazer à tona de forma mais explícita aspectos que estavam implícitos na mensagem teológica de Mateus, Marcos e Lucas. Mas a particularidade mais relevante para a nossa discussão aqui é que, em profundo contraste com os demais relatos canônicos, João não mostra Jesus expulsando um espírito impuro sequer. E isso é altamente significativo. Se os outros evangelistas nos contam que Jesus passou bastante tempo confrontando as forças do caos em seus exorcismos, por que será que João deixa essa informação de fora?

O ponto teológico sublinhado pelos exorcismos em Mateus, Marcos e Lucas é sintetizado em um único evento narrado no quarto Evangelho. João explica o real propósito — o sentido mais profundo — da missão de Jesus por meio de uma seleção de sete grandes sinais que o Filho de Deus realizou. "Os discípulos viram Jesus fazer muitos outros sinais além dos que se encontram registrados neste livro. Estes, porém, estão registrados para que

---

[1] Wright, *Jesus and the Victory of God*, p. 228.

150 O ENREDO DA SALVAÇÃO

vocês creiam que Jesus é o Cristo, o Filho de Deus, e para que, crendo nele, tenham vida pelo poder do seu nome" (Jo 20.30-31). Nesse contexto, é muito importante perceber que o último sinal que Jesus realiza antes de entrar em Jerusalém pela última vez é a ressurreição de Lázaro. Tanto é que o episódio marca a transição entre a seção joanina que os estudiosos têm chamado de "livro dos sinais" (Jo 1—11), em que a identidade de Jesus é descortinada, e aquela chamada de "livro da glória", que narra o desvelar definitivo da glória de Cristo em sua paixão (Jo 12—21). O que ocorre com o irmão de Marta e Maria, portanto, é o ponto alto de todos os sinais que Jesus realiza antes de sua caminhada até a cruz. A ressurreição de Lázaro aponta para aquilo que Jesus veio de fato realizar.

Poderíamos dedicar bastante espaço falando sobre os detalhes exegéticos desse episódio, mas cabe aqui sublinhar apenas dois pontos. Primeiro, no episódio de Lázaro, vemos um retrato muito sugestivo de quem Jesus é. Nunca deixo de me impressionar com sua postura frente à morte iminente de seu amigo Lázaro:

> Quando Jesus ouviu isso, disse: "A doença de Lázaro não acabará em morte. Ela aconteceu para a glória de Deus, para que o Filho de Deus receba glória por meio dela". Jesus amava Marta, Maria e Lázaro. Ouvindo, portanto, que Lázaro estava doente, ficou mais dois dias onde estava. Depois, disse a seus discípulos: "Vamos voltar para a Judeia".
>
> Os discípulos se opuseram, dizendo: "Rabi, apenas alguns dias atrás o povo da Judeia tentou apedrejá-lo. Ainda assim, o senhor vai voltar para lá?".
>
> Jesus respondeu: "Há doze horas de claridade todos os dias. Durante o dia, as pessoas podem andar com segurança. Conseguem enxergar, pois têm a luz deste mundo. À noite, porém, correm o risco de tropeçar, pois não há luz". E acrescentou: "Nosso amigo Lázaro adormeceu, mas agora vou despertá-lo".
>
> Os discípulos disseram: "Senhor, se ele dorme é porque logo vai melhorar!". Pensavam que Jesus falava apenas do repouso do sono, mas ele se referia à morte de Lázaro.
>
> Então ele disse claramente: "Lázaro está morto. E, por causa de vocês, eu me alegro por não ter estado lá, pois agora vocês vão crer de fato. Venham, vamos até ele".

João 11.4-15

Inicialmente, ninguém entende as razões da demora de Jesus para chegar a Betânia. Em uma demonstração até que admirável de fé, Marta lamenta com ares claros de desapontamento: "Se o Senhor estivesse aqui, meu irmão não teria morrido" (Jo 11.32).[2] E alguns ali presentes concordavam: "Este homem curou um cego. Não poderia ter impedido que Lázaro morresse?" (Jo 11.37). Era sabido que Jesus teria curado o irmão de Marta, mas a morte — essa força tirânica inexorável decorrente do pecado — ninguém poderia resolver. O sepulcro de Lázaro já havia sido lacrado. Jesus havia chegado tarde demais. O retrato de João 11.1-16, porém, é de alguém em absoluto controle da situação. Jesus age de forma deliberada ao atrasar alguns dias antes de ir até Betânia, de maneira que ele e seus discípulos chegariam somente após o falecimento de Lázaro. E o objetivo parece ter sido precisamente esse: o Mestre não curaria seu amigo. Outro plano havia sido premeditado.

Contudo, apesar de saber que aquele evento culminaria na manifestação de sua autoridade, em João 11.30-35 vemos que Jesus não deixa de sentir empatia com a dor daqueles a quem ele amava:

> Jesus tinha ficado fora do povoado, no lugar onde Marta havia se encontrado com ele. Quando as pessoas que estavam na casa viram Maria sair apressadamente, imaginaram que ela ia ao túmulo de Lázaro chorar e a seguiram. Assim que chegou ao lugar onde Jesus estava e o viu, caiu a seus pés e disse: "Se o Senhor estivesse aqui, meu irmão não teria morrido".
>
> Quando Jesus viu Maria chorar, e o povo também, sentiu profunda indignação e grande angústia. "Onde vocês o colocaram?", perguntou.
>
> Eles responderam: "Senhor, venha e veja". Jesus chorou.

Poucas passagens no Novo Testamento retratam a solidariedade de Cristo com a condição humana como a perícope acima. Aquele que não havia perdido o controle da situação sequer por um milésimo de segundo mostra-se também completamente inserido no drama de seus amigos. É desses que lamentavam a perda de um ente querido em frente a um túmulo a honra de serem mencionados ao lado do verso mais curto de toda a Escritura Sagrada: "Jesus chorou". Dessa forma, é no momento em que Jesus realiza o ápice de

---

[2] Não que Marta não cresse na ressurreição. É que ela, assim como a maioria dos judeus de sua época, acreditava que isso aconteceria quando Deus derrotasse os inimigos do povo — a saber, os romanos.

152 O ENREDO DA SALVAÇÃO

todos os seus sinais que vemos seu poder perfeitamente aglutinado com sua compaixão: o Filho de Deus tem toda aquela circunstância na palma de sua mão, mas jamais deixa de lamentar o sofrimento humano.

Relacionado a isso, o segundo ponto que é imprescindível mencionar é que o momento que Jesus escolhe para realizar o sinal mais elevado de seu ministério antes da crucificação não é uma celebração, mas, sim, um funeral. O Criador de céus e terra, que se fez o descendente perfeito de Abraão e de Davi, escolhe um cemitério para ser o cenário onde o ponto culminante de sua missão seria representado. O detalhe relevante é que o primeiro sinal que Jesus realiza no Evangelho de João é, sim, uma celebração: o casamento em Caná (Jo 2.1-12). Naquela ocasião, Jesus havia transformado cento e vinte litros de água utilizada para purificação cerimonial no vinho mais elegante que o *sommelier* da festa já havia provado, indicando, assim, que o reino messiânico inaugurava um período de vida plena na presença de Deus. O problema é que, para que aquela realidade demonstrada no sinal do casamento em Caná pudesse finalmente se concretizar, era necessário derrotar o último — e verdadeiro — inimigo da humanidade, que ninguém podia vencer desde Gênesis 3: o exílio da presença de Deus, o sepulcro, a morte.

A força teológica do episódio de Lázaro, portanto, é mostrar que o que Jesus veio de fato realizar — o objetivo último de sua missão — foi derrotar nosso maior inimigo: a morte. Ele poderia ter facilmente antecipado sua ida a Betânia e evitado que seu amigo morresse. Aquilo certamente teria trazido muita alegria a todas as testemunhas presentes, gerando ações de graças pela misericórdia de Deus. Mas, naquele sétimo grande sinal, o Messias mostrava por que ele havia realmente vindo ao mundo. Nos demais Evangelhos, Jesus demonstra a presença do reino de Deus, colocando os demônios para correr. João canaliza essa verdade, dizendo que Jesus veio, em última instância, para colocar a própria morte para correr. Não há exorcismos em João porque, para o "discípulo amado", somente um exorcismo importava relatar com o intuito de encapsular o sentido de todos os demais exorcismos: a expulsão da própria morte do cosmo. É por isso que a linguagem usada pelo próprio Jesus para explicar o que ele estava para fazer com Lázaro não foi meramente fenomenológica, como se a relevância estivesse apenas no evento isolado. Na verdade, aquilo remetia à "realidade mais real" da reversão de Gênesis 3: "Eu sou a ressurreição e a vida. Quem crê em mim viverá, mesmo depois de morrer. Quem vive e crê em mim jamais morrerá" (Jo 11.25-26). Ao encerrar o relato sem chamar Lázaro pelo nome, mas simplesmente dizendo que "o morto saiu" (Jo 11.44), João confirma a veracidade das palavras de Cristo.

Não podemos nos esquecer, porém, de que Lázaro morreu de novo. Ele não se encontra vivo hoje lá na Palestina. O que Jesus fez com Lázaro foi um sinal que apontava para uma verdade infinitamente maior: Jesus derrotaria a morte, de uma vez por todas, ele mesmo morrendo na cruz. À semelhança de Davi, que havia representado o povo de Deus e libertado seus irmãos da opressão pagã, enfrentando o gigante Golias, o Messias deveria encarar, ele mesmo, com os próprios punhos, o grande inimigo da humanidade, a consequência mais inexorável da rebeldia de Adão e Eva: a morte. E era Jesus quem deveria fazer isso, pois somente ele poderia.

Não é por mero acaso, então, que a ressurreição de Lázaro desemboque diretamente na crucificação de Jesus: "Daquele dia em diante, começaram a tramar a morte de Jesus" (Jo 11.53). Esse Jesus, que acabou de trazer Lázaro dentre os mortos, esmagaria a morte entregando a própria vida na cruz. É exatamente isso que Jesus sugere a seus discípulos, uma vez que já havia entrado em Jerusalém para revelar sua glória: "Chegou a hora de julgar o mundo; agora, o governante deste mundo será expulso. E, quando eu for levantado da terra, atrairei todos a mim" (Jo 12.31-32; cf. 3.14-15). Ademais, é isso que está contemplado na identificação que Jesus realiza entre o significado da Páscoa judaica e sua morte no Calvário. João não se vê na necessidade de repetir o que os relatos canônicos anteriores já disseram com clareza sobre isso: a paixão de Cristo é a plenificação dos atos salvíficos de Yahweh no êxodo, quando os descendentes de Abraão foram preservados do "anjo da morte" e salvos da opressão do caos (Mc 14.12-26). O leitor precisa se lembrar aqui de que a única coisa que havia determinado quem seria ou não visitado pelo juízo divino no Egito foi o sangue de um cordeiro sacrificado (Êx 12.1-14). Jesus escolhe justamente esse evento como arcabouço teológico para a interpretação de sua morte na cruz: o sacrifício do Messias realizaria o êxodo escatológico — a libertação definitiva da humanidade das garras da morte. O anúncio por parte de João Batista de que Jesus era "o Cordeiro de Deus, que tira o pecado do mundo" (Jo 1.29), já havia apontado nessa direção.[3]

---

[3] Há alguns detalhes sobre a relação entre a morte de Jesus e a Páscoa judaica que precisam ser esclarecidos. Originalmente, o sacrifício do cordeiro pascal não tinha conotações expiatórias. Para esse propósito, os judeus tinham o Dia da Expiação (Lv 23.26-32). Paulo

154 O ENREDO DA SALVAÇÃO

À luz de tudo isso, fica mais simples de entender por que os demais Evangelhos deixam tão claro que "era necessário que o Filho do Homem sofresse muitas coisas e fosse rejeitado pelos líderes do povo, pelos principais sacerdotes e pelos mestres da lei" (Mc 8.31). Sim, "era necessário" que o Messias morresse porque somente com sua morte a verdadeira e definitiva salvação poderia acontecer. O paradoxo é que os próprios líderes da nação estavam prestes a atuar nesse processo como aqueles que entregariam o Messias para ser morto nas mãos dos pagãos. Nas palavras de João: "Veio a seu próprio povo, e eles o rejeitaram" (Jo 1.11). E, ironicamente, aqueles que zombavam de Cristo aos pés da cruz não faziam a menor ideia de que diziam a mais pura verdade quando vociferaram: "Salvou os outros, mas não pode salvar a si mesmo!" (Mc 15.31). O pecado custou caro para Deus. Foi preciso que o Messias morresse para que pudéssemos ser salvos e voltássemos a viver.

Até o capítulo anterior, o enredo da salvação tinha nos mostrado que o Criador de todo o cosmo assumiu o papel de nosso representante, vivendo a vocação humana de forma perfeita e levando a história de Israel ao seu ponto culminante. Agora, na ressurreição de Lázaro, vemos que Deus fez tudo isso principalmente para poder assumir o nosso lugar perante a morte, de maneira que a sentença que trouxemos sobre nós mesmos fosse paga, de uma vez por todas, pelo próprio Autor da vida. E assim, entregue na cruz, Deus também escancarou o ponto mais alto de sua glória, tornando conhecido o cerne de seu caráter. Paulo não poderia ter sido mais certeiro: "Quando estávamos completamente desamparados, Cristo veio na hora certa e morreu por nós, pecadores. [...] Deus nos prova seu grande amor ao enviar Cristo para

---

interpreta a morte de Jesus pelas lentes do Dia da Expiação (Rm 3.25-26). Falaremos um pouco mais sobre isso adiante. Em todo caso, é provavelmente por volta do exílio, quando a futura restauração do povo passou a ser anunciada pelos profetas como um "novo êxodo" (Is 40—55), que a Páscoa passou a ser associada com o perdão dos pecados da nação. As razões são óbvias: já que o que havia levado o povo ao exílio foi a quebra da aliança, o "novo êxodo" representaria perdão de pecados. A pregação de João Batista no quarto Evangelho parece refletir esse pensamento. Além disso, é curioso que, na última ceia de Jesus — que aconteceu durante a Páscoa judaica —, ele não tenha se identificado com o cordeiro que estava sobre a mesa (Mc 13.14-12), mas, sim, com o pão e com o vinho. Isso indica que o que importava para Jesus não era fazer uma conexão exata entre sua morte e algum elemento específico da Páscoa. Fazê-lo, me parece, reduziria demais o sentido de seu sacrifício. Não há um único símbolo que possa esgotar o significado do Calvário. Antes, aquilo que Jesus realizaria na cruz dizia respeito à plenificação do todo das realidades para as quais o primeiro êxodo apontou.

morrer por nós quando ainda éramos pecadores" (Rm 5.6,8). De igual modo, João afirma: "É nisto que consiste o amor: não em que tenhamos amado a Deus, mas em que ele nos amou e enviou seu Filho como sacrifício para o perdão de nossos pecados" (1Jo 4.10). O pecado custou caro para Deus. Foi preciso que o Messias morresse. E, ao fazer isso, ele desvelou sua característica mais fundamental: o amor sacrificial.

A grande dificuldade é que, na cabeça dos contemporâneos de Jesus, o Messias viria para "acabar com a raça" de seus inimigos, não para se sacrificar por eles, muito menos em uma cruz romana. Isso explica a consternação de Pedro no momento em que Jesus fala sobre sua morte (Mc 8.31-33). Gordon Fee costumava dizer em suas aulas que "Messias crucificado" teria soado aos discípulos como "gelo queimado" — uma cômica contradição dos termos. Os enigmáticos cânticos de Isaías, em que é apresentada a figura de um servo que sofre pela nação (Is 42—53), nunca eram interpretados na época de Jesus em referência ao rei escatológico, mas, sim, a Israel. A leitura messiânica desses textos foi iniciada, por razões óbvias, pelos próprios cristãos. E o que está implícito na cena em que Pedro nega conhecer Jesus (Mc 14.66-72) tem pouquíssimo a ver com sua suposta covardia. João nos conta que Pedro acabara de atacar um dos soldados no Getsêmani, cortando-lhe a orelha (Jo 18.10), o que mostra que o ex-pescador era qualquer coisa menos medroso (cf. tb. Mt 26.31-35; Mc 14.27-31; Lc 22.31-34). Na verdade, quando diz não conhecer Jesus, Pedro admite um fato: de um Messias que se entrega para morrer por seus inimigos, as pessoas preferiam nem ouvir falar. O que faz os discípulos abandonarem seu mestre não é covardia. É perplexidade.

Em conclusão, é preciso enfatizar que a cruz de Cristo não só esmaga nossa própria morte, revelando assim o cerne do caráter de Deus, como também confronta diretamente nossas visões distorcidas a respeito de quem ele é. A cruz escancara como idolatria todas as vezes que nós, em nossa autonomia e lascívia por sermos como deuses, fizemos de Deus alguém parecido conosco e com o caos que habita em nós. A cruz confronta nossa tendência de construir bezerros de ouro, projetando nossos próprios anseios caídos sobre Jesus. Por outro lado, a cruz nos lembra também de que o Deus que fomos criados a adorar é único, completamente distinto das mentiras que inventamos: ele é Yahweh, Deus compassivo, cheio de graça e de verdade, que se fez ser humano para cumprir a nossa vocação e se entregar por nós em um objeto de tortura, morrendo a morte que era nossa, mostrando o tipo de gente que ele sempre quis que fôssemos.

Eu não sei você, caro leitor e cara leitora, mas sempre que pondero sobre a cruz de Jesus a única reação que consigo esboçar é dobrar os joelhos e responder em adoração. E é nesse lugar, prostrado, que percebo que foi para isso que fui criado. Isso é salvação.

15
A manhã decisiva:
A ressurreição de Jesus

....

No primeiro dia da semana, bem cedo, as mulheres foram ao túmulo, levando as especiarias que haviam preparado, e viram que a pedra tinha sido afastada da entrada. Quando entraram no túmulo, não encontraram o corpo do Senhor Jesus. Enquanto estavam ali, perplexas, dois homens apareceram, vestidos com mantos resplandecentes.

As mulheres ficaram amedrontadas e se curvaram com o rosto em terra. Então os homens perguntaram: "Por que vocês procuram entre os mortos aquele que vive? Ele não está aqui. Ressuscitou! Lembrem-se do que ele lhes disse na Galileia: 'É necessário que o Filho do Homem seja traído e entregue nas mãos de pecadores, seja crucificado e ressuscite no terceiro dia'".

Então lembraram-se dessas palavras de Jesus e, voltando do túmulo, foram contar aos onze discípulos e a todos os outros o que havia acontecido. Maria Madalena, Joana, Maria, mãe de Tiago, e as outras mulheres que as acompanhavam relataram tudo aos apóstolos. Para eles, porém, a história pareceu absurda, e não acreditaram nelas. Mas Pedro se levantou e correu até o túmulo. Abaixando-se, olhou atentamente para dentro e viu os panos de linho vazios; então voltou para casa, admirado com o que havia acontecido.

LUCAS 24.1-12

....

No dia 6 de junho de 1944, o mundo testemunhou um dos eventos mais determinantes para o restante do século 20. Praticamente dois anos e meio após os EUA terem oficialmente entrado na Segunda Guerra Mundial, em resposta aos ataques à base naval em Pearl Harbor, as forças aliadas lideradas pelos próprios norte-americanos e pela única potência da Europa Ocidental que ainda não havia se rendido às forças lideradas por Hitler — ou seja, o

158 O ENREDO DA SALVAÇÃO

Reino Unido — cruzaram o Canal da Mancha, invadindo a Normandia. Foi o famoso Dia D. Os aliados conseguiram tomar o controle daquela província, considerada uma das principais fortalezas dos nazistas no extremo oeste da Europa. E uma cena do Dia D que está entre as mais emblemáticas aconteceu quando os soldados aliados fincaram suas bandeiras em solo francês, simbolizando a retomada da liberdade das mãos dos nazistas, ainda que naquele exato momento tal realidade fosse visível somente na Normandia. De fato, se folhearmos um pouco adiante os registros da história, veremos que o Dia D foi tão monumental que não precisou mais que onze meses para que a tomada do noroeste da França desembocasse no Dia V — isto é, no dia 8 de maio de 1945, data em que as tropas de Hitler por fim se renderam às forças aliadas. O Dia D não havia deixado a menor sombra de dúvidas de que o jogo havia virado.[1]

Guardadas as devidas proporções, esse episódio ilustra um pouco da lógica por trás do senso de missão que os discípulos adquiriram pouco tempo depois da morte de Jesus. Segundo o retrato que o livro de Atos dos Apóstolos nos oferece, a primeira comunidade de seguidores de Cristo era constituída de pessoas que, plenamente certas da vitória, não se abalavam diante das muitas dificuldades que teriam de enfrentar por pertencerem ao Messias. Tampouco se amedrontavam diante da possibilidade real de morrerem. Mas não somente isso: essa ousadia era respaldada pela própria mensagem que eles pregavam, de maneira que, quanto mais oposição os cristãos sofriam, mais crescia a comunidade a qual pertenciam.

A dificuldade que isso levanta ao historiador, porém, é que esse retrato de um povo triunfante, que não se deixa acovardar nem mesmo diante da força mortífera da máquina imperial de César, contrasta bastante com o que vemos nos capítulos finais dos Evangelhos. Mateus, Marcos, Lucas e João são unânimes em nos relatar que Jesus encerrou seu ministério completamente abandonado por seus "capangas". Conforme vimos no capítulo anterior, a cruz teve sabor amargo demais para eles. Ao ver o Messias se entregar voluntariamente nas mãos de seus inimigos, Pedro entrou na pior crise existencial de sua vida. Ademais, embora os discípulos não tenham abandonado Jesus somente por medo, é exatamente isso que eles sentem após a crucificação: os outrora valentes seguidores do Messias se trancam em uma casa, temendo

---

[1] Ouvi essa ilustração pela primeira vez em uma aula ministrada por Gordon Fee.

ser associados àquele que, na perspectiva dos de fora, acabara de ser executado como um fracassado insurgente anti-Roma (Jo 20.19). Se a última informação que tivéssemos fosse a reação dos discípulos diante da morte de Jesus, em outras palavras, aquilo que vemos no livro de Atos não faria o menor sentido. Tanto do ponto de vista histórico como do ponto de vista teológico, uma coisa jamais poderia ter seguido a outra.

Isso indica que a única maneira plausível e intelectualmente honesta de entendermos a ordem de eventos supramencionada é pressupondo que alguma coisa realmente extraordinária aconteceu entre a morte de Jesus e os eventos narrados no livro de Atos. Algo muito impactante precisaria ter acontecido para que aqueles discípulos fujões e desiludidos se tornassem apóstolos e mártires.

Os Evangelhos respondem a esse dilema da maneira mais simples e direta possível: em concordância com aquilo que Jesus já havia anunciado antes de sua morte, no terceiro dia após sua crucificação, ele ressuscitou dos mortos. O que aconteceu, então, foi que, no primeiro dia da semana, algumas mulheres foram cumprir certos procedimentos que restavam para a finalização do sepultamento e, quando chegaram lá, não somente a pedra que fechava o túmulo estava removida, como também o corpo de Jesus estava ausente do local. Assustadas e sem entender coisa alguma do que estava acontecendo, elas provavelmente se olharam, tentando decifrar a situação. De repente, viram aparecer dois anjos que deram o relato do que havia ocorrido: "Por que vocês procuram entre os mortos aquele que vive? Ele não está aqui. Ressuscitou!". Aquele que havia esvaziado o sepulcro de Lázaro não se encontrava mais entre os mortos. Cristo agora deixou seu próprio sepulcro vazio.

Uma coisa bastante curiosa, no entanto, é que todos os Evangelhos são extremamente sucintos ao falar sobre tal acontecimento. Chega a ser intrigante que os evangelistas não percam tempo enfeitando ou dando especificações sobre a ressurreição de Jesus. Não há nenhuma tentativa de deixar o sepulcro vazio um pouco mais palatável — ou ao menos mais coerente —, nem se percebe nenhum esforço no sentido de dar cores mais vibrantes à cena. Em nenhum momento recebemos uma explicação laboratorial da "química" da coisa e, para a consternação de qualquer leitor do primeiro século, nenhuma das primeiras testemunhas do sepulcro vazio pertencia à elite da sociedade mediterrânea. Se eu vivesse naquela época e tivesse a intenção de apresentar como credível uma história inventada, teria provavelmente dito que um evento daquela magnitude havia sido testemunhado por pessoas de maior *status*. Mas, muito longe de subverter a autenticidade de seus relatos, a simplicidade e a parcimônia dos Evangelhos sugerem que seus autores não estavam interessados em tornar o sepulcro vazio cientificamente aceitável, muito menos em satisfazer nossas curiosidades. Pelo contrário, importava a Mateus, a Marcos, a Lucas e a João simplesmente relatar, cada um a partir de seu próprio ângulo, que o acontecimento completamente inesperado ocorrido naquela manhã de domingo fazia toda a diferença na vida das pessoas.

Assim, fora dos Evangelhos também, a pergunta mais importante sobre a ressurreição de Jesus jamais diz respeito a como aquilo pôde ter acontecido. À semelhança da Encarnação, fenômeno esse que os evangelistas nem mesmo arriscam começar a explicar matematicamente, a ressurreição de Cristo foi um evento sem precedentes e, consequentemente, incomparável com qualquer fenômeno conhecido da natureza. E aqui vale esclarecer que, embora Jesus tenha ressuscitado algumas pessoas em seu ministério — como, por exemplo, Lázaro —, a ressurreição do próprio Jesus foi categoricamente diferente. O sepulcro que Jesus deixou vazio foi algo pertencente a uma ordem por completo distinta: Cristo foi levantado dos mortos de uma vez por todas, representando uma realidade única, inédita e definitiva. Como dissemos, Lázaro morreu de novo. Jesus, em contrapartida, não. E, após sua ressurreição, o Messias era capaz não apenas de tomar café da manhã à beira do mar (Jo 21.12-13), como também de atravessar paredes conforme desejava (Jo 20.19).

Na verdade, a pergunta que os apóstolos consideraram a mais importante sobre a ressurreição de Jesus não foi "Como?", mas, sim, "E agora?". Jesus ressuscitou, ponto final. Mas o que isso significa? E as implicações da ressurreição do Messias são tantas e tamanhas que todo o restante do Novo Testamento é dedicado basicamente para descrever seus contornos. As principais delas serão discutidas nos próximos capítulos deste livro, mas neste momento é necessário examinar o ponto mais fundamental desse evento, já que é somente a partir dele que conseguimos compreender como a cruz resultou no surgimento da Igreja.

Posto de maneira simples, a ressurreição é a comprovação histórica, no tempo e no espaço, de que tudo aquilo que Deus havia revelado no Messias foi completo e verdadeiro. Não raro nos esquecemos disso, mas o fato é que Jesus morreu como um criminoso. Do ponto de vista humano, não havia nada de bom ou louvável na crucificação — ela era destinada primordialmente a escravos fugitivos e a insurgentes políticos. E, por mais espetacular que pudesse ter sido tudo que Jesus afirmou e realizou antes de morrer, nada teria tido relevância última, se ele tivesse permanecido morto. Se aquele descendente de Davi e de Abraão não tivesse ressurgido no terceiro dia, os Evangelhos nem mesmo existiriam, não haveria Natal ou cristianismo, ninguém falaria de Jesus hoje. A despeito de todos os eventos indiscutivelmente impressionantes em torno de sua vida, aquele filho de carpinteiro seria contado como apenas mais um criminoso entre os muitos outros que foram condenados por Roma e cujo nome nem sequer conhecemos.

Pela mesma razão, um judeu zeloso chamado Saulo havia se dedicado a perseguir aqueles que proclamavam um rei crucificado (At 8.1). Mas, uma vez que ele é alcançado pelo Cristo ressurreto, tudo muda drasticamente, a ponto de em suas cartas sempre haver uma relação de causa e efeito entre a validade do evangelho e o sepulcro vazio: "E, se Cristo não ressuscitou, a fé que vocês têm é inútil, e vocês ainda estão em seus pecados" (1Co 15.17; cf. At 9.1-22). Em outras palavras, se a cruz tivesse sido o final da história, ninguém jamais poderia dizer que a morte do Messias foi eficaz na resolução do problema do nosso pecado e da nossa morte. O exílio ainda definiria a humanidade, o cosmo permaneceria refém do caos, céus e terra ainda estariam em quarentena. Pensando bem, é muito mais coerente ser ateu do que achar que é possível ser cristão sem acreditar na ressurreição de Jesus. O sepulcro vazio não é um detalhe metafórico que tanto faz! Se tivesse permanecido morto após sua crucificação, Jesus não teria passado de um impostor lunático, e seria tolice ser cristão.

Outro detalhe é que, quando um judeu do primeiro século ouvia o termo "ressurreição", ele normalmente interpretava essa palavra em conexão com textos proféticos como Ezequiel 37 e Daniel 12, em referência ao dia da restauração final dos justos na terra e da derrota de seus inimigos nos "últimos dias". Esse era outro motivo por que Saulo havia se irado tanto contra os cristãos. Como ousavam proclamar a ressurreição de um Messias crucificado, se o próprio Saulo, o mais zeloso e piedoso de sua geração, ainda não havia experimentado aquela realidade? Os romanos, afinal de contas, continuavam muito bem alojados na Palestina. É instrutivo que, das vezes

162 O ENREDO DA SALVAÇÃO

que Jesus fala de sua ressurreição, os ouvintes estão até familiarizados com a ideia, mas estranham a possibilidade de uma ressurreição individual, no meio da história. Marta havia ido na mesma direção: "Lázaro vai ressuscitar quando todos ressuscitarem, no último dia" (Jo 11.24). O problema é que, conforme o enredo da salvação já deixou bem transparente, alguém teria de desbravar esse caminho, visto que ninguém é justo perante Deus. Ninguém é totalmente fiel, ninguém pode vencer a morte.

Ninguém, quer dizer, a não ser Jesus. Contra todas as probabilidades, Jesus ressuscitou. E, no terceiro dia após a crucificação, quando Jesus ressurge dos mortos, finalmente a "ficha cai". O sepulcro vazio revelava que Jesus havia sido o único, desde o relato da criação do cosmo, sobre quem a morte não conseguiu reinar. Em consequência disso, a ressurreição demonstrava que Jesus havia sido o único ser humano perfeito, o único israelita plenamente fiel. A ressurreição de Jesus comprovava que tudo aquilo que Jesus fez e ensinou tinha sido real e verdadeiro: nele, as promessas de Deus a Abraão e a Davi foram cumpridas, a história de Israel foi conduzida ao seu ponto culminante, a nova criação iniciada no novo êxodo do batismo e da crucificação foi realizada, o caminho da desobediência foi superado, o reino de Deus foi inaugurado, a imagem de Deus na humanidade começou a ser restaurada, os demônios foram postos para correr, as forças do caos passaram a ser colocadas em seu devido lugar, a vocação humana foi realizada com perfeição. É por causa da ressurreição de Jesus, aliás, que nós podemos falar de todas as coisas que temos falado desde o décimo primeiro capítulo — é por causa da ressurreição de Jesus que temos os Evangelhos.

Além disso, se aquela manhã gloriosa de domingo comprovava a validade da missão cruciforme do Messias, ela também comprovava a veracidade de sua identidade. Uma vez que a ressurreição é a evidência decisiva de que Jesus foi bem-sucedido aos olhos do Pai, o sepulcro vazio demonstra também aquilo que suas palavras e ações haviam insinuado: Jesus foi não somente o Messias, mas também o próprio Yahweh em carne e osso. É por isso que Tomé, na famosa história em João 20.24-29, quando finalmente vê o Cristo ressurreto, reage do jeito que reage:

> Um dos Doze, Tomé, apelidado de Gêmeo, não estava com os outros quando Jesus surgiu no meio deles. Eles lhe disseram: "Vimos o Senhor!".

Ele, porém, respondeu: "Não acreditarei se não vir as marcas dos pregos em suas mãos e não puser meus dedos nelas e minha mão na marca em seu lado".

Oito dias depois, os discípulos estavam juntos novamente e, dessa vez, Tomé estava com eles. As portas estavam trancadas, mas, de repente, como antes, Jesus surgiu no meio deles. "Paz seja com vocês!", disse ele. Então, disse a Tomé: "Ponha seu dedo aqui, e veja minhas mãos. Ponha sua mão na marca em meu lado. Não seja incrédulo. Creia!".

"Meu Senhor e meu Deus!", disse Tomé.

Então Jesus lhe disse: "Você crê porque me viu. Felizes são aqueles que creem sem ver".

Com razão, Tomé é comumente rotulado de incrédulo. Mas não sejamos injustos com ele. Se os seus colegas diziam a verdade — "Vimos o Senhor!" —, então aquilo mudava tudo. Era necessário comprovar por ele mesmo. Mais que cético, Tomé foi teologicamente consistente: se Jesus ressuscitou, então esse tempo todo estávamos caminhando com Deus encarnado — ajudaria muito tocar nas feridas. E, de fato, quando Jesus se aproxima de Tomé, o Senhor permite que o discípulo assim o faça. A conclusão? A ressurreição confirmava a encarnação: "Meu Senhor e meu Deus!". E, no ápice de tudo isso, estava a certeza de que, em sua morte na cruz, o Deus eterno que se fez o novo Adão de fato havia derrotado a morte, nosso último e maior inimigo, tomando sobre si mesmo o peso dos nossos pecados.

Por fim, uma vez que a morte foi decisivamente vencida pela ressurreição de Jesus, ele assumiu a posição mais exaltada de todo o universo, sendo declarado Senhor sobre todas as coisas por Deus Pai. Pedro afirma isso com todas as letras em seu sermão no dia de Pentecostes: "Portanto, saibam com certeza todos em Israel que a esse Jesus, que vocês crucificaram, Deus fez Senhor e Cristo!" (At 2.36). E Paulo faz coro em Filipenses 2.6-11:

Embora sendo Deus,
 não considerou que ser igual a Deus
 fosse algo a que devesse se apegar.
Em vez disso, esvaziou a si mesmo;
 assumiu a posição de escravo
 e nasceu como ser humano.
Quando veio em forma humana,
 humilhou-se e foi obediente

até a morte, e morte de cruz.
Por isso Deus o elevou ao lugar de mais alta honra
e lhe deu o nome que está acima de todos os nomes,
para que, ao nome de Jesus, todo joelho se dobre,
nos céus, na terra e debaixo da terra,
e toda língua declare que Jesus Cristo é Senhor,
para a glória de Deus, o Pai.

O significado mais basilar da ressurreição, portanto, está um tanto distante das interpretações descontextualizadas e sentimentalistas que estamos acostumados a ouvir — por exemplo, "Jesus morreu para que eu o aceite em meu coração e tenha meu lugar garantido no céu". À luz do grande enredo da salvação, percebemos que o ponto teológico fundamental da Páscoa cristã é nada menos que cósmico: o sepulcro vazio é a resolução dos planos divinos para o universo desde a criação. O pecado originou o cemitério, Cristo remediou esse problema. O evangelho é o evento em que Deus invadiu o tempo e o espaço na pessoa do Messias, venceu a morte por nós e assumiu o senhorio absoluto sobre todas as coisas. O problema originado em Gênesis 3 foi solucionado, e o exílio, superado. Conforme resume G. K. Beale, a "esperança judaica e do Antigo Testamento afirmava que a ressurreição ocorreria no fim da história; portanto, a ressurreição de Cristo foi o começo do fim dos tempos".[2] Ou, nas palavras de N. T. Wright, "quando Jesus se levantou dos mortos na manhã da Páscoa, ele se levantou como o início de um novo mundo que o Deus de Israel sempre teve a intenção de realizar".[3] Porque o sepulcro está vazio, o cosmo pode experimentar restauração.

Eis, então, o que explica a mudança tão drástica na cabeça e na atitude dos discípulos entre a crucificação de Jesus e o livro de Atos: no sepulcro vazio de Jesus estava a prova cabal de que o enredo da salvação havia encontrado sua resolução. Por causa da ressurreição de Jesus, os discípulos entenderam que a redenção de céus e terra havia se tornado possível. Naquela manhã de domingo, o Dia D tinha se tornado uma realidade visível. A ressurreição é um evento histórico. A mensagem bíblica acerca de nossa salvação não é uma doutrina meramente sentimental. A fé cristã está predicada

---

[2] Beale, *Teologia bíblica do Novo Testamento*, p. 205.
[3] N. T. Wright, *Simply Jesus: Who He Was, What He Did, Why It Matters* (London: SPCK, 2011), p. 187.

em algo que de fato aconteceu, em um sepulcro que está vazio. A nossa segurança é tão inabalável quanto o fato de que "aquele que vive" não está mais "entre os mortos". Jesus, o nosso Cabeça e grande Campeão, venceu a morte e vive para todo o sempre. E, da mesma maneira que o sepulcro vazio virou o mundo todo dos primeiros discípulos de ponta-cabeça, esse evento se propõe virar o nosso mundo do avesso também.

PARTE IV

Do sepulcro vazio à Nova Jerusalém

16

Adoradores de todas as nações: A missão do povo messiânico

....

Então os onze discípulos partiram para a Galileia e foram ao monte que Jesus havia indicado. Quando o viram, o adoraram; alguns deles, porém, duvidaram.

Jesus se aproximou deles e disse: "Toda a autoridade no céu e na terra me foi dada. Portanto, vão e façam discípulos de todas as nações, batizando-os em nome do Pai, do Filho e do Espírito Santo. Ensinem esses novos discípulos a obedecerem a todas as ordens que eu lhes dei. E lembrem-se disto: estou sempre com vocês, até o fim dos tempos".

MATEUS 28.16-20

....

Alguns anos atrás, em um curso de Educação Cristã ministrado pelo Reverendo Darrell Johnson, ouvi falar de uma empresa de máquinas de escrever chamada Smith Corona que, até a década de 1980, possuía alto valor de mercado. Seus produtos tinham revolucionado o segmento de tal maneira que não raro eram listados entre os sonhos de consumo da classe média americana. A partir da década seguinte, porém, a Smith Corona foi desaparecendo do ramo, a ponto de ninguém das novas gerações ter sequer ouvido falar desse nome. E não foi por acidente: o advento da internet acabou abalando profundamente a razão de ser da companhia, e a diretoria não soube reagir aos desafios impostos pela nova realidade. Com a digitalização dos meios de comunicação, nem todo mundo fez como J. I. Packer, que nunca abandonou sua máquina de escrever enquanto percorreu sua carreira de escritor. Ao que parece, a percepção interna de que a Smith Corona era primordialmente uma fabricante de instrumentos analógicos de datilografia impossibilitou a manutenção de sua missão em um cenário de rápidas mudanças. Assim que a tecla "Delete" condenou as máquinas de escrever à obsolescência, a própria companhia encontrou o fim da linha.

170 O ENREDO DA SALVAÇÃO

O estudioso de liderança corporativa e ex-pesquisador da Universidade Stanford, Jim Collins, parece corroborar essa suspeita. Collins, que examinou modelos de liderança dos mais diversos, desde aquela empregada na academia militar de West Point até o corpo diretivo do gigantesco Bank of America, observa em seu campeão de vendas *Good to Great* que um dos componentes que diferenciam as organizações meramente boas das verdadeiramente grandes é que estas são lideradas por pessoas que definem o futuro em termos de "com quem fazer", muito mais do que a partir de "o que fazer".[1] O ponto é que, no sucesso das companhias que atravessam gerações, o fator determinante não é a atividade em si, mas sim pessoas que acreditam nos valores centrais da organização e traduzem esses ideais de maneira clara e criativa através das transições em seu entorno.

Quem me conhece das salas de aula e dos púlpitos sabe bem que não sou grande entusiasta de lógicas corporativas seculares aplicadas à vida da igreja. Em minha humilde opinião, na grande maioria dos casos em que isso é feito, a comunidade eclesiástica acaba se descaracterizando onde não deve, distanciando-se dos valores centrais do próprio evangelho. O argumento de Collins, aliás, em geral pressupõe uma definição de sucesso em termos quantitativos que, por vezes, é simplesmente incompatível com o reino de Deus. Não obstante minha hesitação, preciso admitir que o exemplo da Smith Corona e, em parte, a análise de Collins têm algo vital a nos acrescentar.

Quando aquilo que informa nosso entendimento sobre a missão da Igreja se resume primeiramente às nossas atividades, depressa nos desalinhamos das próprias Escrituras, perdendo nosso marco de referência e tornando--nos irrelevantes, ainda que possamos desfrutar de visibilidade momentânea. É claro que há muitas coisas pragmáticas com as quais a Igreja deve se envolver que são, além de importantes, boas e necessárias. De todo modo, o enredo da salvação nos força a admitir que Deus não mede sucesso segundo nossos padrões de grandeza. Salomão é o paradigma clássico disso. E a única maneira possível de avaliarmos se de fato estamos sendo bem-sucedidos é nos lembrando de que, no reino de Deus, sempre há uma ordem clara de prioridades. Johnson nos ajuda a entender isso, insistindo que há

---

[1] Jim Collins, *Good to Great: Why Some Companies Make the Leap... and Others Don't* (New York: Harper Business, 2001), p. 41-45.

uma enorme diferença entre "os trabalhos *de* igreja" e "*o* trabalho *da* Igreja".[2] Na primeira categoria, podemos incluir todo tipo de atividade relacionada ao funcionamento institucional da comunidade local — por exemplo, a administração do prédio e dos equipamentos, a escala da equipe de louvor, a organização dos eventos especiais, a impressão do boletim dominical, o cardápio da ceia de Natal, as atas das reuniões do conselho, e assim por diante. A segunda categoria, por sua vez, é a verdadeira missão dos seguidores de Jesus. E é somente quando nos atentamos à hierarquia que existe entre uma coisa e outra — aquela deve facilitar o cumprimento desta — que conseguimos nos manter coerentes à nossa vocação como povo do Cristo ressurreto.

Muito bem, e qual é a vocação da Igreja? Poderíamos encher uma biblioteca inteira somente com livros respondendo a essa pergunta específica. Em todo caso, a afirmação bíblica mais básica que deve ser sublinhada de início aqui é que fazer parte da Igreja é receber um chamado e corresponder a esse chamado. Talvez para o choque de boa parte das pessoas que têm nos acompanhado neste livro, a consequência de todas essas maravilhas que Deus começou a concretizar em Gênesis e que encontram seu ponto culminante em Jesus não é meramente uma ideia bonita que tem o objetivo de gerar em nós um sentimento de bem-estar, como se a fé cristã, a salvação e o evangelho dissessem respeito à mudança de nosso estado de espírito. Para muitos, Jesus não passa de um mecanismo de alívio na consciência, por meio do qual podem viver confortavelmente no mundo, esperando um dia serem teletransportados para um céu fantasmagórico. Eu mesmo, em meus primeiros anos de caminhada com Cristo, fui ensinado que a relevância do evangelho estava reservada exclusivamente ao futuro — "Pronto, agora você pode ter certeza de que, um dia, vai para o céu". Graças a Deus que o evangelho tem implicações para o nosso futuro eterno! Mas será que esse é o retrato todo?

Quando começamos a falar sobre Jesus no décimo capítulo, notamos que a genealogia na abertura do Evangelho de Mateus apresenta o Messias como o ponto alto do enredo da salvação iniciado em Gênesis. Ele é o descendente ideal de Davi e de Abraão. Jesus, então, é a resolução da longa história de como Deus preparou um povo para receber aquele que um dia redimiria o cosmo como o espaço sagrado da presença divina. E, conforme vimos nos

---

[2] Na verdade, Johnson cita o pastor presbiteriano e ex-capelão do Senado norte-americano, Richard Halverson.

172 O ENREDO DA SALVAÇÃO

capítulos seguintes, a missão de Jesus pavimentou o único caminho possível para que esse plano se concretizasse: o Messias inaugurou o reino de Deus e representou a humanidade perfeitamente não apenas em sua vida, como também em sua morte. A ressurreição de Jesus, portanto, está conectada com a promessa de que todas as famílias da terra seriam abençoadas por meio da descendência do primeiro patriarca.

Uma vez que nos recordamos dessa ênfase programática, fica até difícil de imaginar como Mateus poderia ter concluído seu Evangelho, senão nos contando sobre a chamada Grande Comissão. Já que o sepulcro vazio significa tudo aquilo que vimos no capítulo anterior, o Cristo ressurreto deixa claro a seus seguidores que um novo momento cósmico — o momento culminante e definitivo do universo — havia sido iniciado: "Toda a autoridade no céu e na terra me foi dada" (Mt 28.18). Se o caos havia imperado como consequência de Adão e Eva, Cristo agora reina sobre tudo por meio de sua vitória sobre a morte. Abraham Kuyper foi certeiro ao dizer que "não há um centímetro quadrado em toda a existência humana a respeito do qual Cristo não possa dizer: 'É meu!'".[3] Todas as coisas nos céus e na terra estão debaixo do senhorio de Jesus, o Deus Encarnado que superou a realidade de Gênesis 3.

O que decorre disso é que os discípulos são convocados a viver essa realidade, sendo a comunidade na qual a autoridade suprema de Jesus se expressa de maneira visível e tangível. É por isso que, logo em seguida ao indicativo de que Jesus é o Senhor, o Cristo ressurreto dá uma ordem central que orienta todas as atividades com as quais seus discípulos devem se ocupar no mundo. Ou seja, tendo afirmado sua autoridade sobre tudo e sobre todos, Jesus deixa claro que *"o trabalho da Igreja"* é anunciar o evangelho de modo que um povo de adoradores seja formado de todas nações, em cumprimento ao plano redentivo de Deus iniciado em Abraão.

Em termos mais específicos, os discípulos são convocados a expressar o senhorio de Cristo, fazendo outros discípulos: "Toda a autoridade no céu e na terra me foi dada. Portanto, vão e façam discípulos de todas as nações" (Mt 28.18-19).[4] Ora, se o próprio Jesus viu que não havia outra maneira de rea-

---

[3] Bratt, *Abraham Kuyper*, p. 488.

[4] Há uma ideia popular segundo a qual, já que a palavra grega traduzida por "vão" em Mateus 28.19 está no particípio — *poreuthentes* —, devemos traduzir o verbo por "indo". A ideia alegada é que Jesus retrata o discipulado como um "estilo de vida", no sentido

lizar a restauração da humanidade, a não ser chamando pessoas para segui-lo, a conclusão óbvia é que a vocação da Igreja é dar continuidade a esse projeto, fazendo outros discípulos de Jesus. No evangelho, a humanidade pode adorar o Criador verdadeiramente, seguindo Jesus, o Deus Encarnado, em todos os seus caminhos (Jo 4.23-24). Não há nada mais importante para a Igreja, portanto, do que se engajar na obra do discipulado. Por mais necessárias que sejam as demais atividades com as quais nos envolvemos, se tais coisas não contribuírem para a missão mais suprema do discipulado, estaremos aquém da nossa razão de ser, ainda que tenhamos receitas financeiras exorbitantes, influência política ou milhões de seguidores nas redes sociais.

E como especificamente o discipulado acontece? Algo que chama bastante a nossa atenção na Grande Comissão é que ela não contém nenhum tipo de fórmula ou método. Jesus não manda seus discípulos xerocarem uma apostila! Em vez disso, ele pontua três aspectos, sem os quais a missão da Igreja se descaracteriza em sua própria essência. Sejam lá quais forem as estratégias que as circunstâncias da vida nos levem a adotar, jamais podemos negligenciar esses três pontos.

Primeiro, a vocação do povo messiânico é, por definição, multiétnica, "de todas as nações" (Mt 28.19). Deus não havia chamado Abraão meramente para fazer dele alguém importante. Ao chamar Abraão, formar Israel e ressuscitar o Messias, Deus sempre teve em vista "todas as famílias da terra" (Gn 12.3). Lá em Apocalipse, na visão que João recebe acerca da consumação do reino de Deus, o apóstolo vê "uma imensa multidão, grande demais para ser contada, de todas as nações, tribos, povos e línguas, em pé diante do trono e diante do Cordeiro" (Ap 7.9), que corresponde à totalidade do povo de Deus, descrita simbolicamente pelos 144 mil selados na perícope anterior (Ap 7.1-8). Jesus é o Senhor de todo o universo, e o escopo da salvação é cósmico.

---

de que a Igreja deve cumprir sua missão "em seu ir" ou "indo por aí". Mas, infelizmente, esse é o tipo de erro cometido por pessoas que "estudam" grego somente o suficiente para consultar o léxico e a gramática. De fato, o verbo em questão está no particípio, mas a regra sintática é que, nesse caso, o particípio assume caráter circunstancial e assimile a força do verbo principal. E aqui o verbo principal é o imperativo *mathēteusate*, "façam discípulos". A ordem, portanto, é "vão e façam discípulos" mesmo, como traduz a NVT. Há que se notar, entretanto, que o único imperativo da Grande Comissão de fato é "façam discípulos". Esse é o foco central da ordem de Jesus.

174 O ENREDO DA SALVAÇÃO

Segundo, ao proclamar o evangelho, os súditos do Cristo ressurreto devem sacramentar a inclusão dos "discípulos de todas as nações" no povo escatológico de Deus, cuja existência está firmemente ancorada na própria Trindade. Em Cristo, o crente passa a pertencer de verdade à comunidade gerada pelo Deus Trino, e o batismo afirma precisamente isso. A Igreja é a nova humanidade que foi reconciliada com o Pai, mediante o Filho, pelo poder do Espírito Santo. Por isso, fazer discípulos necessariamente implica "batizá-los em nome do Pai, do Filho e do Espírito Santo" (Mt 28.19). Não há um momento sequer no enredo da salvação que nos leve a concluir que a salvação é algo que se limita a "eu e Deus". O foco sempre tem sido a formação de um povo, transformado à sua imagem, a partir do qual toda a humanidade poderia ouvir sobre as grandezas de Deus. Um clichê sentimentalista que, embora seja bem piegas e totalmente oco, por alguma razão ainda está bem infundido na mente de alguns evangélicos é a ideia de que o crente não precisa da Igreja, muito menos fazer parte de uma comunidade local. "Eu" sou a Igreja, alguns insistem por aí. Ledo engano. "Eu" não sou a Igreja, "você" não é a Igreja — "nós", que fomos alcançados pela graça do Ressurreto e inseridos no Corpo de Cristo por meio do batismo, somos a Igreja.

Terceiro, esse povo de adoradores só pode se sustentar na dedicação às instruções de Jesus: "Ensinem esses novos discípulos a obedecerem a todas as ordens que eu lhes dei" (Mt 28.20). A missão da Igreja é sobretudo proclamatória e pedagógica. Não apenas por meio da transferência de informação, mas principalmente com o alvo na transformação. Assim, *o trabalho da Igreja* envolve a transmissão do conteúdo objetivo desse evangelho descortinado no enredo bíblico da salvação, de modo que as pessoas compreendam o que significa obedecer ao Deus que se revelou nessa história e, no final, obedeçam concretamente. Fazer discípulos, então, é mostrar o que é seguir a Jesus em todos os aspectos da vida: na piedade, nos relacionamentos em casa, no serviço na igreja local, na dedicação ao trabalho, nas obrigações civis — enfim, em tudo. Jesus é Senhor sobre tudo. E o único jeito de isso acontecer é pelo exemplo, quando quem ensina é discípulo também.

Dito isso, talvez tenhamos sido acometidos por uma sensação de incapacidade. Afinal, quem é que consegue cumprir perfeitamente essa missão? Melhor que ninguém, no entanto, Jesus conhece todas as limitações de seus seguidores. Nenhum de nós fará discípulos de Jesus com perfeição. É por essa razão que a Grande Comissão não encerra com imperativos, mas com uma promessa. Esse projeto de redenção do cosmo a partir da restauração da humanidade sempre foi uma obra de Deus, e não deixará de ser assim. Precisamente porque esse trabalho é de Deus é que Jesus nos lembra de que somente ele saberá encaixar todas as peças desse quebra-cabeça. E o que garante o sucesso da nossa missão não é a nossa competência — ou a falta dela, no caso —, mas o fato de que o próprio Ressurreto acompanha seu povo nessa empreitada até que ele volte para consumar seu reino: "E lembrem-se disto: estou sempre com vocês, até o fim dos tempos" (Mt 28.20). Deus apostou todas as suas fichas nesse negócio, e nada será desperdiçado em suas mãos.

17

Babel do avesso:
A presença do Espírito Santo na Igreja

....

No dia de Pentecostes, todos estavam reunidos num só lugar. De repente, veio do céu um som como o de um poderoso vendaval e encheu a casa onde estavam sentados. Então surgiu algo semelhante a chamas ou línguas de fogo que pousaram sobre cada um deles. Todos ficaram cheios do Espírito Santo e começaram a falar em outras línguas, conforme o Espírito os habilitava.

Naquela época, judeus devotos de todas as nações viviam em Jerusalém. Quando ouviram o som das vozes, vieram correndo e ficaram espantados, pois cada um deles ouvia em seu próprio idioma.

Muito admirados, exclamavam: "Como isto é possível? Estes homens são todos galileus e, no entanto, cada um de nós os ouve falar em nosso próprio idioma! Estão aqui partos, medos, elamitas, habitantes da Mesopotâmia, da Judeia, da Capadócia, do Ponto, da província da Ásia, da Frígia, da Panfília, do Egito e de regiões da Líbia próximas a Cirene, visitantes de Roma (tanto judeus como convertidos ao judaísmo), cretenses e árabes, e todos nós ouvimos estas pessoas falarem em nossa própria língua sobre as coisas maravilhosas que Deus fez!".

Admirados e perplexos, perguntavam uns aos outros: "Que significa isto?".

ATOS 2.1-12

....

Nunca é demais repetir: o grande enredo da salvação iniciado em Gênesis encontra seu ponto de resolução em Jesus. O Messias de Israel e representante definitivo da humanidade, o descendente ideal de Davi e de Abraão, entrou na encruzilhada entre o fracasso humano e o plano de Deus de fazer do cosmo seu lugar de habitação permanente com as pessoas, conduzindo a história ao seu ponto culminante. Ao derrotar o maior de todos os nossos inimigos — a morte —, Jesus comprovou que o reino de Deus havia sido definitivamente estabelecido no cosmo. O Deus que se fez o representante perfeito da humanidade esvaziou o sepulcro e fincou sua bandeira entre seu povo. Céu e terra agora poderiam sair do "isolamento". Como resultado, antes de ascender à direita do Pai, Cristo afirma toda a sua autoridade sobre "céu" e "terra" (Mt 28.18), dando a seus discípulos a missão de fazer seguidores do Ressurreto "de todas as nações" (Mt 28.19). Vimos isso no capítulo anterior, quando examinamos a conclusão do Evangelho de Mateus, a chamada Grande Comissão.

Um ponto que precisa ser retomado aqui é que os discípulos jamais realizam essa vocação sozinhos. Desde os primeiros capítulos da Bíblia, aliás, o grande problema do mundo tem sido a tendência humana de fazer as coisas a seu próprio modo. Mas tudo teve início em Deus e tudo permanece dependendo dele — é o próprio Criador quem continua sua missão agora por meio dos adoradores de Cristo. Por isso, a Grande Comissão encerra com a promessa de que a própria presença daquele que venceu a morte acompanharia o povo escatológico nessa tarefa: "E lembrem-se disto: estou sempre com vocês, até o fim dos tempos" (Mt 28.20). A missão na qual as pessoas que foram alcançadas pela salvação de Deus são incluídas, antes de ser algum programa eclesiástico, é uma extensão da realidade de que a separação decorrente de Gênesis 3 havia sido transposta por Jesus.

O evangelista Lucas apresenta uma ênfase muito semelhante. Em seu segundo livro, intitulado Atos dos Apóstolos, Lucas nos conta como o Cristo ressurreto dá continuidade à sua obra, levando a cabo a realização da promessa que Deus havia feito a Abraão por meio de seus seguidores. Guardados os interesses peculiares de cada autor, encontramos grande sobreposição entre a ordem deixada por Jesus aos discípulos em Mateus 28.16-20 e Atos 1.6-9:

> Então os que estavam com Jesus lhe perguntaram: "Senhor, será esse o momento em que restaurará o reino a Israel?".
>
> Ele respondeu: "O Pai já determinou o tempo e a ocasião para que isso aconteça, e não cabe a vocês saber. Vocês receberão poder quando o Espírito Santo descer sobre vocês, e serão minhas testemunhas em toda parte: em Jerusalém, em toda a Judeia, em Samaria e nos lugares mais distantes da terra".
>
> Depois de ter dito isso, foi elevado numa nuvem, e os discípulos não conseguiram mais vê-lo.

178 O ENREDO DA SALVAÇÃO

Digno de menção é o comissionamento que os discípulos recebem de proclamar o senhorio de Cristo a todas as nações da terra: "serão minhas testemunhas em toda parte: em Jerusalém, em toda a Judeia, em Samaria e nos lugares mais distantes da terra". O mensageiro de Deus chega até a lembrar seus espectadores de que pertencer ao povo daquele que venceu a morte não significa ficar olhando para o alto, mas, sim, participar da expansão do reino já inaugurado pelo Messias até que ele venha novamente: "Homens da Galileia, por que estão aí parados, olhando para o céu? Esse Jesus, que foi elevado do meio de vocês ao céu, voltará do mesmo modo como o viram subir!" (At 1.11).

A questão é que, enquanto não tivermos experimentado a ressurreição definitiva que Jesus assegurou, ainda viveremos, de uma maneira ou de outra, a realidade de Gênesis 3, com todas as limitações que ela nos impõe. Atos, portanto, também pressupõe que a missão da Igreja é realizada pelo próprio Cristo ressurreto entre seu povo, com a única clarificação de que isso acontece por meio do Espírito Santo: "Vocês receberão poder quando o Espírito Santo descer sobre vocês, e serão minhas testemunhas em toda parte". É disso que fala o famoso evento da descida do Espírito Santo no dia de Pentecostes, em Atos 2.1-13.

É impossível esgotarmos o tema do Espírito Santo em um livro como este,[1] mas, se quisermos entender os demais desdobramentos do enredo bíblico, é necessário notarmos que o episódio de Pentecostes está em profunda conexão com o sepulcro vazio de Jesus. Ou seja, o derramamento da presença de Deus só pôde ter acontecido porque o Messias, tendo vencido a morte, assumiu a posição de mais elevada autoridade em todo o universo. É isso que está transparente no sermão de Pedro, em que o apóstolo explica a continuidade entre o que havia acabado de acontecer e a obra de Jesus: "Foi esse Jesus que Deus ressuscitou, e todos nós somos testemunhas disso. Ele foi exaltado ao lugar de honra, à direita de Deus. E, conforme havia prometido, o Pai lhe deu o Espírito Santo, que ele derramou sobre nós, como vocês estão vendo e ouvindo hoje" (At 2.32-33). Consequentemente, o Pentecostes é o sinal de que, em Cristo, o Criador Encarnado que se fez representante da humanidade, a redenção de céus e terra havia sido de fato iniciada.

---

[1] Ver uma breve introdução em Craig S. Keener, *O Espírito nos Evangelhos e em Atos: Pureza e poder divino* (São Paulo: Vida Nova, 2018).

Ora, o que sempre esteve em jogo nessa longa história da salvação foi o plano divino de habitar no cosmo com a humanidade. Assim, uma das coisas mais significativas que mencionamos no décimo capítulo foi que os profetas, em particular Joel, haviam anunciado a restauração final do povo, falando que nos "últimos dias" Yahweh derramaria seu Espírito sobre todos, a despeito de classe ou *status*. Por quê? No fim dos tempos, todo o povo eleito — não somente os sacerdotes ou gente separada para funções específicas — experimentaria a realidade da presença de Deus entre eles. Aliás, na mesma pregação que acabamos de mencionar, Pedro afirma também que o derramamento da presença divina era nada menos que o cumprimento da visão de Joel.

Em suma, uma vez que Jesus reverteu aquilo que havia ocasionado a ruptura entre céus e terra — e a expulsão da humanidade do Jardim do Éden — em Gênesis 3, Deus se faz presente agora entre o seu povo por meio de seu Espírito. Falar da obra de Cristo, portanto, necessariamente nos leva a falar da dádiva do Espírito Santo. Um evangelho que não desemboca na presença de Deus é tão incompleto quanto uma salvação sem a cruz. Não é à toa que, lá nos Evangelhos, João Batista havia anunciado a vinda de Jesus dizendo: "Eu os batizo com água, mas ele os batizará com o Espírito Santo!" (Mc 1.8). Isso significa que aquilo que na história de Israel o templo representava — ou seja, o espaço em que a presença de Deus se manifestava na terra, em antecipação à restauração da realidade do Éden — é estendido agora para essa comunidade de adoradores de Deus, de discípulos de Jesus. A descida do Espírito Santo em Atos 2.1-13, portanto, mostra que a Igreja é o espaço onde a restauração do cosmo como templo de Deus começa a ser concretizada. Paulo dirá isso explicitamente em suas cartas — por exemplo, em Efésios 2.19-22:

> Portanto, vocês já não são estranhos e forasteiros, mas concidadãos do povo santo e membros da família de Deus. Juntos, somos sua casa, edificados sobre os alicerces dos apóstolos e dos profetas. E a pedra angular é o próprio Cristo Jesus. Nele somos firmemente unidos, constituindo um templo santo para o Senhor. Por meio dele, vocês também estão sendo edificados como parte dessa habitação, onde Deus vive por seu Espírito.

Junto com essa primeira observação, é importante perceber também que a presença divina entre o povo escatológico ocasiona a capacitação dessa comunidade de modo a exercer sua vocação. É para essa verdade que aponta o

180 O ENREDO DA SALVAÇÃO

fenômeno das línguas diferentes que os discípulos falam como resultado de estarem cheios do Espírito Santo. Se olharmos com bastante carinho para o texto, ficará cristalino que as línguas diferentes nunca foram um fim em si mesmo. Entre as regiões listadas em Atos 2.9-11, das quais os judeus presentes naquela cena haviam vindo celebrar o Pentecostes em Jerusalém, está listada a Judeia. Isso é altamente relevante. Na Judeia do primeiro século, falava-se o aramaico, a mesma língua que provavelmente todos os discípulos presentes, em sua maioria oriundos da Galileia, tinham como idioma materno. Se os judeus da Judeia ouviram alguns discípulos falarem em aramaico, isso significa que estes não falaram em línguas diferentes.

Eis o ponto: a finalidade daquele fenômeno não era meramente apontar para o falar em línguas diferentes, mas, sim, possibilitar que todos os espectadores ouvissem "em nossa própria língua sobre as coisas maravilhosas que Deus fez!" (At 2.11). Muitos dos discípulos, cheios do Espírito Santo, falaram em outros idiomas, sim, mas alguns, igualmente visitados pela presença divina, não. O mais importante era que todas as pessoas ali presentes ouvissem sobre as grandezas da salvação realizada por Deus em Cristo de maneira inteligível. De novo, Paulo pressupõe essa mesma lógica, ao lembrar os imaturos cristãos de Corinto de que "falar em línguas" no contexto em que ninguém compreende o que está sendo dito é inútil para a edificação da Igreja (1Co 14.1-19). Os dons do Espírito Santo são para o serviço da Igreja e para a proclamação clara do evangelho, não para obscurecer a mensagem ou para colocar os holofotes em quem é supostamente dotado de capacidades especiais. "Dou graças a Deus porque falo em línguas mais que qualquer um de vocês", escreveu Paulo. "Contudo, numa reunião da igreja, prefiro dizer cinco palavras compreensíveis que ajudem os outros a falar dez mil palavras em outra língua" (1Co 14.18-19).

Assim, o que Lucas está nos contando sobre o que aconteceu naquele dia é que, com a vitória de Jesus sobre as forças do caos em sua ressurreição, a fragmentação e a dispersão da humanidade passaram a ser revertidos com a manifestação da presença de Deus entre o povo escatológico do Ressurreto. E aqui vemos que há um paralelo muito importante entre o Pentecostes e o episódio da Torre de Babel em Gênesis 11.1-9, em que a humanidade havia sido dispersada por causa de seu desejo autônomo de fazer um grande nome para si.[2]

[2] Ver Kirschner, "Da Babilônia à Nova Jerusalém", p. 17-27.

Em Cristo e pelo poder do Espírito Santo agora aquilo era superado: pessoas de diversas regiões eram unidas em torno do evangelho apresentado pelos discípulos. O interessante é que o chamado de Abraão se dá imediatamente depois da história da Torre de Babel, mas é somente após a ressurreição do descendente ideal de Abraão que as nações são alcançadas por meio de um povo unido em torno da presença divina.

Nesse sentido, a descida do Espírito Santo é um evento "de uma vez por todas", assim como a vida, a morte e a ressurreição de Jesus. Atos 2, em outras palavras, é o cumprimento de Joel 2. Isso obviamente não quer dizer que a Igreja não deva buscar ser cheia do Espírito Santo — de fato, isso acontece claramente em Atos 4.31, e Paulo instrui os cristãos a fazerem isso em Efésios 5.18-20. O que aconteceu em Pentecostes, no entanto, marca a inauguração da comunidade de discípulos de Jesus como o espaço onde a presença de Deus habita, representando o que acontece com todos aqueles que são incluídos na Igreja, por meio do batismo, dali para a frente. As palavras de Pedro no final de seu sermão pós-Pentecostes estão em profunda consonância com a Grande Comissão: "Vocês devem se arrepender, para o perdão de seus pecados, e cada um deve ser batizado em nome de Jesus Cristo. Então receberão a dádiva do Espírito Santo" (At 2.38). E isso era válido não somente para judeus, mas também para gentios. Mais à frente, os samaritanos (At 8.4-25) e um centurião romano chamado Cornélio (At 10.1-48) receberiam o mesmo Espírito Santo, indicando assim o alcance universal que a missão da Igreja passou a ter daquele momento em diante.[3]

[3] Em Atos 8.4-25, foi necessário que os samaritanos recebessem o Espírito por intermédio dos apóstolos vindos de Jerusalém em vista do longo histórico de inimizade entre judeus e samaritanos. A visita de Pedro mostrava que a dádiva do Espírito formava um único povo, não vários. Em Atos 10.1-48, por sua vez, o Espírito "caiu" sobre Cornélio e os de sua casa de maneira visível, porque era necessário que *Pedro e seus companheiros* entendessem que a salvação era também para os gentios. Em sua explicação no capítulo seguinte, o apóstolo relata: "Quando comecei a falar, o Espírito Santo desceu sobre eles, como ocorreu conosco, no princípio. Então me lembrei das palavras do Senhor, quando ele disse: 'João batizou com água, mas vocês serão batizados com o Espírito Santo'. E, uma vez que Deus deu a esses gentios a mesma dádiva que concedeu a nós quando cremos no Senhor Jesus Cristo, quem era eu para me opor a Deus?" (At 11.15-17; cf. 15.6-11). Já em Atos 19.1-10, Paulo precisou ministrar sobre o Espírito Santo a algumas pessoas, visto que elas só haviam ouvido falar do batismo de João Batista. Nenhum desses episódios, portanto, é normativo para nós hoje, como se algum autoproclamado apóstolo tivesse a prerrogativa de batizar alguém na presença de Deus. Isso acontece no momento da conversão da pessoa.

182 O ENREDO DA SALVAÇÃO

E como a presença do Espírito Santo é vivida após o Pentecostes? É sem dúvida relevante que, em Atos 2.42-47, após relatar todas as coisas espetaculares que haviam acontecido com os primeiros discípulos, Lucas nos oferece um retrato bem claro do resultado imediato da presença divina entre a Igreja:

> Todos se dedicavam de coração ao ensino dos apóstolos, à comunhão, ao partir do pão e à oração.
>
> Havia em todos eles um profundo temor, e os apóstolos realizavam muitos sinais e maravilhas. Os que criam se reuniam num só lugar e compartilhavam tudo que possuíam. Vendiam propriedades e bens e repartiam o dinheiro com os necessitados, adoravam juntos no templo diariamente, reuniam-se nos lares para comer e partiam o pão com grande alegria e generosidade, sempre louvando a Deus e desfrutando a simpatia de todo o povo. E, a cada dia, o Senhor lhes acrescentava aqueles que iam sendo salvos.

Em poucas palavras, a presença divina molda uma comunidade de adoradores que vivem à luz do senhorio de Cristo, refletindo seu caráter em todas as suas relações. Simples assim. De maneira mais cabal que o primeiro êxodo, o novo êxodo concretizado em Jesus produziu um povo que reflete o jeito de ser do Criador. E, cheios da vida do próprio Espírito, os primeiros cristãos não se ocupavam em se mostrar influentes nas esferas de poder, muito menos relevantes na perspectiva das elites. A Igreja, é claro, deve proclamar o evangelho a todas as camadas da sociedade, inclusive as mais altas, mas priorizar resultados que impressionam mais os homens do que Deus em nada condiz com os valores centrais do reino cruciforme de Cristo, descritos na passagem acima. Antes, a Igreja resultante de Pentecostes cumpre seu chamado simplesmente se dedicando ao discipulado. Daí o destaque que Lucas dá ao ensino da Palavra, à vida comunitária, à celebração pública da ceia, à oração e a atos singelos de serviço. É nisso que resulta a presença divina entre a Igreja: comunhão genuína em torno do evangelho e serviço concreto a partir do evangelho. E o texto diz que quem operava sinais e dava visibilidade à Igreja era o próprio Deus: "E, a cada dia, o Senhor lhes acrescentava aqueles que iam sendo salvos" (At 2.47; cf. 2.43).

É difícil não sentir certo desconforto quando comparamos o retrato que Atos nos apresenta de uma Igreja tomada pela presença divina com o individualismo e a mentalidade consumista por trás dos modelos eclesiásticos que muitos líderes cristãos têm adotado em nossa época. Mas, pensando bem, a descrição de Atos 2.42-47, embora simples, sempre foi bastante contra-intuitiva. A realidade de Gênesis 3 nos afetou de tal maneira que somente o Espírito Santo poderia gerar práticas tão centradas na obra de Cristo. E é bem instrutivo que Lucas nos diga que aqueles que haviam se convertido por intermédio da pregação de Pedro "se dedicavam de coração" ao discipulado. O verbo grego *proskartereō* tem o sentido de "perseverar", conotando insistência, intencionalidade: "eles persistiam no ensino dos apóstolos, na comunhão, no partir do pão e na oração". É isso que sustenta a missão da Igreja, e são nessas coisas que o nosso foco deve estar.

Concluímos, assim, notando que ser incluído no enredo da salvação é ser inserido na comunidade onde Deus habita com seu Espírito para fazer de nós semelhantes a Cristo. É no contexto em que perseveramos nas coisas que nos definem como povo redimido — na Palavra, na comunhão, na mesa do Senhor, na oração e na prática do serviço — que somos transformados pela presença divina e participamos de sua obra de tornar o nome de Jesus conhecido a todas as nações. Tempos de pandemia certamente propõem alguns desafios para que isso aconteça, de modo que a Igreja ao redor do globo teve de ser criativa nos últimos meses para se adaptar à nova realidade "a distância". E, pela graça de Deus, muitas oportunidades foram abertas para que pudéssemos nos manter firmes na Grande Comissão. Na igreja onde sirvo como pastor, por exemplo, pessoas de diversas partes do planeta têm conseguido participar dos cultos dominicais via Zoom. Mas fazer parte ativamente da Igreja, perseverando na adoração e no serviço, não é opcional. Ser salvo é pertencer ao povo que Deus escolheu para ser o espaço de habitação de seu Espírito na terra.

18

Não mais condenados, mas agora filhos e herdeiros: A adoção pelo Espírito Santo

Agora, portanto, já não há nenhuma condenação para os que estão em Cristo Jesus. Pois em Cristo Jesus a lei do Espírito que dá vida os libertou da lei do pecado, que leva à morte. A lei não era capaz de nos salvar por causa da fraqueza de nossa natureza humana, por isso Deus fez o que a lei era incapaz de fazer ao enviar seu Filho na semelhança de nossa natureza humana pecaminosa e apresentá-lo como sacrifício por nosso pecado. Com isso, declarou o fim do domínio do pecado sobre nós, de modo que nós, que agora não seguimos mais nossa natureza humana, mas sim o Espírito, possamos cumprir as justas exigências da lei.

Aqueles que são dominados pela natureza humana pensam em coisas da natureza humana, mas os que são controlados pelo Espírito pensam em coisas que agradam o Espírito. Portanto, permitir que a natureza humana controle a mente resulta em morte, mas permitir que o Espírito controle a mente resulta em vida e paz. Pois a mentalidade da natureza humana é sempre inimiga de Deus. Nunca obedeceu às leis de Deus, e nunca obedecerá. Por isso aqueles que ainda estão sob o domínio de sua natureza humana não podem agradar a Deus.

Vocês, porém, não são controlados pela natureza humana, mas pelo Espírito, se de fato o Espírito de Deus habita em vocês. E, se alguém não tem o Espírito de Cristo, a ele não pertence. Uma vez que Cristo habita em vocês, embora o corpo morra por causa do pecado, o Espírito lhes dá vida porque vocês foram declarados justos diante de Deus. E, se o Espírito de Deus que ressuscitou Jesus dos mortos habita em vocês, o Deus que ressuscitou Cristo Jesus dos mortos dará vida a seu corpo mortal, por meio desse mesmo Espírito que habita em vocês.

ROMANOS 8.1-11

Uma das poucas vantagens de se sair menos de casa em época de pandemia é que acaba sobrando um pouco mais de tempo para colocar a televisão em dia. Infelizmente, nem tudo que está disponível merece atenção, mas por vezes damos sorte de encontrar alguma coisa divertida, inspiradora ou provocativa. Para mim, um desses casos foi *O espião*, dirigido pelo cineasta israelense Gideon Raff e protagonizado pelo controverso ator inglês Sacha Baron Cohen. A série é baseada em eventos reais que aconteceram com Eli Cohen, um espião da Mossad que conseguiu se infiltrar no alto escalão do governo sírio na década de 1960, fingindo ser um magnata chamado Kamel Thaabet. Sua missão foi tão bem-sucedida que Eli conseguiu passar informações decisivas a Israel sobre as Colinas de Golã durante a Guerra dos Seis Dias, sendo eventualmente cogitado pela própria cúpula de Damasco a ocupar o cargo de vice-ministro da Defesa da Síria.

Na cena inicial do primeiro episódio, Eli se encontra em uma cela no país inimigo, pronto para assinar uma carta endereçada à sua esposa, Nadia, que até pouco tempo atrás nem imaginava o que o marido realmente fazia da vida. Na hora de finalizar o documento, porém, o espião hesita, sem saber direito com que nome assinar. E, conforme a história se desenrola em retrospecto, nota-se que o diretor capitaliza bastante sobre essa luta interna que o protagonista travou durante os anos de serviço à Mossad. Em uma das visitas que havia feito à sua terra para planejar novas fases das operações, ele se sentiu tão desconfortável com a vida ordinária que levava em Tel Aviv que resolveu apressar seu retorno a Damasco. Mesmo tendo visto as dificuldades econômicas e emocionais que sua família vinha sofrendo por causa de sua ausência, escolheu voltar para a Síria antes do planejado. E este é o detalhe na caracterização do protagonista da série que mais me fascinou: depois de tanto tempo vivendo nos sapatos de Kamel, Eli abraçou uma identidade que nunca tinha sido originalmente sua, e suas decisões acabaram determinadas pela percepção ofuscada que ele havia abraçado acerca de quem de fato era.

Temos notado até aqui que a realidade de Gênesis 3 submeteu todos à morte, de maneira que ninguém poderia ter se regenerado por si só. O enredo da salvação converge definitivamente em Cristo, pois ele foi o único a trilhar um caminho diametralmente oposto ao nosso, derrotando até mesmo a morte. Um ponto que deixamos para explicar somente agora, no entanto, é que o Novo Testamento descreve os efeitos do pecado também em termos de condenação. Na mesma proporção em que ninguém pode se transformar

186 O ENREDO DA SALVAÇÃO

apenas pela força de vontade, é impossível pecadores serem considerados justos pelos seus próprios méritos perante Deus. A pergunta que importa fazermos neste capítulo, então, diz respeito às implicações que a obra de Cristo e o derramamento do Espírito Santo carregam para os efeitos condenatórios de nossas transgressões. E o texto mais adequado a que devemos nos atentar nessa questão se encontra em Romanos.

Paulo escreveu Romanos na esperança de ter a colaboração dos crentes daquela cidade em seu plano de pregar o evangelho na Espanha (Rm 15.22-29). Já que ele nunca tivera a oportunidade de visitá-los, o apóstolo aproveita para apresentar o evangelho que ele pregava, na intenção também de ajudá-los a navegar certos desafios que enfrentavam naquele momento. Tudo indica que, depois de certas tensões decorrentes da expulsão dos judeus de Roma por parte do imperador Cláudio (cf. At 18.1-2), alguns passaram a ter dificuldades de processar como o evangelho definia as relações entre judeus e gentios dentro da Igreja. É por isso que Romanos é o documento em que Paulo gasta mais espaço explicando como a obra de Cristo define o significado da Lei e da circuncisão na identidade do povo messiânico. O que encontramos nessa epístola é uma exposição bastante detalhada de como somente o evangelho pode realizar a salvação do pecador.

Essa ideia central torna-se clara inicialmente em Romanos 3. Tendo dado todas as provas de que a humanidade em geral e os judeus em particular ficaram aquém da glória e da santidade de Deus (Rm 1.18—3.8), Paulo destaca de forma bem gritante em Romanos 3.9-20 que ninguém pode ser considerado justo, porque todos, sem exceção, inclusive os judeus mais piedosos, pecaram: "já mostramos que todos, judeus ou gentios, estão sob o poder do pecado. [...] Pois ninguém será declarado justo diante de Deus por fazer o que a lei ordena" (Rm 3.9,20). Por outro lado, em 3.21-26, Paulo insiste que, precisamente porque Jesus foi quem foi, o seu sangue é o único meio eficaz de nos limpar de nossa culpa perante Deus:

> Agora, porém, conforme prometido na lei de Moisés e nos profetas, Deus nos mostrou como somos declarados justos diante dele sem as exigências da lei: somos declarados justos diante de Deus por meio da fé em Jesus Cristo, e isso se aplica a todos que creem, sem nenhuma distinção.
>
> Pois todos pecaram e não alcançam o padrão da glória de Deus, mas ele, em sua graça, nos declara justos por meio de Cristo Jesus, que nos resgatou do castigo

por nossos pecados. Deus apresentou Jesus como sacrifício pelo pecado, com o sangue que ele derramou, mostrando assim sua justiça em favor dos que creem. No passado ele se conteve e não castigou os pecados antes cometidos, pois planejava revelar sua justiça no tempo presente. Com isso, Deus se mostrou justo, condenando o pecado, e justificador, declarando justo o pecador que crê em Jesus.

Essa é uma das passagens mais complexas do Novo Testamento, repleta de ambiguidades sintáticas, e eu bem que gostaria de ter espaço aqui para falar de todas as suas nuances exegéticas. Como não podemos nos dar ao luxo de fazer isso, notemos somente alguns detalhes mais evidentes no texto.

Embora o evangelho revele que o pecador pode ser declarado justo por Deus "sem as exigências da lei", isso acontece "conforme prometido na lei de Moisés e nos profetas". Isso significa que o evangelho não está em oposição ao Antigo Testamento, mas é o próprio cumprimento do enredo da salvação (Mt 5.17-20). A Lei e os profetas sempre apontaram para uma realidade maior, e Cristo mostrou ser tal realidade.

Além disso, a linguagem usada por Paulo faz alusão explícita ao Dia da Expiação, em que o sumo sacerdote aspergia o sangue de um animal sobre o propiciatório da tampa da arca da aliança, de onde a misericórdia de Deus era estendida a todo o povo uma vez ao ano (Lv 16.1-34). O termo traduzido na NVT por "sacrifício pelo pecado" é o grego *hilastērion*, que na versão grega antiga da instrução sobre o Dia da Expiação em Levítico 16.2 é usado em referência ao propiciatório.[1] E Paulo identifica Cristo também com a imagem do sangue da vítima sacrificial que era apresentado naquelas ocasiões anuais (Lv 16.14-15) — "com o sangue que ele derramou". O ponto é que tudo aquilo que estava prefigurado em Levítico 16.1-34 foi plenificado por Cristo em sua entrega obediente no Calvário. A morte de Jesus na cruz foi tão sublime e definitiva que cumpriu com perfeição a realidade para a qual o Dia da Expiação apontava, sendo capaz de, simultaneamente, expiar os pecados do povo de uma vez por todas e ser a expressão do próprio perdão concedido a partir da presença de Deus. O Juiz assumiu o lugar representado

---

[1] Alguns estudiosos sugerem que *hilastērion* refere-se ao sacrifício pelo pecado, mas as evidências na Septuaginta dão pouca sustentação a isso. Ademais, em Romanos 8.3, o apóstolo faz referência clara a essa oferta por meio da expressão *peri hamartias*, que, na Septuaginta, se refere várias vezes ao sacrifício pelo pecado.

188 O ENREDO DA SALVAÇÃO

pelo sacrifício em favor da nação, mostrando-se assim "justo, condenando o pecado, e justificador, declarando justo o pecador".

E tudo isso pôde acontecer somente porque Deus tomou essa iniciativa "em sua graça". Na verdade, o texto grego preserva uma redundância que chega a ser comovente: "gratuitamente, por sua graça" [*dōrean tẽ autou chariti*]. É como se Paulo estivesse dizendo que, porque Deus é "bondoso e compassivo, cheio de graça e de verdade" (Êx 34.6), ele foi perfeitamente consistente com seu próprio caráter, não permitindo que nossa condenação fosse o fim da história. Assim, já que "todos pecaram e não alcançam o padrão da glória de Deus", nossa absolvição perante ele pode acontecer unicamente pelo mérito suficiente do sangue de Jesus, em quem podemos depositar toda a nossa confiança: "mas ele, em sua graça, nos declara justos por meio de Cristo Jesus, que nos resgatou do castigo por nossos pecados". Daí vem a tão basilar doutrina da justificação pela fé.

Entretanto, o fato de que somos declarados justos por Deus exclusivamente por meio da obra de Cristo não é tudo que Paulo diz sobre o evangelho. Na verdade, no versículo que serve de sumário programático para toda a carta, o apóstolo afirma que o evangelho é "o poder de Deus em ação para salvar todos os que creem, primeiro os judeus, e também os gentios" (Rm 1.16). Isso significa que as implicações da obra de Cristo sobre nós são não somente "jurídicas", mas também transformadoras. O evangelho é o "poder de Deus". Consequentemente, embora muitos cristãos insistam em interpretar a teologia de Romanos unicamente pelas lentes de 3.21-26, há muito mais a ser dito. Em 5.1-11, por exemplo, após ilustrar a centralidade da fé pelo precedente estabelecido por Abraão (cf. 4.1-25), Paulo explica que a justificação resulta em reconciliação com Deus e na certeza de que o seu amor eterno foi derramado sobre nós pelo Espírito Santo: "Portanto, uma vez que pela fé fomos declarados justos, temos paz com Deus [...] ele nos deu o Espírito Santo para nos encher o coração com seu amor [...] agora que já estamos reconciliados certamente seremos salvos por sua vida" (5.1,5,10). E o pináculo da exposição que Paulo faz da obra de Cristo se encontra em Romanos 8, em que "o poder de Deus em ação para salvar todos os que creem" é explicado de forma clara e detalhada.

Nesse sentido, Romanos 8 é a resolução de tudo que Paulo vem falando desde o início da epístola: "Agora, portanto, já não há nenhuma condenação para os que estão em Cristo Jesus" (8.1). A conjunção "portanto" se conecta diretamente com o que é dito no parágrafo de cima, mas a exclamação que o apóstolo faz no versículo anterior — "Graças a Deus, a resposta está em Jesus Cristo, nosso Senhor" (7.25) — está em larga continuidade com a exposição do evangelho desde o primeiro capítulo da carta. Assim, além de todas as implicações da ressurreição de Jesus a respeito das quais temos falado desde o décimo sexto capítulo, um resultado crucial é que nós não somos mais prisioneiros das nossas transgressões. O termo *katakrima*, traduzido por "condenação", conota a obrigação de se pagar integralmente por algum delito. Aquele fardo pesado que todos nós carregávamos por termos trilhado o caminho da autonomia — a alienação, o caos, a desorientação, a fragmentação, a morte — está, agora, removido dos ombros daqueles que estão em Jesus Cristo. E Paulo justifica essa verdade repetindo de forma bem sucinta, em Romanos 8.2-4, o que foi explicado em detalhe nos capítulos anteriores, em particular em 3.21-26. Ou seja, não há condenação alguma para os que estão em Cristo Jesus pois ele cumpriu a vocação humana de forma perfeita, de maneira que o peso do pecado é quebrado em seu sangue. Esse é o sentido de Romanos 8.3: Deus venceu o pecado em Jesus — em sua carne —, cumprindo plenamente a Lei.

Em síntese, os efeitos da obra de Cristo são comparáveis à situação em que tínhamos uma dívida bilionária no banco, simplesmente impagável mesmo em cem vidas, e descobrimos certo dia que aquela dívida foi perdoada. Não porque o banco resolveu fingir que ela não existia mais, mas porque o próprio dono do banco tirou de seu bolso para pagar o que devíamos. Quem dera, não? Pensando bem, comparar o que Jesus realizou com uma transação financeira nem mesmo começa a fazer justiça ao real sentido do evangelho. É melhor insistirmos na linguagem que temos usado ao longo deste livro: todos nós estávamos sentenciados à morte eterna em decorrência de Gênesis 3 e só conseguiríamos nos livrar dessa condenação se vivêssemos à altura da glória de Deus. Mas quem consegue? Jesus, no entanto, não somente levou a cabo a vocação humana, como também morreu a nossa morte, resolvendo definitivamente essa sentença por nós.

Colocar a ênfase no fato de que Deus não meramente fingiu que a nossa condenação não estava mais lá, mas de fato pagou por ela, faz toda a diferença. Nossa pena está efetivamente cumprida, ela não existe mais. Em Jesus, Deus tomou sobre si a nossa condenação. A culpa que trouxemos sobre nós não é uma ficha que foi simplesmente deixada de lado, podendo ser

190 O ENREDO DA SALVAÇÃO

desarquivada a qualquer momento, numa mudança de humor divino. Ela foi rasgada, já não existe. Deus se fez o nosso representante e resolveu a nossa morte. Ser salvo significa que fomos justificados perante Deus por Cristo.

Agora, a maravilha do evangelho é que Deus não se contenta em nos livrar da pena de morte. Já seria muito boa notícia se alguém nos dissesse simplesmente que não somos mais condenados. Mas a nossa absolvição é apenas metade da história. Tendo resolvido nossa condenação, Deus resolveu também habitar conosco. Falamos disso no capítulo anterior: Jesus ressuscitou dos mortos e derramou o Espírito Santo sobre o seu povo (At 2.1-13). E o próprio Paulo já antecipou esse assunto em Romanos 5.1-11. No restante de Romanos 8, portanto, o apóstolo não se limita a falar do papel "jurídico" que Jesus desempenhou em nosso favor, mas afirma principalmente que a salvação se concretiza pela própria presença do Espírito Santo: "Pois em Cristo Jesus a lei do Espírito que dá vida os libertou da lei do pecado, que leva à morte" (8.2). E é assim que o evangelho é "o poder de Deus em ação para salvar todos os que creem": em Cristo Jesus, Deus não somente nos justifica e nos reconcilia consigo, como também nos transforma pelo poder daquele que ressuscitou a Jesus dos mortos: "o Espírito de Deus habita em vocês. [...] E, se o Espírito de Deus que ressuscitou Jesus dos mortos habita em vocês, o Deus que ressuscitou Cristo Jesus dos mortos dará vida a seu corpo mortal, por meio desse mesmo Espírito que habita em vocês" (8.9,11).[2] Que notícia esplendorosa! Somos justificados em Cristo para que desfrutemos de paz com Deus hoje e, um dia, ressuscitemos à semelhança de nosso Rei para a vida eterna! Assim como morremos em Adão, ressuscitaremos em Cristo (5.12-21)!

E tem mais: algo que Paulo ainda não havia mencionado explicitamente na carta é que, ao fazer isso, Deus muda toda a nossa identidade. Não somos mais descendentes de Adão, escravos do pecado, mas, sim, filhos de Deus e herdeiros da vida eterna com Cristo. O Juiz Supremo do cosmo — que pagou a sentença que nenhum de nós poderíamos ter resolvido, que nos absolveu

---

[2] Quase todas as versões em português traduzem a segunda parte de Romanos 8.9 como se tivesse o efeito de "se de fato o Espírito de Deus habita em vocês". Isso sugeriria a possibilidade de que alguns leitores cristãos de Romanos não teriam de fato o Espírito Santo. A expressão grega traduzida por "se de fato", porém, é *eiper* e, neste contexto, tem o sentido de "já que". Ou seja, "Vocês, porém, não são controlados pela natureza humana, mas pelo Espírito, *já que* o Espírito de Deus habita em vocês".

de nossa culpa e nos convidou a cear com ele em sua mesa — nos inclui agora em sua família e faz de nós herdeiros de todas as suas riquezas. Isso explica por que, nesse ponto alto de sua exposição do evangelho, o apóstolo gasta tanto tempo falando das implicações da presença do Espírito Santo em nós. Em Romanos 8.12-17, vemos que o resultado final da obra de Cristo é que somos adotados por Deus e feitos herdeiros da nova criação:

> Portanto, irmãos, vocês não têm de fazer o que sua natureza humana lhes pede, porque, se viverem de acordo com as exigências dela, morrerão. Se, contudo, pelo poder do Espírito, fizerem morrer as obras do corpo, viverão, porque todos que são guiados pelo Espírito de Deus são filhos de Deus.
>
> Pois vocês não receberam um espírito que os torne, de novo, escravos medrosos, mas sim o Espírito de Deus, que os adotou como seus próprios filhos. Agora nós o chamamos "Aba, Pai", pois o seu Espírito confirma a nosso espírito que somos filhos de Deus. Se somos seus filhos, então somos seus herdeiros e, portanto, co-herdeiros com Cristo. Se de fato participamos de seu sofrimento, participaremos também de sua glória.

Caro leitor, cara leitora, você entende isso? Leia bem as palavras de Paulo: "o seu Espírito confirma a nosso espírito que somos filhos de Deus". Deus não está pensando em nos destruir, nem está aguardando tropeçarmos para nos castigar. Em Cristo, nós somos adotados pelo Criador do cosmo, por esse Deus que ao longo de todas as eras se mostrou absolutamente bom, paciente e fiel às suas promessas. É verdade, não podemos nos esquecer de que o Deus das Escrituras jamais se curva às nossas inclinações ímpias, e a nossa insistência em viver segundo o nosso padrão de "bem e mal" sempre resultará em caos e em morte. Todavia, conquanto ainda tropecemos em palavra e em ação, por vezes também tomando várias decisões estúpidas, Deus só tem pensamentos de bem a nosso respeito. Ele deseja nosso florescimento, não nossa morte. O Pai de nosso Senhor Jesus Cristo fez de nós herdeiros de seu reino. Ele não nos odeia, ele nos ama. Pense nisso e deixe essa verdade sedimentar em seu coração: essa é a nossa identidade, esse é o seu nome. A realidade em nosso entorno e alguns de nossos hábitos podem até sugerir algo diferente, mas isso é porque nós e o mundo em que vivemos permanecemos "tortos", ainda marcados pelos efeitos de Gênesis 3. Todavia, o evangelho mudou nossa identidade, o evangelho mudou nosso nome. Somos da família de Deus e co-herdeiros com Cristo. E sabe qual é essa herança que nos aguarda? A ressurreição dos mortos, a eternidade na presença desse Deus absolutamente belo e digno, a consumação da nova criação, onde não haverá mais choro, nem morte, nem sofrimento, nem ódio, nem injustiça. A salvação que nos é concedida em Jesus inclui tudo isso.

Consequentemente, é importante enfatizar que nossa experiência neste mundo pós-Gênesis 3 de modo nenhum contradiz a realidade de nossa adoção. Na verdade, é precisamente neste contexto "torto" em que ainda vivemos que o evangelho se prova verdadeiramente o poder de Deus para nos salvar. Como? Na continuação, em Romanos 8.18-27, Paulo diz que esse mesmo Espírito que ressuscitou Jesus dos mortos e agora faz morada em nós nos sustenta em nossa jornada até a consumação da nova criação:

> Considero que nosso sofrimento de agora não é nada comparado com a glória que ele nos revelará mais tarde. Pois toda a criação aguarda com grande expectativa o dia em que os filhos de Deus serão revelados. Toda a criação, não por vontade própria, foi submetida por Deus a uma existência fútil, na esperança de que, com os filhos de Deus, a criação seja gloriosamente liberta da decadência que a escraviza. Pois sabemos que, até agora, toda a criação geme, como em dores de parto. E nós, os que cremos, também gememos, embora tenhamos o Espírito em nós como antecipação da glória futura, pois aguardamos ansiosos pelo dia em que desfrutaremos nossos direitos de adoção, incluindo a redenção de nosso corpo. Recebemos essa esperança quando fomos salvos. (Se já temos alguma coisa, não há necessidade de esperar por ela, mas, se esperamos por algo que ainda não temos, devemos fazê-lo com paciência e confiança.)
>
> E o Espírito nos ajuda em nossa fraqueza, pois não sabemos orar segundo a vontade de Deus, mas o próprio Espírito intercede por nós com gemidos que não podem ser expressos em palavras. E o Pai, que conhece cada coração, sabe quais são as intenções do Espírito, pois o Espírito intercede por nós, o povo santo, segundo a vontade de Deus.

Uma vez que o reino que herdaremos com Cristo será caracterizado por sua glória cruciforme, nem mesmo os sofrimentos pelos quais ainda passamos são desperdiçados no projeto divino de aperfeiçoar nosso caráter. A própria criação, que desde a queda se encontra em decadência por causa do pecado, "geme" em antecipação pela restauração da humanidade, aguardando o dia em que será emancipada da futilidade a que foi submetida. O que o Espírito Santo faz, então, não é nos blindar das dores nos chamando a adotar uma postura escapista, mas, sim, ajustar nossa perspectiva segundo aquilo que Deus já realizou na primeira vinda de Jesus e que finalmente concluirá em sua segunda vinda, de modo que os obstáculos nos ajudam a ser mais como o Filho de Deus. É o que chamamos de santificação. Ademais, o Espírito Santo nos ajuda também naquilo que é mais essencial, mas que muitas vezes temos tanta dificuldade de fazer: ele nos ajuda a orar. E o Espírito faz isso de duas maneiras: ensinando-nos como orar nas mais diversas situações da vida, e intercedendo por nós quando não sabemos como apresentar nossa vida em sua presença. Até mesmo naquilo que é mais fundamental para o nosso relacionamento com Deus, ele mesmo, por meio de seu Espírito, nos ajuda. O evangelho realmente é boa notícia: "E sabemos que Deus faz todas as coisas cooperarem para o bem daqueles que o amam e que são chamados de acordo com seu propósito" (Rm 8.28).

À luz de tudo isso, a vida cristã deve ser entendida como a vida no Espírito. Uma vez que nossa identidade é definida pela adoção que recebemos em Cristo, o enredo da salvação nos chama a viver a partir de quem realmente somos em virtude do evangelho. Vale a pena repetir o que Paulo diz em Romanos 8.12-14: "Portanto, irmãos, vocês não têm de fazer o que sua natureza humana lhes pede [...] Se, contudo, pelo poder do Espírito, fizerem morrer as obras do corpo, viverão, porque todos que são guiados pelo Espírito de Deus são filhos de Deus". O poder daquele que ressuscitou Jesus dos mortos quebrou o domínio que a natureza pecaminosa exercia sobre nós (6.1—7.6) e nos colocou debaixo do senhorio de Cristo.[3] Somos súditos do Ressurreto e chamados a viver como tais, pelo Espírito. E ser "guiado pelo Espírito", longe de acontecer em um tipo de misticismo subjetivo, é simplesmente caminhar crendo no evangelho, ocupando-se com todas essas coisas que Deus realizou por nós em Cristo. (A tragédia é que há muitos hoje que dizem viver "pelo Espírito", confiando em seus *insights* supostamente "espirituais", sem sequer entender o que Cristo de fato realizou em sua vida, morte e ressurreição.)

---

[3] Por muito tempo, alguns cristãos acreditavam que essa "mortificação da carne" significava que nós mesmos tínhamos de realizar a nossa transformação, por meio de atos de ascetismo ou de sacrifício. Essa interpretação, porém, está bem distante do que Paulo diz e, aliás, é bem destrutiva, visto que encoraja uma religiosidade superficial e legalista, baseada em uma justiça própria que é incapaz de libertar a pessoa. Para Paulo, essa "mortificação da carne" só pode ocorrer "pelo Espírito" — ou seja, quando aprendemos a pensar, a tomar decisões, a forjar nossa imaginação, a viver toda a nossa vida à luz do evangelho.

É assim, portanto, que "o poder de Deus em ação para salvar" se concretiza em "todos os que creem". A ideia popular de que nos tornamos como Jesus em um estalo de dedos, ou de que podemos nos santificar pelas nossas forças, é simplesmente fantasiosa. Somos transformados à medida que permanecemos no evangelho. O próprio Jesus disse algo muito semelhante: "Eu sou a videira verdadeira [...]. Permaneçam em mim, e eu permanecerei em vocês. [...] Quem permanece em mim, e eu nele, produz muito fruto. Pois, sem mim, vocês não podem fazer coisa alguma" (Jo 15.1,4,5). Em Cristo, fomos adotados por Deus e feitos herdeiros do mundo vindouro — é entendendo as implicações dessa realidade que vamos também amadurecendo. E, enquanto isso, podemos acompanhar o apóstolo Paulo em Romanos 8.31-39 e viver seguros de que nada poderá nos separar do amor de Deus:

> Que podemos dizer diante de coisas tão maravilhosas? Se Deus é por nós, quem será contra nós? Se ele não poupou nem mesmo seu próprio Filho, mas o entregou por todos nós, acaso não nos dará todas as outras coisas? Quem se atreve a acusar os escolhidos de Deus? Ninguém, pois o próprio Deus nos declara justos diante dele. Quem nos condenará, então? Ninguém, pois Cristo Jesus morreu e ressuscitou e está sentado no lugar de honra, à direita de Deus, intercedendo por nós.
>
> O que nos separará do amor de Cristo? Serão aflições ou calamidades, perseguições ou fome, miséria, perigo ou ameaças de morte? Como dizem as Escrituras: "Por causa de ti, enfrentamos a morte todos os dias; somos como ovelhas levadas para o matadouro". Mas, apesar de tudo isso, somos mais que vencedores por meio daquele que nos amou.
>
> E estou convencido de que nem morte nem vida, nem anjos nem demônios, nem o que existe hoje nem o que virá no futuro, nem poderes, nem altura nem profundidade, nada, em toda a criação, jamais poderá nos separar do amor de Deus revelado em Cristo Jesus, nosso Senhor.

19
Amostras de um mundo alternativo: O povo da reconciliação

Desde que eu soube de sua fé no Senhor Jesus e de seu amor pelo povo santo em toda parte, não deixo de agradecer a Deus por vocês. Em minhas orações, peço que Deus, o Pai glorioso de nosso Senhor Jesus Cristo, lhes dê sabedoria espiritual e entendimento para que cresçam no conhecimento dele. Oro para que seu coração seja iluminado, a fim de que compreendam a esperança concedida àqueles que ele chamou e a rica e gloriosa herança que ele deu a seu povo santo.

Também oro para que entendam a grandeza insuperável do poder de Deus para conosco, os que cremos. É o mesmo poder grandioso que ressuscitou Cristo dos mortos e o fez sentar-se no lugar de honra, à direita de Deus, nos domínios celestiais. Agora ele está muito acima de qualquer governante, autoridade, poder, líder ou qualquer outro nome não apenas neste mundo, mas também no futuro. Deus submeteu todas as coisas à autoridade de Cristo e o fez cabeça de tudo, para o bem da igreja. E a igreja é seu corpo; ela é preenchida e completada por Cristo, que enche consigo mesmo todas as coisas em toda parte.

Efésios 1.15-23

O ano de 2020 foi um dos mais tensos que eu me lembro de ter vivido em minha fase adulta. Além do fator atípico da COVID-19 e de seus muitos desdobramentos políticos, sociais e econômicos, não me recordo de ver tanta gente rompendo relacionamentos por causa de opiniões divergentes. Lembro-me de que, no momento em que escrevia o primeiro rascunho deste capítulo, dois amigos de longa data se ofendiam publicamente no Facebook devido às eleições norte-americanas. Poucos dias depois, fui procurado por uma pessoa que dizia não conseguir conversar mais com os próprios pais por eles serem muito "intransigentes" quanto ao uso de máscaras. E me parece que os analistas acertam ao dizer que o principal responsável por esse padrão de pensamento são as redes sociais. Em uma cultura que dá visibilidade às opiniões desinformadas de potencialmente qualquer habitante do planeta, as *fake news* e as teorias da conspiração determinam o tom de quase todas as conversas ao redor da mesa, tornando muito difícil manter intacta a saúde de nossas relações. Nossos círculos sociais têm atravessado um período de bastante instabilidade.

O pior de tudo é que, conforme nota o filósofo Byung-Chul Han, a norma em quase todas as esferas da sociedade tem sido a desconfiança.[1] Como resultado, essa polarização generalizada com a qual já estamos acostumados tem comprometido até mesmo nossa liberdade de pensamento. Em uma atitude digna das ficções de George Orwell, as pessoas estão constantemente enquadrando umas às outras dentro de seu espectro moral binário. Você vai tomar a vacina da China? Seu "idiota útil"! Demorou para apoiar o Black Lives Matter? Seu racista genocida! Não vai se pronunciar contra a última heresia publicada no Youtube? Seu liberal apóstata! Acha ruim aquele programa que adora satirizar a fé cristã? Seu fundamentalista intolerante! Aparentemente, nuance, autocrítica e temperança é para quem gosta de ficar em cima do muro. E, se você não raciocina exatamente como eu, é necessariamente mau e, portanto, meu inimigo.

Embora o Messias já tenha vencido a morte, o mundo continua profundamente desorientado. E continuará nessa condição até que o Senhor volte para consumar o seu reino. O que parece ser particularmente agudo no cenário que acabei de descrever é que essa cultura de desconfiança e de estranhamento é aquilo que melhor descreve as consequências de Gênesis 3. A pessoa que cresceu na igreja provavelmente está mais acostumada com a ideia de que o pecado se exemplifica mesmo, de verdade, na imoralidade sexual, no problema das drogas, na libertinagem. E, sem dúvida, todas essas coisas são consequências importantíssimas da rebeldia humana e da nossa separação de Deus. Entretanto, em um nível mais fundamental, o caos e a quebra da ordem criacional decorrentes da autonomia humana produziram justamente essas coisas que temos experimentado em nossos dias: alienação e inimizade. No terceiro capítulo, vimos que o episódio que sucede à expulsão de Adão e Eva do Jardim do Éden é o assassinato de Abel pelas mãos de seu irmão. Em grande medida, então, nada dessas coisas que temos visto é novo.

---

[1] Byung-Chul Han, *Sociedade da transparência* (São Paulo: Vozes, 2017).

Mas será que o evangelho tem algo a dizer a esse respeito? Como a vitória de Jesus sobre a morte e a presença do Espírito Santo na Igreja nos ajudam a navegar nessa atmosfera de animosidade e de segregação, tão densa e disseminada ao redor do globo desde a queda? O que o senhorio de Cristo tem a dizer sobre tudo isso? Este é o ponto em que fica realmente escancarada a urgência de termos um entendimento amplo e aprofundado do evangelho bíblico. Se entendermos a mensagem cristã como aquela ideia que diz respeito somente a como podemos ir para o céu depois de morrer, nem sequer conseguiremos começar a pensar em como o cristão deve se posicionar em relação às tensões de nossa época. Mas graças a Deus que temos o livro de Efésios à nossa disposição.

Entre as muitas coisas que tornam Efésios tão relevante, uma das mais dignas de destaque é que essa epístola explica o que significa ser o povo do Cristo ressurreto. O interessante é que, antes mesmo de começar a falar sobre o que a Igreja deve fazer, Paulo gasta um bocado de espaço — praticamente a primeira metade da carta — explicando o que Jesus realizou antes para fazer da Igreja o que ela é. E isso não é mero artifício retórico. Inverter essa ordem de fatores, colocando os imperativos da ética cristã antes do indicativo daquilo que Jesus realizou, altera, sim, o produto, comprometendo a integridade do evangelho em sua raiz.

Na primeira parte de Efésios, Paulo pressupõe praticamente tudo que temos abordado nos capítulos anteriores deste livro. Em Efésios 1.3-11, o apóstolo afirma que Cristo nos purificou com seu sangue e nos concedeu a adoção, para que o plano e o caráter de Deus fossem revelados, de modo que todas as coisas "nos céus e na terra" fossem colocadas debaixo de seu domínio:

> Todo louvor seja a Deus, o Pai de nosso Senhor Jesus Cristo, que nos abençoou em Cristo com todas as bênçãos espirituais nos domínios celestiais. Mesmo antes de criar o mundo, Deus nos amou e nos escolheu em Cristo para sermos santos e sem culpa diante dele. Ele nos predestinou para si, para nos adotar como filhos por meio de Jesus Cristo, conforme o bom propósito de sua vontade. Deus assim o fez para o louvor de sua graça gloriosa, que ele derramou sobre nós em seu Filho amado. Ele é tão rico em graça que comprou nossa liberdade com o sangue de seu Filho e perdoou nossos pecados. Generosamente, derramou sua graça sobre nós e, com ela, toda sabedoria e todo entendimento.
>
> Agora Deus nos revelou sua vontade secreta a respeito de Cristo, isto é, o cumprimento de seu bom propósito. E o plano é este: no devido tempo, ele reunirá sob

a autoridade de Cristo tudo que existe nos céus e na terra. Além disso, em Cristo nós nos tornamos herdeiros de Deus, pois ele nos predestinou conforme seu plano e faz que tudo ocorra de acordo com sua vontade.

Além disso, em Efésios 2.1-10, Paulo faz questão de recordar seus leitores de que Cristo realizou todas essas coisas motivado unicamente por sua rica misericórdia e seu infinito amor, enquanto nós éramos totalmente incapazes de nos regenerar:

> Vocês estavam mortos por causa de sua desobediência e de seus muitos pecados, nos quais costumavam viver, como o resto do mundo, obedecendo ao comandante dos poderes do mundo invisível. Ele é o espírito que opera no coração dos que se recusam a obedecer. Todos nós vivíamos desse modo, seguindo os desejos ardentes e as inclinações de nossa natureza humana. Éramos, por natureza, merecedores da ira, como os demais.
>
> Mas Deus é tão rico em misericórdia e nos amou tanto que, embora estivéssemos mortos por causa de nossos pecados, ele nos deu vida juntamente com Cristo. É pela graça que vocês são salvos! Pois ele nos ressuscitou com Cristo e nos fez sentar com ele nos domínios celestiais, porque agora estamos em Cristo Jesus. Portanto, nas eras futuras, Deus poderá apontar-nos como exemplos da riqueza insuperável de sua graça, revelada na bondade que ele demonstrou por nós em Cristo Jesus.
>
> Vocês são salvos pela graça, por meio da fé. Isso não vem de vocês; é uma dádiva de Deus. Não é uma recompensa pela prática de boas obras, para que ninguém venha a se orgulhar. Pois somos obra-prima de Deus, criados em Cristo Jesus a fim de realizar as boas obras que ele de antemão planejou para nós.

O que vale destacar aqui é que, uma vez que somos salvos "pela graça, por meio da fé", não há espaço algum no evangelho para vanglória ou elitismo. O resultado indissociável da salvação que recebemos de Deus por meio de Jesus é "que ninguém venha a se orgulhar". A fé é o oposto de qualquer tentativa de afirmação de nosso suposto mérito. Em Cristo, há um nivelamento de tudo aquilo que nos define como pessoas à luz dessa graça imerecida de Deus. Em outras palavras, o que caracteriza o cristão é a consciência de que não há nada mais que possua significado último sobre si, a não ser o sacrifício de Jesus na cruz e o seu senhorio assegurado em sua ressurreição. Etnia, linhagem, tradição familiar, posição social, poder econômico, nível de escolaridade, sexo, opinião política — por mais importantes que possam ter sido para nós na época em que vivíamos "seguindo os desejos ardentes e as inclinações de nossa natureza humana" — perderam a prerrogativa de determinar em última instância quem nós somos.

Em consequência disso, já que a salvação é inteiramente fruto da graça de Deus, Paulo insiste que, na cruz, foi resolvido não somente o problema que tínhamos com Deus, mas também — e na mesma medida — a animosidade que havia entre a humanidade. Um evangelho que me reconcilia com Deus, sem porém me dar condições de desfrutar de sua paz com a comunidade da fé, não é o "poder de Deus", mas apenas um produto que alivia minha consciência narcisista. Jesus também havia afirmado algo muito parecido no Sermão do Monte: "Portanto, se você estiver apresentando uma oferta no altar do templo e se lembrar de que alguém tem algo contra você, deixe sua oferta ali no altar. Vá, reconcilie-se com a pessoa e então volte e apresente sua oferta" (Mt 5.23-24). E a maneira como Paulo escolhe expor essa verdade em Efésios 2.11-22 não poderia ser mais radical:

> Não esqueçam que vocês, gentios, eram chamados de "incircuncidados" pelos judeus que se orgulhavam da circuncisão, embora ela fosse apenas um ritual exterior e humano. Naquele tempo, vocês viviam afastados de Cristo. Não tinham os privilégios do povo de Israel e não conheciam as promessas da aliança. Viviam no mundo sem Deus e sem esperança.
>
> Agora, porém, estão em Cristo Jesus. Antigamente, estavam distantes de Deus, mas agora foram trazidos para perto dele por meio do sangue de Cristo. Porque Cristo é nossa paz. Ele uniu judeus e gentios em um só povo ao derrubar o muro de inimizade que nos separava. Ele acabou com o sistema da lei, com seus mandamentos e ordenanças, promovendo a paz ao criar para si, desses dois grupos, uma nova humanidade. Assim, ele os reconciliou com Deus em um só corpo por meio de sua morte na cruz, eliminando a inimizade que havia entre eles.
>
> Ele trouxe essas boas-novas de paz tanto a vocês que estavam distantes dele como aos que estavam perto. Agora, por causa do que Cristo fez, todos temos acesso ao Pai pelo mesmo Espírito

Em Cristo, gentios anteriormente idólatras e seguidores do engano são feitos templo do Espírito de Deus, membros de sua família e concidadãos do reino de Deus! E, caso o leitor e a leitora tenham se esquecido disso, nós estamos incluídos aqui! Nós somos esse povo que é fruto do trabalho árduo de Deus desde Gênesis até sua culminação em Cristo.

200   O ENREDO DA SALVAÇÃO

O detalhe é que nós não temos ideia de quão chocante era isso para a audiência original do apóstolo. Beirava a blasfêmia dizer para um judeu do primeiro século, profundamente marcado por seu zelo étnico, que os gentios agora estavam sendo enfim incluídos na mesma aliança que Yahweh havia feito com seu povo por meio de seu Messias. E beirava o ridículo dizer a um gentio do mundo greco-romano, com seu senso de superioridade sobre os judeus, que as portas do reino messiânico estavam abertas para quem depositasse sua fé em Jesus. Porém, era isso mesmo que o evangelho havia realizado, a ponto de Paulo escrever para uma igreja constituída de comunidades com judeus e gentios. No Concílio de Jerusalém, Pedro havia deixado claro que o mesmo Espírito que estava sobre os apóstolos havia descido sobre o centurião romano Cornélio: "Deus conhece o coração humano e confirmou que aceita os gentios ao lhes dar o Espírito Santo, como o deu a nós. Não fez distinção alguma entre nós e eles, pois purificou o coração deles por meio da fé" (At 15.8-9). O fato de que Jesus é Senhor nos céus e na terra, portanto, resolve, sim, nossa barreira com Deus, mas também responde à alienação e à inimizade que tanto têm caracterizado nossas relações desde a queda. Cristo nos reconciliou com o Pai para que pudéssemos ser um povo que se define primordialmente pela graça de Deus: "Porque Cristo é nossa paz. Ele uniu judeus e gentios em um só povo ao derrubar o muro de inimizade que nos separava [...] promovendo a paz ao criar para si, desses dois grupos, uma nova humanidade" (Ef 2.14,15).

Como, então, os discípulos de Jesus devem responder às tensões que existem no mundo? Será que o nosso papel é "impor" essa paz àqueles que nos cercam? Devemos esperar que os líderes das religiões do mundo se juntem e cantem "We Are the World", ou que esquerdistas e direitistas se unam em uma espécie de ecumenismo secular? O professor da Universidade Harvard, Michael Sandel, diria que aspirar por isso é uma grande ingenuidade, já que seria necessário assumir um ponto de partida supostamente "neutro" do ponto de vista moral, a partir do qual todas as diferenças dentro de uma sociedade poderiam ser julgadas.[2] O problema é que, embora muitos aleguem possuí-la, essa neutralidade simplesmente não existe.

Paulo propõe um caminho muito mais realista: é na Igreja que a reconciliação concretizada em Cristo deve se fazer evidente. É entre o povo de

---

[2] Michael J. Sandel, *Justiça: O que é fazer a coisa certa* (Rio de Janeiro: Civilização Brasileira, 2009), p. 305-323.

Deus que a paz vertical (com Deus) e horizontal (uns com os outros) deve ser vivida — é na nova humanidade moldada pela graça imerecida de Deus. Isso não significa que estamos isentos da tarefa de lutar pela paz fora das quatro paredes dos nossos templos. Os cristãos deveriam ser os primeiros a liderar movimentos e articulações em favor da paz em todas as camadas da sociedade. O próprio Senhor disse: "Felizes os que promovem a paz, pois serão chamados filhos de Deus" (Mt 5.9). O ponto é que só conseguimos pregar paz aos de fora quando fazemos isso na forma de testemunho, como uma extensão de quem nós somos, dando o exemplo visível do que de fato significa sermos reconciliados com Deus e uns com os outros. É o que Lesslie Newbigin propôs ao dizer que uma sociedade pluralista só conseguirá enxergar a plausibilidade da mensagem da cruz quando a Igreja encarná-la.[3]

Em contrapartida, quando colocamos no centro de nossa autopercepção qualquer coisa que não seja o evangelho — raça, dinheiro, classe, educação, posição política —, desprezamos a obra de Cristo, abandonamos nossa vocação e pioramos ainda mais a fragmentação do mundo. Em suma, construímos um deus falso e cometemos idolatria. E não sejamos ingênuos: tais coisas são sutis e têm acontecido com muita frequência no meio evangélico. Em um artigo recente, Timothy Keller nota que tem se tornado cada vez mais comum cristãos norte-americanos se sentirem mais à vontade com pessoas que votam no mesmo candidato que eles do que com irmãos da própria congregação.[4] E isso reflete bem a situação da igreja aqui no Brasil também, onde proeminentes líderes eclesiásticos "mandam para o inferno" qualquer um que não tenha votado no candidato apoiado por eles. Mas, se cremos que estamos de pé somente pelo mérito de Cristo e porque Deus escolheu nos vivificar por seu Espírito, isso significa que nunca tivemos o direito de limitar o acesso à mesa do Senhor com base em classe social, etnia, opinião política ou qualquer outra coisa que não seja central ao evangelho. Quando reerguemos muros de inimizade na Igreja, relativizamos o senhorio de Cristo e esvaziamos sua cruz.

Assim, descobrimos que o enredo da salvação vai diretamente de encontro ao espírito de desconfiança e de estranhamento tão presentes em nossos

---

[3] Lesslie Newbigin, *The Gospel in a Pluralist Society* (Grand Rapids: Eerdmans, 1989), p. 228-229.

[4] Timothy Keller, "Justice in the Bible", <https://quarterly.gospelinlife.com/justice-in-the-bible/>. Acesso em 14 de janeiro de 2021.

202 O ENREDO DA SALVAÇÃO

dias, lembrando-nos de que a Igreja é a resposta de Deus à condição quebrantada do mundo. Mais adiante em Efésios, Paulo diz que o plano de Deus no evangelho era "mostrar a todos os governantes e autoridades nos domínios celestiais, por meio da igreja, as muitas formas da sabedoria divina" (Ef 3.10). Todas as vezes que pessoas de diferentes classes sociais, etnias e preferências políticas se reúnem para, juntos, cantarem louvores, ouvirem a Palavra, participarem da ceia e estenderem a paz do Senhor uns aos outros, elas estão subvertendo a mentalidade do mundo, dando provas visíveis de que Jesus venceu a morte e começou a reverter seus efeitos alienantes. A Igreja é o manifesto divino de que, em Jesus, Deus está restaurando a humanidade e o cosmo.

A pessoa que pensa que o cristianismo virou o Império Romano "de pernas para o ar" pela imposição de seus dogmas sobre a sociedade ou pela tomada das esferas de influência e de poder certamente nunca abriu um livro de história na vida. Em seu clássico *The Rise of Christianity*, o sociólogo Rodney Stark argumenta de forma muito convincente que um dos fatores mais importantes para a expansão da comunidade dos primeiros discípulos foi, na verdade, sua capacidade de acolher os mais vulneráveis e marginalizados, tanto de dentro como de fora.[5] Até mesmo o imperador Juliano, do século 4, veio a se frustrar com seus súditos pela falta de cuidado com os necessitados, em flagrante contraste com os cristãos: "Enquanto nenhum judeu precisa mendigar e os cristãos blasfemos se preocupam não somente com os seus, mas também com os nossos, é notório que não ajudamos nem nosso próprio povo" (*Epístolas* 22, 430C–D).

Ademais, os cultos na igreja primitiva eram realizados frequentemente ao redor da mesa, onde os holofotes não faziam nenhum tipo de separação entre "ungidos" e "não ungidos". Não havia culto de ricos em um horário e culto de pobres em outro, reunião de oração entre judeus em um recinto e comunhão de gentios em outro. Muito menos ainda havia "encontros de avivamento" pelo YouTube ou a possibilidade de escolher entre diversas comunidades locais aquela que representasse o gosto individual de cada pessoa, a sua "tribo". O apelo do evangelho era ouvido de forma mais clara, porque uma família de escravos podia se sentar à mesa ao lado de um membro da

---

[5] Rodney Stark, *The Rise of Christianity: How the Obscure, Marginal Jesus Movement Became the Dominant Religious force in the Western World in a Few Centuries* (São Francisco: HarperOne, 1996), p. 73-94.

elite da sociedade e, antes mesmo que o dono da casa iniciasse a refeição, todos os presentes ouviam, juntos, as palavras da Eucaristia — "Este é o corpo de Cristo quebrado em favor de nós, e este é o sangue de Cristo derramado pelos nossos pecados" — para que pudessem receber, sem distinção, os elementos que representavam o sacrifício de Cristo na cruz.[6] Foi isso que mostrou ao mundo que Jesus havia de fato iniciado um jeito diferente de ser.

É por isso que em Efésios 4.1-6, em que Paulo começa a expor os imperativos demandados pelo evangelho, ele enfatiza nada menos que a unidade da Igreja:

> Portanto, como prisioneiro no Senhor, suplico-lhes que vivam de modo digno do chamado que receberam. Sejam sempre humildes e amáveis, tolerando pacientemente uns aos outros em amor. Façam todo o possível para se manterem unidos no Espírito, ligados pelo vínculo da paz. Pois há um só corpo e um só Espírito, assim como vocês foram chamados para uma só esperança.
>
> Há um só Senhor, uma só fé, um só batismo,
> um só Deus e Pai de tudo,
> o qual está sobre todos, em todos, e vive por meio de todos.

Note o paralelo com Atos 2.42-47, em que os discípulos são retratados "perseverando" na adoração, na comunhão e no serviço mútuo. Paulo usa um verbo diferente nessa passagem — "façam todo o possível" [*spoudazontes*] —, mas a ideia é a mesma: dedicar-se a algo que é vital para a nossa saúde como povo de Deus. E as palavras em Efésios 4.2 contradizem tudo que é incentivado na cultura de hoje: humildade, amabilidade e tolerância paciente em amor. Esse é o "chamado" [*klēsis*] que recebemos no evangelho! Todas as coisas nos céus e na terra foram colocadas debaixo da autoridade de Cristo (Ef 1.10; cf. Mt 28.18) para que viesse à existência uma "sociedade alternativa", na qual é o caráter cruciforme de Jesus que norteia todas as relações. E, finalmente, é importante enfatizar que só é possível nos mantermos "unidos no Espírito, ligados pelo vínculo da paz", quando abrimos mão de ideais sentimentalistas e firmamos nossa comunhão em Cristo. Dietrich Bonhoeffer já

---

[6] O que deixa Paulo consternado em 1Coríntios 11.17-34 é precisamente o fato de que a elite está se recusando a esperar pelos mais pobres antes de começar a ceia e o culto, participando assim da mesa do Senhor de maneira indigna.

havia nos alertado de que a pessoa "que ama mais seu sonho de uma comunhão cristã do que a própria comunhão cristã destruirá qualquer comunhão cristã".[7] Para Paulo, a unidade da Igreja só pode ser predicada na unidade do evangelho: um Corpo, um Espírito, uma esperança, um Senhor, uma fé, um batismo e um Deus, que é sobre tudo e todos. Em outras palavras, não há unidade fora da fidelidade àquilo que Cristo realizou, à integridade da mensagem da cruz.

A resposta que os cristãos devem dar nestes tempos em que até mesmo famílias são divididas em razão dos noticiários, portanto, é simplesmente ser Igreja: adorar a Deus e exemplificar a nova humanidade em Cristo. Em síntese, a Igreja é chamada a demonstrar beleza. Em Efésios 2.10, Paulo diz que a graça salvífica de Deus fez do povo messiânico "obra-prima de Deus". Penso que a escolha da NVT de usar a expressão "obra-prima" é realmente a melhor tradução da palavra *poiēma* nesse contexto. O evangelho nos torna feituras que revelam a mente, os desejos e a imaginação do Grande Artista que arquitetou o cosmo como o seu templo e formou a humanidade à sua imagem. Vivamos, então, para "o louvor de sua graça gloriosa" (Ef 1.6), sendo o povo da reconciliação.

---

[7] Dietrich Bonhoeffer, *Vida em comunhão* (São Leopoldo, RS: Sinodal, 1997), p. 17.

20

No fim, Deus habitará conosco: A Nova Jerusalém e a esperança cristã

Então vi um novo céu e uma nova terra, pois o primeiro céu e a primeira terra já não existiam, e o mar também não mais existia. E vi a cidade santa, a nova Jerusalém, que descia do céu, da parte de Deus, como uma noiva belamente vestida para seu marido. Ouvi uma forte voz que vinha do trono e dizia: "Vejam, o tabernáculo de Deus está no meio de seu povo! Deus habitará com eles, e eles serão seu povo. O próprio Deus estará com eles. Ele lhes enxugará dos olhos toda lágrima, e não haverá mais morte, nem tristeza, nem choro, nem dor. Todas essas coisas passaram para sempre". […]

Não vi templo algum na cidade, pois o Senhor Deus, o Todo-poderoso, e o Cordeiro são seu templo. A cidade não precisa de sol nem de lua, pois a glória de Deus a ilumina, e o Cordeiro é sua lâmpada. As nações andarão em sua luz, e os reis, em toda a sua glória, entrarão na cidade. Suas portas nunca se fecharão, pois ali não haverá noite. E todas as nações trarão sua glória e honra à cidade.

APOCALIPSE 21.1-4,22-26

Como será que estará o mundo quando este livro for publicado? A COVID-19 já fará parte do passado? As atividades presenciais da igreja que pastoreio e do seminário onde leciono terão sido retomadas? Conseguiremos encontrar familiares e amigos no restaurante que frequentávamos sem preocupação até março de 2020? Será que os pequenos e os médios empresários que conheço terão conseguido sair dessa longa e extenuante crise? E os menos privilegiados, como estarão daqui a alguns meses? Já terão algum tipo de perspectiva?

Faço coro com Amós em dizer que "não sou profeta e nunca fui treinado para ser profeta" (Am 7.14), mas suspeito que, mesmo com a volta de algum grau de normalidade, ainda enfrentaremos um senso profundo

206 O ENREDO DA SALVAÇÃO

de desnorteamento. Minutos antes de me dirigir à escrivaninha para produzir a versão final deste capítulo, li no jornal que o Brasil se aproximava rapidamente da situação crítica registrada no auge da pandemia. A coisa parece estar longe de ser completamente resolvida. Poucos discordariam de mim que a palavra que melhor tem definido a vida nos últimos meses é "incerteza". De forma muito contundente, pessoas que vivem sem referências além do que veem nos noticiários têm sido lembradas das palavras atribuídas a Mark Twain de que há somente duas certezas absolutas na vida: a morte e os impostos. (Eu acrescentaria irritação com empresas de telecomunicação e a mancha do molho de tomate na *tupperware*, mas este é um assunto vasto demais para caber neste livro.)

Contudo, desde que iniciamos nossa jornada pelo enredo da salvação, temos notado aqui e ali que parte dessas incertezas que afloraram durante o período turbulento que temos atravessado diz muito mais sobre nós do que sobre a própria pandemia. Em grande medida, o coronavírus apenas escancarou um fato que tínhamos dado um jeito de suprimir em nosso inconsciente: ninguém tem controle último sobre o futuro. Na verdade, então, é bastante revelador que essas circunstâncias tenham nos pegado totalmente desprevenidos. O fato de que muitos de nós nem sequer contemplávamos a possibilidade de uma calamidade como essa talvez indique que tínhamos aprendido a depositar uma confiança desmedida nos avanços tecnológicos, na ideia de progresso e nos recursos financeiros. É possível que, sem perceber, alguns tenham até se assemelhado ao rico insensato da parábola contada por Jesus que, a despeito da segurança de suas riquezas, foi interpelado por Deus: "Louco! Você morrerá esta noite. E, então, quem ficará com o fruto do seu trabalho?" (Lc 12.20). O coronavírus obviamente não representa o juízo final, mas é inegável que tem ajustado nossas perspectivas quanto às coisas que realmente importam na vida. Em outras palavras, a pandemia jogou um balde de água gelada em nosso rosto, lembrando-nos de que nada que temos é por alguma obrigação que a vida tem de nos dar. No mundo pós-Gênesis 3 onde vivemos, gratidão, simplicidade e generosidade nunca sairão da moda para aqueles que conhecem o Deus revelado no enredo da salvação.

De todo modo, é importante percebermos também que, diante dessas incertezas, corremos o risco de jogar o pêndulo para o outro extremo e achar que devemos viver sempre esperando pelo pior. Algumas teologias dominantes no meio evangélico, aliás, pregam exatamente isso: o mundo um dia será destruído e, portanto, o melhor que podemos fazer é aguardar o fim catastrófico de tudo mesmo. À luz dos dezenove capítulos anteriores, porém, é totalmente antibíblico — e, eu diria, irracional — acreditarmos que nossa postura deve ser necessariamente de pessimismo. Imaginar que tudo será destruído por catástrofes é enxergar a realidade somente pelas lentes de Gênesis 3 e, portanto, ter a visão distorcida da realidade.

Pelo contrário, o enredo da salvação nos diz que o mesmo Deus que criou céus e terra, chamando o cosmo de "muito bom", permaneceu também profundamente comprometido em resgatar o universo e os portadores da imagem divina após a rebeldia de Adão e Eva. E o seu compromisso foi tão avassalador que, a despeito do trabalho que o pecado daria, ele considerou a redenção de céus e terra algo digno de ser realizado. Assim, precisamente porque o Criador nunca mudou de ideia quanto a fazer do cosmo seu espaço sagrado, ele chamou Abraão, formou Israel e levantou Davi, para que então, por meio de Jesus de Nazaré, o verdadeiro israelita e descendente ideal de Davi e de Abraão, ele mesmo revertesse o problema da queda por todos nós.

Isso significa que o que tem a palavra final em nossa imaginação sobre o futuro, inclusive sobre o nosso futuro incerto em curto, médio e longo prazos, não são as mazelas decorrentes da expulsão da humanidade do Jardim do Éden, mas, sim, o sepulcro vazio que Jesus deixou para trás no terceiro dia após sua crucificação. Sim, é inevitável que o mundo pós-Gênesis 3, com suas pandemias, crises financeiras e polarizações políticas, nos remeta constantemente ao cemitério, mas o enredo da salvação nos faz enxergar que, graças ao Deus que nunca muda, o cemitério não é para sempre. Podemos concordar efusivamente com o apóstolo Paulo: "Ó morte, onde está sua vitória? Ó morte, onde está seu aguilhão?" (1Co 15.55; cf. Os 13.14). Ou fazer nossas as palavras do poeta do século 14 John Donne: "Não te orgulhes, ó morte [...]. A morte já não é. Ó morte, morrerás". Da mesma maneira que o pecado tornou a morte um fato inexorável, a ressurreição de Jesus nos dá a garantia inabalável de que o destino último para onde estamos caminhando hoje é a vida eterna e a consumação da salvação. Assim, embora possamos concordar com Mark Twain de que a morte e os impostos são inevitáveis após a queda, o Deus que nunca muda e que se revelou claramente no enredo da salvação nos dá uma certeza que é mais firme do que qualquer outra: ele mesmo venceu a morte, e, com isso, todas as coisas decorrentes da queda e do caos já não determinam o nosso futuro último.

208 O ENREDO DA SALVAÇÃO

É por isso que o último livro da Bíblia, em seus últimos dois capítulos, faz questão de nos dizer que o cristão é aquele que vive a partir de uma certeza inabalável quanto ao grande amanhã. De uma forma muito mais aguda do que nós hoje, aliás, os leitores originais de Apocalipse estavam passando por um momento de profundas incertezas. O documento foi escrito em um período de fortalecimento do culto imperial romano — provavelmente na década de noventa, durante o governo de Domiciano (cf. Eusébio, *História* 3 e 5) — e, consequentemente, de intensificação da perseguição contra os cristãos, já que estes se recusavam a adorar a "estátua da besta" (Ap 13.11-15). É isso que explica as exortações constantes à perseverança que o Cristo ressurreto dá à maioria das sete igrejas da Ásia Menor (Ap 2.1—3.22).

E o que Apocalipse faz não é oferecer uma espécie de "mapa enigmático" para que os leitores decifrem quando exatamente o "fim do mundo" acontecerá. Apocalipse é um retrato do senhorio de Jesus sobre todos os povos e sobre toda a história, mesmo quando tudo parece cair aos pedaços à nossa volta. Trata-se da "revelação de Jesus Cristo" (Ap 1.1), daquele que é "o Primeiro e o Último" (Ap 1.17) e tem "as chaves da morte e do mundo dos mortos" (Ap 1.18), do "Cordeiro que parecia ter sido sacrificado, mas que agora estava em pé entre o trono" (Ap 5.6), do único "digno de abrir o livro e os setes selos" (Ap 5.5), cujo sangue "lava e branqueia" as vestes daqueles que vencem seguindo o caminho da cruz (Ap 7.14). O propósito do livro, portanto, não é resolver todas as ambiguidades do cotidiano sob aquele líder opressor, muito menos brincar de "adivinhe o que é" com a tal da "marca da besta", por exemplo (Ap 13.16-19).[1] Antes, é revelar, por meio de uma linguagem altamente simbólica, como Deus chamava os cristãos a enxergarem a realidade por sua própria perspectiva.

---

[1] A maioria dos estudiosos concorda que o "666" é uma referência simbólica à lógica imperial anticristã, possivelmente representada pelas duas bestas e pela estátua em Apocalipse 13. O número seis em Apocalipse representa incompletude, em contraste com sete. Mas o detalhe principal é que essa marca era colocada "na mão direita ou na testa" (Ap 13.16). Isso é uma paródia da Lei de Deus, já que Yahweh havia mandado os israelitas "prenderem" as palavras do Senhor em suas mentes e em suas ações: "Ouça, ó Israel! O Senhor, nosso Deus, o Senhor é único! Ame o Senhor, seu Deus, de todo o seu coração, de toda a sua alma e de toda a sua força. Guarde sempre no coração as palavras que hoje eu lhe dou [...]. Amarre-as às mãos e prenda-as à testa como lembrança" (Dt 6.4-6, 8). O ponto é que a "marca da besta" representa um padrão de pensamento e um jeito de ser idólatras, anticristãos.

É assim que o gênero literário da apocalíptica judaica, consistentemente usado por João aqui, funciona. Compare o enredo de Apocalipse com Daniel 7, por exemplo, e veja que o uso de imagens extraordinárias de monstros e de números serve para interpretar eventos históricos pela ótica divina — é essa ótica que é revelada.[2] O termo *apokalypsis*, aliás, significa "revelação". Não surpreende, nesse sentido, que uma das coisas que mais se repetem em Apocalipse é a experiência de João "ver" o que realmente acontece na esfera do domínio de Cristo. A ênfase está em perceber de verdade o sentido dos acontecimentos. E os últimos dois capítulos do livro — e, de fato, de toda a Bíblia — retratam a visão conclusiva de todo o enredo da salvação.

E o que exatamente João vê no final de Apocalipse, que é tão determinante para a nossa imaginação sobre o futuro? Se pudéssemos resumir em apenas uma palavra, sem dúvida o termo mais adequado seria "consumação". Isso fica claro na maneira supreendentemente binária que o texto usa para descrever a realidade que nos aguarda. Digo "surpreendentemente" binária, porque binário é tudo que o mundo pós-Gênesis 3 não é. O mundo em que ainda vivemos é profundamente incoerente e nos lembra, constante e simultaneamente, de quão dura é a vida e de quão boa é a criação de Deus. Perdi a conta de quantas vezes fui a funerais e a maternidades no mesmo dia. Em um instante comemoramos uma bênção, em outro lamentamos alguma perda. Mas, se olharmos para o retrato que João nos oferece, perceberemos que essas experiências que tornam a vida incompleta serão finalmente dissipadas. Não que nos tornaremos seres "chapados" ou monodimensionais, sem nuances ou particularidades. Muito pelo contrário: no mundo vindouro, seremos plenos como o Cristo ressurreto. A binariedade da consumação diz respeito à sua harmonia perfeita.

Darrell Johnson percebe de forma muito perspicaz que, no desfecho do enredo da salvação, há a ausência de tudo aquilo que caracteriza o caos decorrente de Gênesis 3 e a presença de tudo aquilo que sempre fez parte do plano de Deus para o cosmo desde Gênesis 1—2.[3] O futuro certo que nos aguarda é um futuro perfeito, totalmente livre dos efeitos destrutivos

---

[2] É impossível detalhar esse assunto aqui. Ver John J. Collins, *A imaginação apocalíptica: Uma introdução à literatura apocalíptica judaica* (São Paulo: Paulus, 2010).

[3] Darrell Johnson, *Discipleship on the Edge: An Expository Journey through the Book of Revelation* (Vancouver: Regent College Publishing, 2004), localização Kindle 6507-6743.

210 O ENREDO DA SALVAÇÃO

da autonomia humana. Uma vez que Jesus reverteu a autonomia humana e subjugou o pecado por nós, o mundo vindouro será caracterizado por tudo aquilo que marca a própria existência gloriosa de Cristo, não a existência decadente de Adão e Eva. O melhor exercício que podemos fazer para imaginar a consumação de nossa salvação, portanto, não é pensar em algo, mas em alguém: no Cristo que venceu a morte e nos fez herdeiros de sua glória.

Assim, no futuro certo que nos aguarda, todos os dilemas que têm maculado o mundo após a queda serão resolvidos. No mundo pós-Apocalipse 21, haverá "um novo céu e uma nova terra" (Ap 21.1), onde o Criador se manifestará plenamente entre nós, sem restrições: "Ouvi uma forte voz que vinha do trono e dizia: 'Vejam, o tabernáculo de Deus está no meio de seu povo! Deus habitará com eles, e eles serão seu povo. O próprio Deus estará com eles'" (Ap 21.3). E, porque sua presença estará plenamente acessível, ele mesmo nos consolará, tudo fará sentido. Seremos completamente curados de nossos traumas físicos e emocionais, todos teremos nosso lugar no banquete do Senhor, e os pecados com os quais lutamos hoje farão parte inteiramente do passado. Abraçaremos mais uma vez nossos queridos no Senhor, de quem o cemitério havia nos separado. A felicidade será completa e ininterrupta. Conheceremos a Deus e uns aos outros como o próprio Deus nos conhece. Jesus será o Rei e o Pastor de tudo e de todos, e as nações seguirão o seu governo.

Da mesma maneira, no mundo pós-Apocalipse 21, não haverá mais caos — é isso que conota a afirmação de que o "mar" não existirá (Ap 21.1). Uma vez que a presença de Deus estará plenamente acessível, já não precisaremos separar o puro do impuro, nem fazer distinção entre primeira classe, classe executiva e classe econômica. Entenderemos que nossas posses e os dons que Deus nos concedeu generosamente antes da consumação nunca eram algo nosso, tudo era dele. Jamais se ouvirá falar novamente sobre injustiças, guerras, desentendimentos, crimes, engano, mentiras, imoralidade, traição, idolatria, arrogância, balas perdidas, tráfico humano, desvio de verba, nem qualquer outro tipo de violência entre os seres humanos. Ouça bem estas palavras: "não haverá mais morte, nem tristeza, nem choro, nem dor" (Ap 21.4). A saudade não vai doer mais tanto assim. Esse é o nosso futuro, o futuro certo que nada nem ninguém poderá roubar de nós.

E é importante lembrar que a prova de que esse futuro está garantido não é somente a visão que João recebeu da parte de Deus, mas também um fato histórico que aconteceu, de uma vez por todas: Jesus ressuscitou, e o

Espírito Santo já habita em nosso meio, como "a garantia de nossa herança, até o dia em que Deus nos resgatará como sua propriedade" (Ef 1.14). João só pôde enxergar esse futuro porque Jesus tem "as chaves da morte e do mundo dos mortos" (Ap 1.18). O Cordeiro esvaziou o sepulcro para ocupar o trono do universo. Assim como a criação de céus e terra teve sua iniciativa inteiramente em Deus, a realização do plano de restauração de céus e terra como seu espaço de habitação — a concretização de "um novo céu e uma nova terra" — pertence também somente a ele. O futuro glorioso que nos aguarda é um futuro garantido, pois esse futuro é uma obra de Deus, desejada e realizada por ele, que não depende de nós. A nova criação consumada, que também é chamada de Nova Jerusalém, é uma realidade que "desce do céu, da parte de Deus" (Ap 21.2). E aqui é importante notar o paralelo com a narrativa da criação em Gênesis 1—2: "um novo céu e uma nova terra" é o ponto culminante do cosmo como a habitação de Deus. No final, Deus se mudará plena e permanentemente para o nosso meio.

É por isso que, assim como era no Jardim do Éden, não haverá templo na Nova Jerusalém, e a própria cidade compartilhará de atributos que sempre remontaram ao espaço de habitação divina ao longo do enredo da salvação. A preciosidade, as medidas e o formato cúbico da Nova Jerusalém, descritos em Apocalipse 21.9-21, nos remetem respectivamente ao Jardim do Éden, à completude da criação e ao lugar santíssimo (Gn 2.10-14; 1Rs 6.14-22). Só Deus poderia ter pensado nisso! Participar do enredo da salvação, portanto, é ter a percepção moldada por esse futuro. Se o evento passado da ressurreição determinou os rumos do futuro, é este futuro que deve agora orientar como vivemos no presente. Não é verdade que teríamos vivido de maneira diferente se soubéssemos que a pandemia nos aguardava ali na esquina? (Marty Mcfly, da trilogia *De volta para o futuro*, que o diga. Ou, para citar um exemplo mais real e comovente, é possível que o mártir Franz Jägerstätter, protagonista de *Uma vida oculta*, de Terrence Malick, jamais tivesse se recusado a jurar lealdade a Hitler se não cresse na esperança cristã.) Podemos estar conscientes disso ou não, mas a maneira como vivemos hoje está profundamente atrelada ao que acreditamos sobre o amanhã.

E, embora toda essa história seja escrita por Deus — tanto como o autor quanto como o próprio protagonista do enredo —, não somos meros expectadores. Segundo João, a Nova Jerusalém não será meramente o retorno ao

212   O ENREDO DA SALVAÇÃO

Jardim do Éden. Na verdade, em Apocalipse 22.1-5, vemos que a Nova Jerusalém não é um jardim, mas, sim, uma cidade que contém um jardim:

> Então o anjo me mostrou o rio da água da vida, transparente como cristal, que fluía do trono de Deus e do Cordeiro e passava no meio da rua principal. De cada lado do rio estava a árvore da vida, que produz doze colheitas de frutos por ano, uma em cada mês, e cujas folhas servem como remédio para curar as nações.
> Não haverá mais maldição sobre coisa alguma, porque o trono de Deus e do Cordeiro estará ali, e seus servos o adorarão. Verão seu rosto, e seu nome estará escrito na testa de cada um. E não haverá noite; não será necessária a luz da lâmpada nem a luz do sol, pois o Senhor Deus brilhará sobre eles. E reinarão para todo o sempre.

A imagem de uma cidade representando "um novo céu e uma nova terra" mostra que o enredo da salvação inclui a redenção até mesmo daquilo que originalmente foi uma idealização humana. O leitor deve se lembrar de que a primeira cidade importante na Bíblia foi Babel (Gn 11.1-9). Ou seja, o Jardim do Éden acabou não encontrando definitivamente seu ponto culminante por causa do pecado, e a rebeldia humana por fim levou à construção de cidades. Entretanto, graças à restauração da vocação humana no centro do enredo da salvação, a consumação da redenção do cosmo em Cristo contemplará a Nova Jerusalém, no centro da qual estará a árvore da vida. Aliás, a própria imagem da cidade simboliza não somente um lugar, mas o próprio povo de Deus, "como uma noiva belamente vestida para seu marido" (Ap 21.2). Cito as palavras de meu mestre e colega de seminário Estevan Kirschner:

> Embora a cidade represente da forma mais nítida possível o pecado, a oposição a Deus e o fracasso do projeto humano, é exatamente o conceito da cidade perfeita, ideal, que se torna a síntese da redenção e do resgate da humanidade em Cristo. E essa é a imagem definitiva e permanente da redenção nas últimas páginas da Bíblia.[4]

Ser salvo, portanto, significa ser salvo do desespero, do vazio, do medo do amanhã. Ser salvo significa que temos esperança — que é possível viver em esperança. Admito: às vezes, parece que a vida se esforça em me lembrar de que essa coisa chamada esperança não é tão natural, muito menos

---

[4] Kirschner, "Da Babilônia à Nova Jerusalém", p. 27.

autoevidente. Esperança é a última coisa que sinto quando olho para mim mesmo ou leio o jornal. Mas é precisamente quando olhamos para nós mesmos e quando lemos o jornal — quando os nossos olhos se enchem de lágrimas pelos nossos próprios sofrimentos e por um mundo tão quebrantado — que devemos nos lembrar de que é o Deus da salvação, que nunca deixou de cumprir suas promessas, que prometeu "enxugar dos nossos olhos toda lágrima" (Ap 21.4).

Essa esperança, portanto, não é uma fantasia, que nos leva a fingir que está tudo bem, quando não está. A esperança cristã, bíblica, é a certeza de que, ainda que caminhemos "pelo vale escuro da morte" (Sl 23.4), o nosso Senhor Jesus, o Bom Pastor que entrega sua vida e a toma de volta (Jo 10.11-18), esvaziou o sepulcro e ocupou o trono, tomando em suas mãos as rédeas da minha história e da sua história. Essa esperança é a certeza de que a queda não é a palavra final. E, por mais que Gênesis 3 ainda nos leve a chorar, podemos chorar olhando para a frente, podemos chorar em esperança. E, agora que percorremos o enredo da salvação, podemos olhar para nós mesmos e ler o jornal, conhecendo o final da história. Aquele que nunca deixou de cumprir suas promessas nos assegura: "Vejam, faço novas todas as coisas! [...] Vejam, eu venho em breve! Felizes aqueles que obedecem às palavras da profecia registrada neste livro" (Ap 21.5; 22.7). Jesus ressuscitou, caro leitor e cara leitora! Nós ressuscitaremos com ele. E viveremos com Deus em um cosmo completamente restaurado.

CONCLUSÃO
A história continua

....

Agora que percorremos o enredo da salvação, resta-nos entender como exatamente podemos integrar o nosso domingo com a nossa segunda--feira, de maneira que a vida cotidiana se veja inserida naquilo que Deus realizou definitivamente em Cristo. As palavras do fiel escudeiro de Frodo Baggins, Samwise Gamgee, citadas na epígrafe de abertura deste livro, nos propõem justamente esse desafio. A grande história bíblica não tem fim — "ela está continuando", e "estamos ainda" nela. Como, então, vivê-la daqui para a frente?

Há muito que deve ser dito à luz de tudo que examinamos nos capítulos anteriores. De que modo o enredo da salvação ajusta nosso entendimento sobre a importância do evangelismo e do envolvimento da Igreja nas missões transculturais? Qual deve ser o papel dos cristãos nas questões climáticas e ambientais à luz da esperança que temos de herdar "um novo céu e uma nova terra"? Como especificamente devemos nos posicionar diante dos problemas perenes da injustiça social e do racismo? O que significa ser povo de Deus diante de tantas turbulências políticas? A afirmação bíblica de que Cristo é o Senhor sobre todo o cosmo deve moldar a eclesiologia e a liturgia? O que deve mudar em nossa vida de oração, na educação de nossos filhos, em nossos exercícios civis? E os dons dos Espírito Santo? Tudo isso, é claro, sem mencionar questões teológicas e doutrinárias mais complexas.

Por razões óbvias, teremos de deixar essas e outras discussões para outra ocasião. Meu desejo sincero é que a pessoa mais informada continue a construir com base nos alicerces lançados aqui. Alguns desses assuntos importantes que tive de deixar de lado por falta de espaço fogem também da minha área de pesquisa. Por que não juntar forças para que "todos alcancemos a unidade que a fé e o conhecimento do Filho de Deus produzem e amadureçamos, chegando à completa medida da estatura de Cristo" (Ef 4.12-13)? Meu objetivo ao pregar os vinte sermões que deram origem a este livro era simplesmente oferecer um arcabouço ou lentes novas através das quais a comunidade que sirvo como pastor poderia interpretar toda a realidade, e espero ter sido bem-sucedido na empreitada de localizar o leitor no único enredo capaz de lançar luz a todas as demais narrativas. "Creio no cristianismo assim como creio que o sol nasceu, não apenas porque o vejo, mas porque por meio dele eu vejo tudo mais".[1] Que essa conclusão de C. S. Lewis seja a de todos nós.

Dito isso, gostaria de concluir este projeto propondo um caminho entre muitos para entendermos nosso papel no mundo a partir desse enredo em que fomos acolhidos pela graça de Deus. Desde que começamos a falar sobre as implicações da ressurreição de Jesus a partir do décimo sexto capítulo, temos ressaltado o fato de que a realidade mais imediata gerada pela obra de Cristo é que a Igreja é feita o próprio espaço da habitação do Espírito Santo. A questão é que todos nós passamos a maior parte da semana — talvez 99% do nosso tempo — fora das quatro paredes da igreja, muitas vezes cercados de pessoas que desconhecem o enredo da salvação.

E um dos desafios mais comuns que cristãos contemporâneos têm encontrado em um mundo cujo padrão de vida está em ampla oposição ao caráter de Deus é um senso profundo de deslocamento. É como se vivêssemos em dois mundos: somos peregrinos em uma terra que, embora outrora fosse confortável, se tornou estranha pelo simples fato de pertencemos agora ao verdadeiro Senhor do cosmo. E, muitas vezes, isso pode mexer profundamente com o entendimento de quem somos. O que se vê com frequência, portanto, é que aquilo que muitos cristãos realizam ao longo da semana não se conecta com o que é ouvido no domingo, especialmente quando o evangelho pregado no culto não pressupõe que Jesus é dono de todo o universo.

Em resposta, podemos pegar emprestado o que autores como Miroslav Volf, Amy Sherman, Andy Crouch e outros já disseram com muita clareza,[2]

---

[1] C. S. Lewis, "Is Theology Poetry?", em *The Weight of Glory* (São Francisco: HarperOne, 2001).

[2] Miroslav Volf, *Uma fé pública: Como o cristão pode contribuir para o bem comum* (São Paulo: Mundo Cristão, 2018); Amy L. Sherman, *Kingdom Calling: Vocational Stewardship for the Common Good* (Downers Grove: IVP, 2011); Andy Crouch, *Culture Making: Recovering Our Creative Calling* (Downers Grove: IVP, 2013). Ver também N. T. Wright, *Surpreendido pela esperança* (Viçosa, MG: Ultimato, 2009) e *Creio e agora? Por que o caráter cristão é importante* (Viçosa, MG: Ultimato, 2012); Timothy Keller e Katherine Leary Alsdorf, *Every Good Endeavor: Connecting Your Work to God's Work* (New York: Penguin, 2014); e o excelente recurso

e pontuar duas tentações às quais o cristão deve resistir, quando se trata de seu envolvimento no mundo: a postura liberal (de assimilação) e a postura separatista (de confinamento). A primeira pressupõe uma visão de mundo fragmentada em que o evangelho se restringe somente a questões "privadas", ocasionando uma duplicidade de vida em que a segunda-feira não conversa em momento algum com aquilo que Jesus propõe sobre o reino de Deus. Consequentemente, nada impede a pessoa e seus afazeres de se parecerem mais com o mundo do que com Cristo. A segunda é o outro lado da mesma moeda: assume-se que a "obra de Deus" tem caráter estritamente "religioso", e qualquer envolvimento fora das quatro paredes da igreja deve visar somente o alcance de prosélitos. Assim, nessa visão igualmente dicotomizada, o trabalho é visto como um "mal necessário", e servir a Cristo na segunda-feira se resume a usar um palavreado evangélico ou ligar uma música *gospel* no escritório.

Todavia, nenhuma dessas posturas é fiel ao enredo da salvação. Cristo tem toda a autoridade nos céus e na terra e, portanto, o todo de nossa vida, inclusive o que acontece na segunda-feira, deve ser afetado por seu senhorio. O evangelho bíblico transpõe qualquer tipo de abismo que separa a nossa fé do nosso trabalho, chamando-nos a viver à luz da ressurreição em todas as coisas nas quais estivermos envolvidos. A melhor postura, então, é a de engajamento.

Em 2Coríntios 5.20 e Filipenses 3.20, Paulo chama os cristãos de "embaixadores de Cristo" e "cidadãos do reino de Deus".[3] Um embaixador representava os ideais do imperador em terra distante, e um cidadão consolidava os valores centrais do império onde quer que estivesse. É importante que Paulo descreva quem somos nesses termos, porque eles oferecem categorias adequadas para imaginarmos como deve ser a nossa atuação no mundo, fora das quatro paredes da igreja. Ora, o que faz de uma embaixada uma embaixada, por exemplo, é o fato de ela ser um microcosmo — uma extensão dos valores centrais — do país que ela representa. Uma embaixada é a própria intersecção entre o país de origem e o território onde ela está presente. Da

---

em vídeo Reframe, disponível gratuitamente com legendas em português: <https://www.reframecourse.com/br>. Acesso em 14 de janeiro de 2021.

[3] Ver mais detalhes em Bernardo Cho, "Cidadãos do reino de Cristo: A identidade da Igreja na cidade de Filipos", em Estevan F. Kirschner e Bernardo Cho (orgs.), *Missão urbana: Servindo a Cristo na cidade* (São Paulo: Mundo Cristão, 2020), p. 28-38.

218 O ENREDO DA SALVAÇÃO

mesma maneira, Paulo pregou em várias cidades localizadas a distâncias consideráveis de Roma — como, por exemplo, Filipos — que não obstante preservavam valores quintessencialmente romanos. Aos crentes de lá, Paulo diz que eles são agora "cidadãos do reino de Deus" (Fp 1.27).

Quando concebemos nosso chamado como embaixadores e cidadãos, esse erro que nos leva a assumir uma postura liberal ou separatista pode ser corrigido. Não deve haver conflito de interesses entre nossa fé e nosso trabalho. Como embaixadores de Cristo e cidadãos de seu reino no mundo, somos chamados a fazer de nossa vida diária — em nosso lar, em nossa profissão, em nossos relacionamentos, em nossos envolvimentos públicos — pontos de intersecção em que os valores do reino de Deus possam ser expressos visivelmente.[4]

Isso significa que ser discípulo de Jesus envolve dois movimentos: o centrípeto e o centrífugo. No primeiro, a nossa vocação primordial de sermos Igreja é cultivada. No segundo, colocamos em prática a nossa responsabilidade de levar aonde fomos posicionados na sociedade, seja em palavras ou em ações, as realidades que experimentamos de forma mais tangível com a Igreja. É impossível sermos embaixadores de Cristo e cidadãos de seu reino se negligenciarmos qualquer um desses dois movimentos. Tirá-los da equação é fragmentar o evangelho e comprometer nossa vocação.

E há certamente inúmeras observações que devem ser feitas quando tentamos colocar isso em prática. Mas permita-me sublinhar apenas três palavras-chave que podem nos ajudar a aplicar nosso papel de embaixadores e cidadãos no dia a dia. A primeira e mais importante é "caráter". Todas as exortações práticas contidas no Novo Testamento, quando não dizem respeito à doutrina, reforçam a necessidade de se viver conforme Cristo. O próprio enredo da salvação nos conta sobre a revelação do caráter de Deus à humanidade tendo em vista a restauração de sua imagem nela.

Antes de tudo, então, somos embaixadores de Cristo e cidadãos do reino de Deus vivendo conforme Jesus nos ensinou — isto é, sendo seus discípulos e adoradores — em todo lugar, dentro e fora da igreja: "como filhos amados

---

[4] Essa ideia foi advogada também pela primeira geração de proponentes da chamada "missão integral". Ver uma discussão sucinta em Robinson Cavalcanti, *A utopia possível: Em busca de um cristianismo integral* (Viçosa, MG: Ultimato, 1997). Em tempos mais recentes, Pedro Lucas Dulci tem articulado essa dinâmica pelo prisma da relação entre natureza e graça em *Ortodoxia integral: Teoria e prática conectadas na missão cristã* (Uberlândia, MG: Sal Editora, 2015).

de Deus, imitem-no em tudo que fizerem" (Ef 5.1). Essa vida, aliás, contempla a ética (Ef 4.17-32) e o tratamento que dispensamos às pessoas (Ef 5.3-17). E tudo isso deve começar em casa (Ef 5.21—6.4) — sempre nessa ordem.

Se mantivermos a palavra "caráter" em mente, isso nos levará a pensar em nossa vida no dia a dia a partir de uma segunda palavra-chave, que é "fidelidade". Ora, esse problema todo chamado pecado começou porque a humanidade quis fazer as coisas do seu jeito. Ser cristão é ter o caminho de Jesus como o único marco referencial. Em nosso cotidiano, portanto, o que mais conta é sermos fiéis a Deus e ao evangelho no trabalho que ele confiou em nossas mãos.

É nesse ponto, todavia, que muitos se esquecem de que são cristãos. Há momentos em que nos achamos em situações inferiores ao que desejávamos, e somos tentados a não realizar com dedicação o que nos foi proposto. E há circunstâncias em que vemos a possibilidade de sucesso às custas de nossa lealdade a Cristo, e somos tentados a transigir. Há que se entender, porém, que não somos profissionais cristãos, mas, sim, cristãos que servem ao Senhor com suas profissões. Não somos chamados meramente a "batizar" práticas e lógicas contrárias ao caráter de Deus só porque "dão certo". Na Babilônia, Daniel não inventou uma versão *gospel* das coisas que o império ordenava que ele fizesse. E isso o levou à cova dos leões — foi de lá que Deus o livrou, revelando também sua glória ao rei.

E, finalmente, a terceira palavra-chave é uma que temos repetido diversas vezes ao longo de nossa caminhada até aqui: "redenção". Além do equívoco de achar que o nosso trabalho diz respeito a nós e ao nosso sucesso pessoal, outro erro que é frequentemente cometido é pensar que a segunda-feira é um "mal necessário". O enredo da salvação nos conta algo completamente diferente: Deus criou a humanidade para que nós cuidássemos do cosmo como espaço sagrado onde ele habitaria conosco eternamente, e Jesus ressuscitou para retomar, de uma vez por todas, esse propósito. O fim de toda atividade humana com a qual nos envolvemos, portanto, é tornar o plano redentivo de Deus visível em tudo que fizermos. Paulo diz que "nada do que fazemos para o Senhor é inútil" (1Co 15.58). Isso não é uma mera mensagem motivacional. No contexto imediato, Paulo faz uma força hercúlea para convencer os coríntios de que, já que Jesus ressuscitou, nós também viveremos com ele e colheremos o fruto de nosso trabalho. Tiago, por sua vez, nos chama de

220 O ENREDO DA SALVAÇÃO

"primeiros frutos dentre toda a criação" (Tg 1.18). Ou seja, somos sinais concretos do mundo vindouro.

O cristão deve, sim, usar sua profissão para dar testemunho da ressurreição com palavras e para ter condições de apoiar missionários e ações de justiça. É só ler a Bíblia para saber que tudo isso é necessário e desejável. Mas Deus está interessado também em que façamos da nossa profissão um testemunho da salvação realizada em Cristo. O Senhor deseja redimir pessoas e tudo mais com que elas se envolvem no dia a dia: a medicina, o direito, as artes, o empreendedorismo, a pecuária, a engenharia, o comércio, a educação, a agricultura, o cuidado de casa, a política — e por aí vai. Ou seja, nosso trabalho não é meramente um meio utilitarista para um fim religioso, mas o próprio instrumento de redenção da boa criação de Deus, cujos resultados serão colhidos quando Jesus consumar seu reino. Dependendo do contexto, é claro, nosso engajamento poderá assumir a forma de conservação, de reforma, de resistência ou de transformação. Nem sempre os resultados serão os mesmos. Mas o que fizermos com o trabalho confiado em nossas mãos terá impacto eterno.

Caráter, fidelidade e redenção. A história continua. "Em breve o Deus da paz esmagará Satanás sob os pés de vocês. Que a graça de nosso Senhor Jesus seja com vocês" (Rm 16.20).

Sobre o autor

....

Bernardo Cho é graduado em Comunicação Social pela Escola Superior de Propaganda e Marketing, mestre em Divindade pelo Seminário Teológico Servo de Cristo, mestre em Novo Testamento pelo Regent College e PhD em Linguagem, Literatura e Teologia do Novo Testamento pela Universidade de Edimburgo, na Escócia. É professor de Novo Testamento e Teologia Bíblica no Servo de Cristo, e pastor da Igreja Presbiteriana do Caminho. Organizou, com Estevan Kirschner, a obra *Missão urbana*, publicada pela Mundo Cristão.

Compartilhe suas impressões de leitura,
mencionando o título da obra, pelo e-mail
opiniao-do-leitor@mundocristao.com.br
ou por nossas redes sociais

Esta obra foi composta com tipografia Palatino
e impressa em papel UPM Cream 70 g/m² na gráfica Imprensa da fé